LA REINE
SANGLANTE

Michel Zévaco

I

FÉE OU SORCIÈRE

Au moment où se situe ce récit, la France, en 1314, avait pour roi Louis X le Hutin. La reine, Marguerite de Bourgogne et ses deux sœurs, Jeanne et Blanche, menaient secrètement une vie de débauche et la Tour de Nesle devint leur lieu de plaisir favori.

À l'époque, le roi était conseillé pour les affaires de l'État par son oncle Charles, comte de Valois et par Mgr Enguerrand de Marigny, ancien ambassadeur à la cour de Bourgogne. Ce dernier avait été autrefois l'amant de la reine qui lui donna une fille, Myrtille, mais celle-ci a toujours ignoré les hautes fonctions de son père et elle ne connaît pas sa mère. Le comte de Valois, oncle du roi, avait séduit une jeune fille de la cour de Bourgogne, Anne de Dramans. Un fils, Jehan, naquit que Marguerite de Bourgogne, par haine amoureuse, décida de faire supprimer. L'homme chargé de cette mission, Lancelot Bigorne, hésita au dernier moment et sauva l'enfant.

Des années ont passé depuis : Jehan – Buridan – est devenu un homme, Myrtille une jeune fille. Les deux jeunes gens s'aiment sans soupçonner leur lourd passé. La haine que se vouent l'un à l'autre Enguerrand de Marigny et le comte de Valois est un obstacle à leur amour. Quant à Marguerite de Bourgogne, elle dédaigne celui de Philippe d'Aulnay, un ami de Buridan. C'est Buridan qu'elle aime, mais il reste fidèle à Myrtille ; la haine de la reine est tenace : ils mourront tous les deux.

Pourtant, Louis X soupçonne qu'on le trahit. Il se rend à la Tour de Nesle, trouve des papiers, s'en saisit… Mais Philippe d'Aulnay surgit, prend des mains du roi les papiers compromettants, les enflamme à une torche… Buridan est à son côté. Philippe d'Aulnay a sauvé l'honneur de la femme qu'il aime, mais il reste prisonnier des archers du roi, tandis que Buridan et ses amis se réfugient dans la cour des Miracles.

Conduit par Bigorne, le roi retrouve son oncle, le comte de Valois, dans la salle basse de la Tour de Nesle.

Valois, en voyant entrer son neveu et roi, poussa un cri de joie et se précipita vers Louis, qui l'étreignit dans ses bras en disant :

« Il faut donc que ce soit moi qui vienne vous tirer des mains des Philistins ?

– Ah ! Sire, cria Valois, dussé-je vivre plusieurs siècles, jamais je n'oublierai que c'est à vous que je dois la liberté et peut-être la vie. Cette vie, mon cher Sire, vous pouvez en disposer, elle vous appartient désormais ! »

En parlant ainsi, dans un mouvement de réaction, après les heures d'angoisse et de terreur qu'il venait de subir le comte de Valois éclata en sanglots. En ce moment, il était sincère dans sa reconnaissance et une sorte d'enthousiasme lui venait à la pensée que le roi lui-même l'aimait assez pour avoir pris la peine de venir lui-même le délivrer.

« Mais, fit-il après les embrassades et effusions qui suivirent le premier moment, mais, Sire, comment avez-vous pu savoir ?…

– Mais, reprit à son tour le roi, dites-moi, mon digne oncle, comment avez-vous pu vous laisser prendre, tel un renard forcé par la meute ?

– Sire ! dit Valois, je vous avouerai qu'avant tout, j'ai hâte de me retrouver à l'air libre… et que je meurs de faim. »

Une demi-heure plus tard, l'oncle et le neveu s'installèrent devant une table splendidement servie.

« Maintenant que nous sommes seuls, Valois, raconte-moi comment t'est arrivée cette prodigieuse aventure d'être saisi dans ton hôtel, malgré la garnison de trois cents gardes… »

Valois, en peu de mots, fit le récit de ce qui s'était passé dans son hôtel et raconta comment Buridan et Lancelot Bigorne, profitant de l'obscurité qui régnait dans le couloir où avait lieu la bagarre, avaient pu pénétrer dans l'hôtel. Quant à dire pourquoi il s'en garda, tenant à liquider lui-même ce point avec Simon Malingre.

« Sais-tu, fit le roi avec admiration, que ce sont là de rudes hommes !

« – Oui, Sire ! dit Valois, d'une voix sombre, rudes et redoutables. Ils seraient seuls qu'il n'y aurait pas à s'en préoccuper, sinon pour les faire pendre. Mais, Sire, le malheur est que ces gens sont inspirés par un homme plus redoutable encore, dont ils ne sont que les instruments. Cet homme a juré ma perte. Cet homme, enfiellé de jalousie, exaspéré de haine contre l'oncle du roi, veut vous priver de votre meilleur conseiller, de votre serviteur le plus loyal, le plus dévoué, le plus désintéressé…

– De qui veux-tu parler, Valois ? fit le roi chez qui déjà la colère commençait à bouillonner.

– De qui voulez-vous donc que je parle, Sire, sinon de celui qui, après avoir ruiné mon frère, Philippe IV, cherche à vous ruiner vous-même ? De qui voulez-vous que je parle, sinon de celui qui me hait parce que j'ai surpris ses dilapidations, parce qu'il sait que je le surveille, parce qu'il a besoin d'ombre et de silence, et que je suis, moi, le flambeau qui éclaire, la parole qui accuse ? De qui voulez-vous que je parle, sinon du seul homme qui ait intérêt à ma disparition ?…

– Crois-tu donc, gronda le roi, crois-tu que Marigny oserait…

– Ah ! Sire, vous voyez bien que c'est vous qui prononcez son nom, son nom maudit ! C'est Marigny, Sire, qui m'a dépêché cette bande de truands avec mission de m'assassiner ! Les truands n'ont pas osé aller jusqu'au bout. Ils n'ont pas osé porter la main sur moi. Mais ils m'auraient laissé mourir de faim et de soif dans ce cachot d'où mon roi est venu me tirer comme l'ange envoyé par Dieu.

– Par Notre-Dame, balbutia le roi, chez qui la fureur se déchaînait, si j'en étais sûr, je ferais saisir Marigny, je le ferais jeter dans un cachot où je le laisserais pourrir ou, plutôt, je le ferais pendre, oui, pendre, tout mon premier ministre qu'il est, pendre à ces fourches de Montfaucon qu'il m'a offertes comme don de joyeux avènement. »

À ce moment, Valois comprit qu'il jouait sur un coup de dé sa puissance et, peut-être, sa liberté et sa vie.

Il sentit qu'entré dans la voie de l'accusation, il lui fallait aller jusqu'au bout, il lui fallait écraser à jamais son rival sous une des formidables accusations dont on ne se relève pas.

Son visage se fit plus sombre, sa voix se fit plus fielleuse :

« Sire, dit-il, si je vous disais la vérité tout entière, si je vous disais pourquoi, depuis quelques jours, Marigny qui a toujours souhaité ma perte, s'est résolu à me tuer enfin, après avoir longtemps hésité...

– Parle ! je te l'ordonne, fit le roi en voyant que Valois s'arrêtait.

– Si Enguerrand de Marigny n'avait visé que le comte de la Marche, ou le comte de Poitiers, pardonnez-moi, Sire ! mais j'aurais laissé faire Enguerrand de Marigny ! »

Le roi tressaillit et pâlit en voyant deviner ses pensées les plus secrètes.

« Car alors, continua Valois de sa voix sifflante, j'aurais pensé que c'était Dieu même qui armait le bras de Marigny contre deux hommes qui attendent avec une trop visible impatience leur tour de monter sur le trône ! Mais je vous ai dit plus haut, cherchez plus haut encore !... Je vous vois pâlir, je vois que vous avez compris ! Oui, Sire ! c'est de vous qu'il s'agit ! C'est vous que Marigny ose menacer directement. Et si Buridan n'est que l'instrument de Marigny, qui sait si Marigny lui-même n'est pas l'instrument de vos deux frères ? »

Le roi réfléchissait. Et Valois, avec le sourire de la haine satisfaite, le regardait réfléchir. Cette fois, Louis Hutin ne s'abandonnait pas à une de ces fureurs aussi vite apaisées que déchaînées : cette fois il songeait. Un pli dur barrait son front, ordinairement poli et sans rides comme un front d'enfant qui n'a pas encore connu le souci de la vie. Ses yeux, d'un bleu gris qui, généralement ne reflétaient que la joie de vivre, étaient devenus mauvais.

« Marigny est perdu ! » songea le comte de Valois avec un rugissement de joie intérieure.

Le roi releva longtemps la tête, jeta un regard autour de lui, comme pour s'assurer que l'ombre de Marigny n'était pas là pour le surveiller, et demanda :

« Comment ferons-nous ?... »

C'était la condamnation d'Enguerrand de Marigny.

« Sire, dit Valois, si Votre Majesté veut me confier la direction de cette affaire, je me fais fort de trouver pour les juges un prétexte suffisant sans qu'il soit besoin d'instruire le peuple de la vérité, c'est-à-dire du danger qui a menacé vos jours. Les prétextes ne manquent pas ! Nous ferons fouiller les caves de l'hôtel Marigny et nous trouverons qu'elles regorgent d'or, alors que les coffres du roi sont presque vides. Nous lui demanderons d'où vient cet or. Nous l'accuserons d'avoir pillé et forfaité les deniers destinés à Bertrand de Goth. Nous l'accuserons, avec preuves, d'avoir reçu de l'argent des Flamands pour trahir la cause du roi de France... Et enfin. Sire, nous l'accuserons d'un crime plus horrible qu'aucun des crimes qui aient jamais été conçus. »

Le roi frissonna.

Il s'imprégnait de ce fiel que lui versait le sinistre rival d'Enguerrand de Marigny. Et ce fut avec un frisson d'épouvante qu'il entendit la dernière accusation.

« Vous savez, Sire, que vous avez été menacé par les maléfices d'une sorcière, d'une fille d'enfer qui, le doute n'est plus permis, a fait pacte avec Satan. »

Le roi esquissa un signe de croix et murmura rapidement une forme d'exorcisme destinée à écarter de lui les démons ou spectres invisibles.

« Vous savez, continua Valois, que moi-même, Sire, j'ai saisi le maléfice qui, par une suprême insulte, avait été placé dans un bénitier. Oui, c'est là, dans la chambre même de la sorcière, c'est là, dans ce bénitier profané, que, de mes propres mains, j'ai saisi la statuette de cire faite à votre image et percée au cœur d'une épingle, afin que votre cœur, à vous, éclatât et se brisât dans votre poitrine. Ce sortilège, vous l'avez vu, je vous l'ai apporté...

– Je me souviens, murmura le roi livide, je me souviens de cette affreuse soirée...

– Eh bien, Sire, souvenez-vous donc aussi, pendant que vous y êtes, souvenez-vous de l'attitude de Marigny ! N'avez-vous pas remarqué son trouble, sa pâleur ? N'avez-vous pas remarqué qu'il a insisté pour aller lui-même arrêter la sorcière ? Et pendant qu'à la Courtille-aux-Roses je sauvais mon roi, n'est-il pas vrai que Marigny s'est jeté à vos pieds, lui, l'orgueil en personne ! Que voulait-il dire ? Quelle supplication était dans son cœur et n'a osé monter jusqu'à ses lèvres ? Vous êtes-vous demandé tout cela, Sire ? Vous êtes-vous demandé le secret de ce trouble ?…

– Je n'y ai pas songé ! dit naïvement le roi. Mais maintenant, par Notre-Dame ! l'horrible vérité éclate à mes yeux : la conscience de Marigny était bourrelée de remords !

– Non, Sire ! pas de remords, mais d'épouvante ! Marigny avait peur, entendez-vous bien ? et il avait peur parce que cette sorcière, cette fille démoniaque qui préparait votre mort…

– Eh bien ? haleta le roi.

– Eh bien, c'est sa fille.

– Sa fille ! fit le roi avec un accent de terreur insensée.

– Sa fille ! sa complice ! pauvre innocente, peut-être, car elle n'a agi que sous l'inspiration de son père. »

Hagard, tremblant, les cheveux mouillés de sueur, affaissé dans son fauteuil, Louis entendit à peine ces dernières paroles par lesquelles Valois amorçait déjà la justification de Myrtille.

Le roi évoquait l'image de cette sorcière qu'il avait vue dans les cachots du Temple et qu'on lui disait être la fille de Marigny.

« Par le Ciel ! grommela-t-il en lui-même, comment Marigny, qui peut avoir quarante-quatre ans, a-t-il une fille qui paraît bien tout près de quarante-cinq ans ? »

Soudain, il se frappa le front et murmura :

« J'ai compris !… »

Alors, il se passa une scène d'un comique funèbre.

Il y eut une façon de quiproquo sinistre, le roi songeant à Mabel, et Valois songeant à Myrtille, toutes les deux ensemble figurant à ce moment de l'entretien la seule et unique sorcière qui avait fabriqué le maléfice.

« Valois ! s'écria tout à coup le roi d'un air de triomphe, as-tu revu la sorcière depuis que tu l'as arrêtée à la Courtille-aux-Roses et enfermée au Temple ? Es-tu descendu dans son cachot ?

– Sire… balbutia Valois.

– Tu l'as revue, n'est-ce pas ? reprit avec impétuosité le roi. Et, dis-moi, elle est jeune ? Elle ne peut être que jeune, puisqu'elle est la fille de Marigny. Elle peut avoir de vingt à ving-cinq ans ?

– Dix-sept à peine ! murmura sourdement Valois, dont l'angoisse croissait d'instant en instant. Mais, Sire, je vais vous... »

Le roi considéra Valois d'un regard de pitié.

« Ainsi, dit-il, non seulement elle t'a paru jeune, mais encore elle t'a semblé belle ? Eh bien, écoute, Valois ! Voici qui prouve bien que nous avons affaire à une véritable sorcière : devant moi, elle a pris le visage d'une femme vieille et affreuse !... »

Valois demeura si stupéfait, qu'un instant il se demanda si le roi ne jouait pas avec lui un jeu effrayant.

« Sire, bégaya-t-il, je ne comprends pas !

– Mais, moi, je comprends ! s'écria Louis, triomphant. Bigorne m'a tout dit : cette fille, Valois, ce n'est pas seulement une sorcière, c'est aussi une fée.

– Bigorne !... une fée !... murmura Valois, effaré, en passant sa main sur son front mouillé de sueur.

– Eh bien, répéta Louis Hutin, une fée ! c'est-à-dire un de ces êtres qui ont le pouvoir de prendre toutes les formes, afin, sans doute, de pouvoir échapper à la vengeance des chrétiens. Au surplus, ajouta-t-il en se levant brusquement nous allons la voir ensemble ; mais qui sait la nouvelle figure qu'elle aura prise ! En tout cas, je la défie bien de t'apparaître jeune et jolie en même temps qu'elle m'apparaîtra vieille et laide. Viens, Valois ! nous allons la voir et contrôler l'une par l'autre notre double vision.

– Elle est donc ici ? balbutia Valois épouvanté.

– J'ai donné l'ordre à Trencavel de me l'amener. Elle doit être ici depuis cette nuit. »

En même temps, le roi se précipita vers sa chambre à coucher, suivi de Valois, titubant, vacillant et se demandant déjà à quelle catastrophe il marchait.

Dans l'antichambre, le roi s'arrêta un instant. Là, Hugues de Trencavel, l'épée nue, se tenait devant la porte et douze gardes montaient la faction avec lui.

« Tu as mis la sorcière dans ma chambre ? demanda le roi.

– Non, Sire, répondit Trencavel, j'ai cru mieux faire en la mettant dans le cabinet où il n'y a ni portes ni fenêtres par où elle puisse s'échapper.

– Tu as bien fait, mon brave Trencavel. »

Et le roi, toujours suivi de Valois, qui se raidissait, pénétra dans la chambre à coucher. Là, il y avait six gardes sous le commandement d'un officier.

Les six gardes étaient placés en rang devant la porte du cabinet où avait été enfermée Mabel.

Le roi les écarta d'un geste et ouvrit la porte du cabinet.

« Je suis perdu ! » murmura Valois.

À ce moment retentit un grand cri.

Ce cri, c'était le roi qui venait de le pousser en entrant dans le cabinet. Tous se précipitèrent pour lui porter secours, et tous purent constater que le cabinet était vide !…

« Vide ! » cria le roi, d'une voix qui tremblait.

« Vide ! » répéta en lui-même Valois, avec le rugissement de joie du condamné qui se voit sauvé à la dernière minute.

Et alors, tandis que le bruit de cet incroyable événement se répandait à travers le Louvre avec la rapidité de l'éclair, tandis qu'on accourait de toutes parts pour constater que la sorcière avait été bel et bien enlevée par quelque diable, le roi, simplement, disait à Valois :

« Je te l'avais bien dit que cette fille n'est pas seulement une sorcière, mais aussi une fée ! »

II

LES ÉMERAUDES

Vers le moment même où Lancelot Bigorne, Guillaume Bourrasque et Riquet Haudryot, ces deux derniers déguisés en ours et le premier dans la peau d'un singe, apparaissaient au Suisse qui veillait à la porte du roi, tandis que les trois compères entamaient avec Louis X l'entretien auquel nous avons assisté, Marguerite de Bourgogne allait et venait dans sa chambre.

Vêtue d'une robe de laine blanche aux plis harmonieux, les cheveux dénoués, la figure pâle, la démarche lente et silencieuse, elle eût pu elle-même passer pour une de ces fées dont nous parlions.

Puis, brusquement, elle se relevait, respirait violemment dans une cassolette contenant des parfums destinés à la calmer, mais qui, en réalité, ne faisait que la surexciter.

Puis elle frappait, avec un marteau d'argent, sur une sorte de petit tambour en métal qui rendait un son frémissant. À cet appel, accourait alors une jeune fille aux yeux malicieux, légère, svelte comme une anguille. Cette servante possédait les secrets et la confiance de sa maîtresse. C'était la Stragildo femelle du Louvre – avec la méchanceté en moins. C'était Mabel avec la jeunesse en plus.

« Juana, dit la reine, le jour vient-il enfin ? Cette longue nuit s'achève-t-elle ? Lève ces rideaux et dis-moi si tu surprends enfin quelque sourire dans le ciel !…

– Hélas ! madame, fit la jeune fille en secouant sa tête brune, le visage du ciel est fermé encore. Les nuits semblent longues à qui rêve tout éveillé. L'aurore est encore loin. »

La reine poussa un soupir.

« Pourquoi, madame, reprit Juana, ne pas appeler le sommeil à votre secours ?

– Tu m'ennuies, dit la reine, va-t'en ! »

La servante, vive et légère, fit une rapide révérence et se dirigea vers la porte.

« Reste ! » cria Marguerite.

La soubrette exécuta une nouvelle révérence et revint.

« Et toujours aucune nouvelle de Mabel ?

– Aucune, madame ! Mais pourquoi vous tourmenter ? Elle reviendra, soyez-en sûre...

– À quoi donc es-tu bonne ? gronda Marguerite.

– Oh ! madame, allez donc trouver quelqu'un qui se cache dans cet immense Paris, qu'on dit la plus grande ville du monde et qui, sûrement, est grand dix fois comme Florence. J'ai cherché, mais en vain ; Stragildo a cherché aussi, et vous savez pourtant que c'est un fin limier !

– Pas de nouvelles de Mabel ! murmura la reine. Donc, pas de nouvelles de Myrtille ! Oh ! qu'elle revienne, ajouta-t-elle. Et elle verra de quoi est capable ma vengeance ! La misérable s'est jouée de moi ! Son philtre est un philtre imposteur. Il n'a donné à Buridan ni l'amour... ni la mort !... Oh ! jouée, bafouée, méprisée par ces hommes !... Si tu savais ce qui s'est passé dans l'enclos aux lions, Juana ! Si tu savais ce qui s'est passé dans les souterrains de la Tour de Nesle !

– Leur tête est mise à prix, madame !... Pauvres jeunes gens. Il en est un surtout dont vraiment vous devriez avoir pitié, puisque sans lui vous seriez morte. Et de quelle mort ! Broyée, lacérée, dévorée par ce lion monstrueux !...

– Ce Philippe d'Aulnay ! Je le hais plus que tous les autres ensemble. J'aime encore mieux la haine de Buridan que l'amour de Philippe !... Ce Philippe d'Aulnay, quand j'y songe, c'est la malédiction de ma vie ! Et Valois ! reprit Marguerite avec un grondement. Qui sait ce qu'il est devenu ! Qui sait ce qu'ils en ont fait après l'avoir enlevé de son hôtel ?

– Vous vous intéressez donc bien à l'oncle du roi, madame ?

– Je le méprise ! Mais il sait des choses terribles. Je le hais plus encore que Marigny. Ah ! j'ai été trop faible... Ces deux hommes devraient déjà être hors de mon chemin... »

Elle passa sur son front pâle comme un beau marbre une main nerveuse et fiévreuse.

« Que fait le roi ? reprit-elle tout à coup.

– Le roi ? Sans doute il dort, madame ?

– Va t'en assurer, Juana… »

La jeune fille s'élança. Marguerite, demeurée seule, poursuivit sa lente promenade escortée de spectres dans les tressauts de son esprit qui allaient de l'épouvante au défi, de la haine à la passion d'amour.

Un éclat de rire crispa soudain ses lèvres. Et il y avait dans ce rire un mépris intense, le plus intense et le plus parfait des mépris : le mépris de la femme qui n'aime pas, pour l'être auquel malgré soi-même est liée sa destinée.

« Le roi dort ! dit-elle. Le roi !… Mon époux !… Mon maître !… Un homme, ce roi ? Allons donc ! même pas un roi !… Pauvre hère, qui ne comprend pas encore à quel sommet l'a porté le hasard de sa naissance !… Triste roi ! que les Flamands, un peuple de manants, insultent et provoquent ! Quand il a tué un sanglier, le roi croit avoir fait œuvre de roi. Quand il a étonné les plus rudes mangeurs par quelque énorme ripaille, il croit avoir fait œuvre d'homme ! Et puis il dort !… Ses frères songent à le déposer et il dort ! Heureusement, je les tiens tous deux par mes sœurs !… Marigny le réduit à la ruine, et il dort ! Valois guette l'occasion de prendre d'assaut ce trône, et il dort !…

– Madame ! Madame ! haleta Juana, en entrant précipitamment, le roi est sorti du Louvre !…

– Sorti du Louvre ? fit dédaigneusement Marguerite. Sans doute pour aller à la rue du Val-d'Amour ; c'est sa Tour de Nesle, à lui !

– Non, madame ! pour aller…

– Eh bien, achève, folle !…

– À la Tour de Nesle !… »

Marguerite étouffa une clameur d'épouvante.

« Courage, madame ! courage ! fit Juana en la soutenant. Le roi ne peut trouver nul indice…

– Malheureuse ! rugit Marguerite. Je suis perdue… La malédiction de Gautier est sur moi !… »

Ses yeux, agrandis par l'horreur, exprimèrent un paroxysme d'effroi.

« Madame !… revenez à vous… le roi ne peut rien savoir, rien trouver…

– J'ai écrit ! bégaya la reine dans un hoquet de terreur.

– Écrit !… Oh ! et vous avez laissé les papiers là-bas ?

– Oui !… Une bravade ! une folie ! une inspiration des démons acharnés à ma perte !… J'ai écrit !… écrit à Buridan !… Des lettres insensées !

– Peut-être le roi ne les verra-t-il pas, madame !

– Malheureusement ! S'il ne voit pas les lettres, il verra mon manteau d'hermine, et les deux émeraudes qu'il m'a données !…

– Quelle imprudence, madame !

– Dis folie ! Dis plutôt l'inspiration de la vengeance divine ! Dis plutôt que le Ciel est las de mes crimes ! Dis plutôt que la Tour de Nesle est habitée par des spectres qui m'ont soufflé des pensées de bravade imbécile ! Dis plutôt que la malédiction de Gautier d'Aulnay commence à produire son effet… »

Marguerite de Bourgogne se renversa sur le plancher, en proie à une crise de nerfs.

Lorsqu'elle revint au sentiment des choses, elle se vit sur son lit, où la frêle Juana avait eu la force de la transporter. Juana était penchée sur elle, guettant anxieusement son réveil.

« Madame, rassurez-vous, le danger est passé !…

– Le roi n'a donc pas été à la tour ?

– Si fait, madame ! mais il est de retour. Il rit. Il mange d'excellent appétit. Toutes choses que le roi ne ferait pas s'il avait trouvé le moindre indice à la tour.

– C'est vrai, c'est vrai ! murmura la reine dans un long soupir de soulagement. Mais alors, qu'a-t-il été faire à la Tour de Nesle ? Et qui a pu lui donner l'idée d'y aller, lui qui a toujours refusé d'y mettre les pieds depuis qu'un nécromant l'a prévenu qu'un grand malheur l'y attendait ?

– Oui, madame, jamais le roi ne va à la Tour de Nesle, et vous savez que nous avons tout fait pour augmenter cette horreur et cette crainte qu'elle lui inspire. Il a donc fallu un puissant motif pour le décider…

– Et ce motif ? interrogea la reine avec angoisse.

– Un homme le lui a apporté : Lancelot Bigorne !

– Lancelot Bigorne !… gronda la reine, reprise de toute son épouvante. Tu vois bien, Juana, que je suis dans la main de la fatalité ! Tu vois bien que Buridan a juré ma perte !… Mais comment Lancelot Bigorne, dont la tête est mise à prix, a-t-il pu parler au roi ?…

– C'est cela qui doit vous rassurer, madame ! Lancelot Bigorne, pour une raison que nous ne pouvons soupçonner, est venu dénoncer son maître, Jean Buridan. J'ai tout entendu, madame !… Il a prévenu le roi que le comte de Valois avait été enfermé à la Tour de Nesle !… Le roi a été y chercher son oncle, et maintenant tous les deux sont ensemble, à table…

– Ainsi, fit Marguerite, qui, les yeux élargis par l'étonnement, avait écouté ce récit, ces hommes ont eu l'audace de venir à la tour ?…

– Et sans aucun doute, madame, ne sachant pas que le roi a délivré le comte, ils y reviendront !… »

Marguerite, quelques minutes, réfléchit, muette, frémissante, calculant, combinant…

« Juana, reprit-elle enfin, il est sûr que le roi, en sortant de table, voudra se rendre dans sa chambre à coucher, comme il fait toujours quand il a bien dîné. Va à ton poste et reviens me prévenir… Si le roi s'endort comme d'habitude, je suis sauvée ! »

Juana s'élança.

Mais, presque aussitôt, Marguerite la rappela…

« Reste ! dit la reine d'une voix agitée. Je veux voir et entendre par moi-même ! Donne la clef… »

Juana obéit, et la reine, sortant de sa chambre, suivit un long couloir. C'était celui-là même que Louis, escorté de Bigorne, de Guillaume et de Riquet, avait suivi en sens inverse pour sortir du Louvre. Nous avons dit que ce couloir était secret, c'est-à-dire qu'il n'était connu que du roi, de la reine, des serviteurs intimes, et qu'il faisait communiquer l'appartement de Louis avec celui de Marguerite. Nous avons vu que le roi, parvenu vers le milieu de ce couloir, avait pris un escalier qui lui avait permis de descendre dans les cours du Louvre. Marguerite passa devant cet escalier sans s'y arrêter. Vingt pas plus loin, il y avait un renfoncement, ou plutôt une sorte de niche dans laquelle avait été placée une statuette représentant sainte Geneviève, sainte à qui la reine Marguerite faisait de préférence ses dévotions. La statuette était en bronze et solidement fixée au socle qui la supportait. Mais Marguerite, ayant saisi la sainte par les deux épaules, la fit tourner sur elle-même. Ce mouvement découvrit une sorte de serrure dans laquelle elle introduisit une clef spéciale qu'elle venait de reprendre à Juana, et alors tout un pan de mur parut s'ouvrir. Sainte Geneviève et sa niche se mirent en mouvement et découvrirent un étroit passage dans lequel la reine s'engagea.

Ce passage était réellement secret, vu que la reine, Mabel et Juana étaient les seules à le connaître.

Il aboutissait à un cabinet, où il accédait par une porte invisible. Le cabinet lui-même donnait sur la chambre du roi et, par une sorte de judas habilement aménagé, on pouvait regarder et entendre.

C'est dans ce cabinet que Juana s'était rendue. C'est de là qu'elle avait surpris l'étrange entrevue de Bigorne avec le roi, et c'est dans ce cabinet que se rendait Marguerite au moment où nous reprenons ce récit.

Marguerite étant donc arrivée jusqu'au cabinet, fit jouer le ressort de la porte secrète et entra. Au même instant, elle recula, en étouffant un cri. Il y avait quelqu'un dans l'étroite pièce, ce quelqu'un était une femme, et cette femme, c'était Mabel.

La reine la reconnut sur-le-champ ; mais, par une sorte de pressentiment, elle renfonça les questions et les exclamations qui se pressaient sur ses lèvres.

Quant à Mabel, elle ne manifesta aucun étonnement : on eût dit qu'elle s'attendait à cette visite. Elle mit un doigt sur ses lèvres, comme pour recommander le silence à Marguerite, stupéfaite. Puis, saisissant la reine par une main, ce fut elle-même qui l'entraîna hors du cabinet dont elle referma la porte. Marguerite se laissait faire, dans cet état de stupeur où elle se trouvait. Rapidement, Mabel franchit le passage secret, rajusta elle-même sainte Geneviève dans sa niche et entraîna la reine jusqu'à sa chambre à coucher.

« Toi ! s'écria alors Marguerite, toi enfin ! toi dans le cabinet secret ! Comment ? Pourquoi ?

– Vous allez le savoir, ma reine ! dit Mabel ; mais, avant toute chose, il ne faut pas que votre royal époux puisse me reconnaître si, par hasard, il vient ici. Il ne m'a vue qu'un instant au fond d'un cachot…

– Au fond d'un cachot ! toi !

– Moi-même ! Et si peu qu'il m'ait vue, il m'a assez regardée pour avoir remarqué mon costume. »

La reine conduisit rapidement Mabel dans une pièce tout autour de laquelle régnaient de vastes armoires. Elle en ouvrit une, et Mabel sourit. Quelques minutes plus tard, elle était entièrement transformée et Valois lui-même n'eût pu la reconnaître. D'ailleurs, le masque qu'elle portait sur le visage la rendait encore plus impénétrable.

« Explique-moi maintenant, reprit la reine, comment et pourquoi tu sors d'un cachot où tu dis que le roi t'a vue ? Comment et pourquoi je te retrouve dans le cabinet secret ? Et surtout comment et pourquoi le philtre que tu m'as donné et que j'ai fait verser à Buridan n'était nullement un élixir d'amour ? Comment et pourquoi cet élixir que tu m'as dit ensuite être un poison foudroyant, n'a nullement empoisonné Buridan ? Je t'en préviens, ma digne Mabel, ajouta la reine avec une fureur croissante, un mensonge de plus peut te coûter la vie. Tu sais que je ne suis pas de celles qu'on peut tromper !

– Oui ! dit froidement Mabel, vous êtes de celles qui trompent. Mais, écoutez, ma reine. Si j'ai cessé de vous plaire, vous avez un moyen bien simple de vous débarrasser de moi : tout à l'heure encore, j'étais dans un cachot dont je ne devais sortir sans doute que pour être menée au bûcher. En ce moment, l'antichambre et la chambre du roi sont pleines de gardes apostés pour m'empêcher de m'enfuir du cabinet où ils m'ont mise. Reconduisez-moi dans ce cabinet. Vous savez que de l'intérieur la porte invisible n'en peut être ouverte. Et mon sort sera réglé ! Il est probable qu'au point du jour je serai brûlée vive. »

Marguerite réfléchit, sans doute, que Mabel ne se laisserait pas brûler sans parler. Peut-être, se dit-elle, ces paroles que prononcerait Mabel, avant de mourir, seraient sa condamnation à elle. Ou peut-être avait-elle réellement trop besoin des services de Mabel pour se passer d'elle à tout jamais. Quoi qu'il en soit, elle se radoucit.

« Explique-toi d'abord, et nous verrons ensuite.

– Voyons, dit Mabel, procédons avec ordre, ma reine. Que voulez-vous savoir ?

– Tout !...

– Madame, dit-elle, je vous avais promis un élixir d'amour, vous l'avez eu.

– Mais tu as dit que c'était un poison mortel...

– Mon élixir est un poison. J'ai dit la vérité...

– Mais Buridan n'est pas mort !...

– Et qui vous dit qu'il ne l'est pas à cette heure ? »

La reine frémissait.

Et Mabel songeait :

« Ô mon fils, tu es sauvé ! Tant que l'infâme ribaude te croira mort, tu es à l'abri du mortel amour qu'elle t'a voué ! Mais qu'est-il devenu mon Jehan ? Que s'est-il passé après mon départ de la Tour de Nesle ? »

« Ma chère reine, reprit-elle tout haut, sans doute, vous l'avez fait saisir ? Sans doute, vous le tenez dans quelque cachot du Louvre ?

– Tu ne sais donc rien ! gronda Marguerite. Tu ne sais donc pas qu'ils m'échappèrent ! qu'ils ont failli me tuer à la Tour de Nesle ! que Philippe et Gautier d'Aulnay sont vivants, qu'ils ont voulu me faire dévorer par mes lions, et qu'enfin ils se sont emparés de Valois ! »

« Emparés de Valois ! murmura sourdement Mabel, qui pâlit sous son masque. Pourquoi Buridan a-t-il voulu s'emparer de Valois... Est-ce que Myrtille ?... »

« Madame, continua-t-elle, je ne sais rien. En sortant de la Tour de Nesle, j'ai été saisie par une bande d'archers et conduite au Temple. Là, on m'a dit que j'étais accusée de sorcellerie... le roi est venu en personne m'interroger...

– Et tu n'as rien dit ? fit anxieusement Marguerite.

– Qu'aurais-je pu dire !... La nuit, j'ai vu la porte de mon cachot s'ouvrir tout à coup, comme je songeais au moyen de vous prévenir que j'étais au Temple, que le roi avait peut-être quelque soupçon, puisqu'il fait surveiller la Tour de Nesle...

– Oui, oui !... c'est sûr... il a des soupçons... Tu me sauveras, Mabel ! Toi seule peux me sauver !

– Ne craignez rien ! J'ai donc été emmenée et conduite dans la chambre du roi, puis enfermée dans ce cabinet secret dont je serais sortie si la porte s'ouvrait de l'intérieur. J'étais persuadée qu'on allait me conduire au bûcher dès que le jour paraîtrait, et je me résignais de mon mieux lorsque vous m'êtes apparue... mais...

– Mais quoi ? Parle, ma chère. As-tu quoi que ce soit à me demander ?... C'est vrai, Mabel, je te voulais la male-mort parce que je me croyais trahie par toi... et je suis heureuse de t'avoir retrouvée... »

Mabel put mesurer à ce moment toute l'influence qu'elle avait acquise sur l'esprit de la reine.

« Madame, reprit-elle, pouvez-vous au moins me dire ce qu'est devenu Lancelot Bigorne ?

– Je vais te le dire. C'est Bigorne qui a enlevé le Valois. Et c'est Bigorne qui, lui-même, vient de faire délivrer Valois par le roi. Pourquoi ? C'est ce que je me demande en vain...

– Je le saurai, moi ! dit Mabel. Ma chère reine, je vois que, pendant mon absence forcée, il s'est passé d'étranges événements. Je sens que vous êtes menacée... il était temps que je m'occupe de vous sauver... »

En disant ces mots, Mabel s'éloigna rapidement, laissant la reine à la fois rassurée et inquiète.

Quant à Mabel, elle tremblait de l'effort qu'elle avait dû faire pour parler de Buridan avec la même indifférence qu'autrefois.

Elle tremblait parce qu'elle se posait cette question :

« Pourquoi Buridan s'est-il attaqué à Valois ? Est-ce donc que Valois, malgré son serment, aurait enlevé Myrtille ? Et Buridan l'aurait-il appris ? Mais par qui ? Et comment ?

Mabel était sortie de l'appartement de la reine par la porte officielle, afin que chacun pût constater sa présence.

À la porte, elle se heurta à un archer qui semblait guetter.

« Que fais-tu là, toi ? demanda-t-elle rudement.

– J'attends madame la reine, dit le soldat.

– Et que veux-tu à la reine ? La reine est fatiguée. Elle ne paraîtra pas de la journée hors de ses appartements.

– Je voulais lui remettre ceci, dit l'archer en montrant dans sa main ouverte un paquet minuscule.

– Donne ! je le lui remettrai moi-même.

– C'est que madame la reine devait me donner une forte récompense… du moins, le gentilhomme qui m'a chargé de remettre ce paquet me l'a assuré.

– N'est-ce que cela ? Tu seras récompensé, va. Mais qu'est-ce que ce gentilhomme ?

– Il m'a dit s'appeler Philippe, seigneur d'Aulnay. »

Mabel tressaillit, demeura quelques instants rêveuse, puis, fouillant dans son escarcelle, en tira deux ou trois pièces blanches qu'elle remit au soldat.

L'archer fit la grimace et murmura :

« Le gentilhomme a été plus généreux !

– Écoute. Ceci n'est que ma récompense à moi. Mais la reine te fera remettre autant de pièces d'or que je viens de t'en donner en argent. Seulement, si tu as le malheur de dire un mot de cette commission que tu as acceptée, je sais bien la récompense que te servira la reine.

– Et quelle est cette récompense ?

– Une bonne corde ! dit Mabel.

– Je ne dirai rien, pas même à mon confesseur ! » affirma le soldat avec force protestations que Mabel n'entendit pas, car déjà elle s'était rapidement éloignée.

Hors du Louvre, Mabel défit le paquet.

« Deux émeraudes ! murmura-t-elle. Les deux émeraudes qui garnissaient l'agrafe du manteau de Marguerite ! Et c'est Philippe d'Aulnay qui les envoie à la reine !… »

Mabel plaça les émeraudes dans son escarcelle et reprit sa course vers le Logis hanté du cimetière des Innocents.

Bientôt elle y arriva…

« Myrtille ! » appela-t-elle en montant.

Aucune voix ne lui répondit.

« Myrtille ! » répéta Mabel avec une angoisse mêlée de rage, en parcourant le logis de haut en bas.

Mais bientôt, elle dut se rendre à l'évidence : Myrtille n'était plus dans le Logis hanté !…

« Comment, réfléchit-elle, ai-je pu m'attacher ainsi à cette jeune fille ?… Et comment surtout, ajouta-t-elle avec un sourire funèbre, ai-je pu être assez folle pour croire à un serment de Valois ? Le misérable, après m'avoir emmenée, a fait enlever la pauvre petite, c'est sûr ! Je vois les choses comme si j'y avais assisté !… Pauvre enfant ! Pauvre petit Jehan, qui adore cette petite à en mourir, si elle lui est enlevée… Oh ! rassure-toi, mon Jehan ! Ta mère est là ! Ta mère veille sur ton bonheur !… Étrange destinée, poursuivit-elle, qui met le père en lutte avec le fils !… Que se passera-t-il dans le cœur de Valois quand je lui dirai : « Ton fils est vivant ! Et ton fils, c'est Buridan… »

Qu'eût dit Mabel, si elle avait su que Bigorne avait déjà fait cette révélation ! Et en quelles circonstances elle avait été faite au comte ! Et de quel cœur Valois l'avait accueillie !

Si vil et si misérable qu'elle supposait Valois, elle le jugeait encore d'après son propre cœur et ne pouvait imaginer que le père de Buridan n'ouvrirait pas ses bras à son fils !…

L'espérance entrait donc à flots dans l'âme de Mabel.

Cependant les heures s'écoulaient au Louvre, et Marguerite, dans une mortelle inquiétude, envoyait à tout instant Juana pour savoir des nouvelles.

Que faisait, que disait le roi ? Que s'était-il passé à la Tour de Nesle ? Que complotait-il, enfermé avec Valois ?

Le roi, simplement, complotait la perte d'Enguerrand de Marigny et ne songeait guère à la reine.

Vers quatre heures, Marguerite avait fini par se rassurer à peu près, lorsque Juana entra précipitamment en disant :

« Madame ! Voici le roi qui vient !... »

Marguerite ne jeta pas un cri, ne prononça pas un mot. Mais, dans le même instant, elle se trouva dans l'embrasure de la fenêtre, la quenouille à la main, le pied posé sur la pédale qui mettait en action le rouet...

« Le roi ! Place au roi ! » annonça la voix forte de l'huissier de service.

Louis entra avec son impétuosité ordinaire, cherchant des yeux Marguerite, et à l'instant il s'arrêta, un sourire heureux sur les lèvres, ses yeux pleins d'amour contemplant avec émotion le suave tableau qu'il avait devant lui.

La poitrine du roi s'oppressa, ses yeux se voilèrent de larmes d'amour.

« Comment, murmura-t-il, comment, dans une minute infernale, ai-je pu soupçonner cet ange ? Quelle folie m'a saisi d'imaginer un instant que cette figure que j'ai vue au tableau de la Tour de Nesle, c'était la figure de Marguerite !... »

Il s'approcha doucement, saisit une main de la reine et y déposa un long baiser.

Marguerite poussa un léger cri de surprise heureuse.

« Ah ! mon cher Sire, c'est donc vous... Hélas ! je ne vous attendais plus de la journée !... Je vous vois si peu... Vous voyez, je cherchais à me consoler et à me distraire en filant une quenouille, comme on dit que faisait dame Pénélope attendant le retour de son époux...

– Pardonnez-moi, Marguerite, fit Louis tout attendri. Nous autres rois, voyez-vous, chère aimée, nous avons des soucis d'État qui nous forcent à être malheureux même quand il n'y a que du bonheur autour de nous. Quand nous voudrions aimer, nous devons haïr. Quand l'amour nous appelle auprès d'une femme chérie, nous devons écouter la voix de nos conseillers, chercher à sauver l'État et punir la trahison...

– Sauver l'État ! Punir la trahison ! fit Marguerite qui frémit. Vous m'effrayez, mon cher Sire...

– C'est pourtant là l'affaire qui m'a retenu tout le jour loin de vous. Un misérable a comploté ma mort...

– Qui donc, Sire, a pu avoir l'âme assez scélérate ?...

– Vous le saurez, Marguerite, dit le roi fidèle aux engagements qu'il venait de prendre avec Valois. L'heure n'est pas venue de prononcer tout haut le nom du traître. Quand son nom sera prononcé, c'est que le châtiment réservé à son crime l'atteindra du même coup...

– Ces choses-là sont-elles vraiment possibles ! déjà vous m'avez parlé d'une trahison...

– Oui ! fit le roi. Je vous ai dit qu'une femme me trahissait et je vous ai demandé de m'aider à la trouver...

– Hélas, Sire, je n'ai rien trouvé !... dit la reine en se raidissant contre l'inquiétude qui grandissait en elle.

– Le malheur, reprit Louis, c'est que la seule femme qui pouvait me renseigner a disparu aujourd'hui même...

– Disparu ! Et comment cela, Sire ?

– La sorcière que j'avais fait enfermer au Temple...

– Eh bien, dit la reine en réprimant un sourire.

– Eh bien, j'ai voulu l'interroger à nouveau sur cette trahison que sa science infernale lui avait permis de deviner et de me révéler. Je l'ai donc fait amener au Louvre, cette nuit. On l'a mise dans un cabinet attenant à ma chambre, d'où vous savez qu'il est impossible de sortir. Trencavel avait placé des gardes dans l'antichambre et jusque devant la porte du cabinet... et savez-vous ce qui est arrivé, madame ?... Non, vous ne pourriez jamais le supposer.

– Vous m'effrayez, Sire !...

– J'avoue qu'il y a de quoi être effrayé. Et moi-même qui me vante d'avoir quelque courage, j'en ai la chair de poule ! Figurez-vous que lorsqu'on a pénétré dans le cabinet, la sorcière n'y était plus...

– Voilà un étrange événement, Sire, et qui prouve bien une fois pour toutes l'incroyable puissance des démons à qui Dieu permet de venir effrayer les chrétiens. Du moins, ce sont les Saintes Écritures qui nous l'apprennent.

– Vous avez lu cela dans les Saintes Écritures ? demanda Louis. Eh bien, il n'en faut plus douter, cette sorcière a été enlevée par quelque démon, qui aura voulu ainsi la soustraire au châtiment qui l'attendait… Mais cette disparition me laisse dans un cruel embarras.

– À quel sujet, Sire ?

– Au sujet de la trahison dont je suis menacé. Et pourtant, cette nuit même, j'ai failli mettre la main sur l'homme qui sait le nom de celle dont la trahison me menace.

– Et quel est cet homme, Sire ?…

– C'est l'un de ces audacieux truands qui ont failli vous mettre à mal dans l'enclos aux lions et qui ont eu l'audace d'enlever de son hôtel mon bon oncle Charles, que j'ai heureusement délivré.

– Le bruit de cet événement est venu jusqu'à moi, fit Marguerite, dont le cœur battait avec violence.

– Vous savez donc que je me suis rendu à la Tour de Nesle où, en effet, j'ai pu arracher le comte aux truands qui le détenaient prisonnier. »

Cette fois, Marguerite ne put s'empêcher de pâlir.

« Ainsi, dit-elle, ces gens avaient fait de la Tour de Nesle leur repaire ?

– Il est à croire, fit le roi, qu'ils s'y étaient installés depuis longtemps. Mais là n'est pas la chose intéressante pour moi. Ces gens seront tôt ou tard saisis et pendus. Ce qui m'intéresse et ce qui doit aussi vous intéresser, madame, c'est que j'ai failli trouver à la Tour de Nesle le secret de la trahison et que, sans ce Philippe d'Aulnay…

– C'est donc Philippe d'Aulnay qui vous a empêché de savoir le nom de la femme qui vous trahit ! »

Et Marguerite, devenue plus pâle, tomba dans une sorte de rêverie profonde, tandis que le roi continuait :

« Jugez-en, ma chère Marguerite : au dernier étage de la tour, aménagé comme pour des orgies secrètes, j'ai trouvé dans une table des papiers qui avaient été écrits par celle qui se livre à ces débauches… celle qui me trahit !

« Ces papiers, continua le roi, je les tenais dans mes mains. (Marguerite, d'un violent effort, parvint à ne pas s'évanouir.) J'allais les lire ! Tout à coup, cet homme, ce Philippe d'Aulnay, s'est précipité sur moi par traîtrise, m'a arraché les papiers, et tandis que j'étais maintenu en respect par une douzaine de ses compagnons, il les a brûlés ! »

Un soupir gonfla le sein de la reine, qui murmura :

« Sauvée… »

Et telle était la puissance de cette femme sur elle-même, que pas un pli de sa physionomie ne décelait l'épouvantable émotion qu'elle éprouvait en ce moment.

Mais déjà le roi continuait :

« Il me reste, chère Marguerite, à vous demander pardon d'un véritable crime que j'ai commis contre vous.

– Contre moi ?

– Oui, hélas ! vous, l'ange de la pureté ! vous, que le peuple appelle Marguerite la vertueuse, comme il m'a appelé Louis le Hutin, j'ai osé un instant vous soupçonner…

– Me soupçonner ! fit Marguerite d'une voix si basse et rauque. Et de quoi, grand Dieu !… »

Dans cette tragique seconde, Marguerite fut admirable d'audace, de décision et de sang-froid. Elle se leva précipitamment, s'assit, ou plutôt se jeta sur les genoux de Louis, étreignit sa tête dans ses deux bras, colla ses lèvres à ses lèvres, et, avec un accent de passion vraiment sublime :

« Parle, mon roi, mon Louis bien-aimé ! Parle ! décharge ton pauvre cœur des peines qui l'accablent ! Confie-moi le secret de ton tourment ; dusses-tu, tiens, dusses-tu m'accuser moi-même, dussé-je entendre que tu m'as soupçonnée ! et dussé-je mourir à l'instant de savoir que Louis a soupçonné sa Marguerite !

– Pardonne, chère Marguerite ! Pardonne ! murmura le roi, ivre de passion. Oui, il faut que tu saches tout, et ce sera mon châtiment ! Eh bien, je me figurais un instant, dans une minute de folie furieuse, je me suis figuré que toi-même tu t'étais rendue à la Tour de Nesle et que, là, un peintre t'avait portraiturée dans l'attitude où j'ai vu la femme au tableau ! »

Marguerite frissonna jusqu'à l'âme.

Car ces paroles du roi étaient le reflet de la vérité.

« Et ce n'est pas tout ! continua le roi. Dans ma folie, j'avais peut-être une sorte d'excuse… car figure-toi qu'ayant ouvert une armoire, j'y ai trouvé des robes imprégnées de ton parfum favori… »

Marguerite se sentit mourir.

« J'y ai trouvé, continua le roi, un manteau agrafé par deux émeraudes… Oh ! deux émeraudes toutes pareilles à celles que je t'ai données !… »

Marguerite eut le soupir atroce du condamné à qui on vient annoncer que l'heure de mourir est arrivée. Livide, la tête baissée, elle semblait attendre le coup fatal.

« Il fallait vraiment, poursuivit le roi avec un rire strident que le démon m'eût soufflé je ne sais quelle funeste inspiration. Car quoi de plus simple que de te dire : « Marguerite, ces émeraudes que je t'ai données, montre-les-moi, ne fût-ce que par pitié ! » Alors, n'est-ce pas, tu m'eusses montré tes émeraudes et mon soupçon fût tombé du coup ! »

Le roi s'arrêta.

Il attendait… quoi ?… Il attendait que la reine allât chercher les émeraudes et les lui montrât.

La reine ne bougeait pas.

« Par Notre-Dame ! murmura le roi, qu'attends-tu, Marguerite ? Quoi ! après ce que je viens de dire, ces émeraudes ne sont pas encore là, sous mes yeux ? »

Le roi s'était levé, et il apparut à Marguerite si pâle, si terrible dans son immobilité, qu'une sorte de folie monta à son cerveau. Elle se leva à son tour, prête à hurler : « C'est vrai ! C'est vrai ! La femme au tableau… c'est moi ! Les émeraudes, ce sont les miennes ! C'est moi, moi, Marguerite de Bourgogne, qui suis la ribaude de la Tour de Nesle. »

« Madame ! fit une voix calme, je vous apporte votre manteau dont les agrafes ont besoin d'être réparées. »

La reine demeura immobile, pétrifiée.

Le roi jeta un rugissement et se rua sur Mabel qui venait d'entrer, tenant dans ses bras le manteau royal.

« Oh ! pardon, Sire, murmura Mabel. J'ignorais la présence du roi chez la reine. Sans quoi j'eusse choisi un autre moment pour venir parler de ces détails domestiques. Je me retire, et…

– Donne ! » hurla le roi en arrachant le manteau à Mabel et en l'examinant avidement.

Marguerite, de son côté, jeta sur ce manteau un regard de détresse vertigineuse.

Et alors, elle s'effondra, tomba à la renverse, sans connaissance, foudroyée par une indicible stupeur, par une joie plus effrayante que sa terreur passée.

Elle venait de voir les émeraudes fixées à leur place ordinaire !

Marguerite, revenue à elle, était assise dans son fauteuil. Une heure s'était écoulée. Le roi avait beaucoup crié, beaucoup sangloté et imploré un pardon que la reine, pressée de se retrouver seul, lui avait accordé avec une hâtive générosité.

Une fois bien pardonné, une fois bien soulagé par ses larmes et ses cris, le roi était parti heureux, tapageusement joyeux, criant qu'il lui fallait absolument célébrer sa joie par un dîner auquel il prétendait faire assister le soir même tous ses chevaliers. Alors, Mabel avait raconté à la reine comment elle avait pu intervenir à temps pour sauver sa chère maîtresse. La reine la serra dans ses bras et la combla de ses caresses.

« Bien ! songea Mabel, plus que jamais, je jouis de la confiance de Marguerite. Plus que jamais, je suis maîtresse de la situation. »

« Mais, reprit Marguerite, tu dis que c'est un de mes archers qui t'a remis ces deux émeraudes ?

– Oui, ma reine ! et ce brave attend sa récompense dans votre antichambre. »

Alors, Marguerite leva les yeux sur Mabel et prononça sourdement :

« Il n'y a que les morts qui ne parlent pas. »

Mabel approuva d'un signe de tête.

« Mais, reprit alors la reine, tu ne m'as point dit comment cet homme se trouvait posséder mes deux émeraudes.

– Quelqu'un les lui avait données pour vous les remettre, fit Mabel. Et ce quelqu'un les avait arrachées de votre manteau, dans le placard de la Tour de Nesle.

– Et qui est-ce, ce quelqu'un ? demanda Marguerite, frémissante.

– Il s'appelle Philippe d'Aulnay !… »

La reine était tombée dans une rêverie profonde.

En elle, pas d'émotion. Mais maintenant que le danger était passé, elle voulait éviter de revivre l'heure d'angoisse et d'épouvante qu'elle venait de vivre. Sans doute, sa résolution se trouva prise, car elle fit rappeler l'officier qui se tenait constamment dans les antichambres.

« Monsieur, lui dit-elle, est-ce fait ?

– L'homme est en ce moment au numéro six et il n'en sortira que sur les épaules du geôlier, qui jettera son cadavre au fleuve.

– Vous êtes un fidèle et précieux serviteur, dit Marguerite, et le premier grade vacant sera pour vous. »

Marguerite réfléchit quelques instants, hésita peut-être et se décida :

« Vous allez prendre douze ou quinze de vos archers les plus robustes et surtout les moins bavards. Vous allez vous rendre à la Tour de Nesle, vous la fouillerez de fond en comble. Vous y arrêterez tout ce que vous y trouverez, hommes ou femmes, et vous viendrez me rendre compte de ce que vous aurez fait. Il s'agit d'une bande de truands qui ont attenté à la vie du roi. »

L'officier partit.

Une heure plus tard, il était de retour.

« Madame, lui dit-il, la bande était sans doute sur ses gardes, car nous n'avons pu trouver qu'un seul de ces sacripants. Je l'ai arrêté de mes propres mains et l'ai fait mettre dans l'un des cachots du premier sous-sol en attendant qu'il vous plaise d'en disposer.

– Savez-vous qui est celui que vous avez pu arrêter ?

– Moi, je ne le connaissais pas, mais l'un de mes hommes qui l'a vu à Montfaucon l'a reconnu. C'est l'un de ceux dont la tête est mise à prix. C'est le sire Philippe d'Aulnay. »

Marguerite pâlit légèrement.

« Que faut-il en faire, madame ? » reprit l'officier.

Marguerite, d'une voix sourde, demanda :

« Où avez-vous mis l'archer de tout à l'heure ?

– Dans le numéro six, madame.

– L'un de ces deux cachots dont on ne sort que pour être jeté à la Seine, n'est-ce pas ? reprit Marguerite d'une voix plus basse et plus sourde encore.

– Oui, madame ! Le numéro six est pris, mais il reste le numéro cinq.

– Eh bien, dit Marguerite, mettez-y Philippe d'Aulnay… »

III

ROLLER

Rien ne pouvait peindre la stupeur du malheureux soldat, lorsque, pour toute réponse, il se vit saisir par trois ou quatre de ses camarades.

Il n'eut que le temps de crier :

« Mais qu'ai-je fait ? »

Et, au même instant, il se trouva bâillonné, emporté, sans que personne parût s'émouvoir, car ces arrestations soudaines étaient fréquentes au Louvre.

Bientôt on arriva à une sorte de boyau étroit et infect où l'air était à peine respirable. Une porte s'ouvrit, l'homme fut projeté comme un paquet, la porte se referma, et ce fut tout. Pendant la première heure, le pauvre diable, devenu fou furieux, bondit dans l'étroit cachot où il était enfermé et essaya de se briser le crâne contre les murs. Mais il paraît qu'un crâne de Suisse, c'est dur (avons-nous dit que cet homme, comme tous ses camarades, était Suisse ?), car il ne réussit qu'à se faire de fortes bosses au front. Il essaya de s'arracher la barbe. Mais cette barbe, rude et touffue, était aussi bien plantée que les vieux chênes séculaires qui poussaient sur les pentes de l'Helvétie. Cependant, à force de se heurter le crâne contre les murs, à force d'employer ce système d'épilation, le pauvre Suisse finit par s'évanouir de douleur et tomba tout de son long dans une mare d'eau dont la fraîcheur le réveilla presque immédiatement. Alors, il se mit sur son séant, et sans s'apercevoir qu'il était assis dans une flaque d'eau, sans prêter la moindre attention aux bêtes immondes qui le frôlaient silencieusement, il se mit à se lamenter sur son sort.

Peu à peu, il finit par comprendre que ses cris eux-mêmes ne lui serviraient à rien et, alors il tomba dans ce silence morne et farouche des désespoirs absolus. Il n'avait même plus la force de pleurer, et, dans le cachot numéro 6, on n'eût entendu que le bruit rauque de son souffle. Il ne savait plus s'il avait faim ou soif, ni s'il devait mourir. La vie ne lui apparaissait plus que comme une chose vague, lointaine, improbable, et enfin, au bout de quelques heures, avec un dernier gémissement, il se coucha tout de son long, attendant la mort.

À ce moment, la porte de son cachot s'ouvrit sans bruit et se referma de même.

Mais le malheureux, qui, l'instant d'avant, était plongé dans une nuit impénétrable, s'aperçut alors qu'une faible lueur éclairait son cachot.

Hébété, il leva la tête et vit que cette lueur partait d'une lanterne sourde que portait une femme.

De la lanterne, ses yeux égarés remontèrent jusqu'au visage de la femme et il la reconnut.

C'était la première femme de chambre de la reine, c'était Mabel.

« Que voulez-vous ? demanda le pauvre diable, que le désespoir stupéfiait au point qu'il ne cherchait même pas à profiter de cet incident.

– Je viens te sauver », dit Mabel.

Dans le même instant, le Suisse fut debout, agité d'un tremblement convulsif et bégayant des mots sans suite où on eût pu cependant comprendre qu'il jurait une éternelle reconnaissance à Mabel et qu'il la suppliait de disposer de sa vie.

« Suis-moi ! dit Mabel, et si tu tiens à ne pas être repris, ne prononce pas un mot, ne fais pas un geste. »

Le Suisse, à qui l'espoir rendait un peu de son sang-froid, fit signe qu'il avait admirablement compris.

Il suivit donc Mabel, qui sortit du cachot et en referma soigneusement la porte.

Puis, elle monta l'un après l'autre les deux escaliers de pierre et le Suisse se trouva à l'air libre.

Quelques instants plus tard, celui qui s'était vu condamner à mourir de faim était hors du Louvre. Alors l'émotion qu'il éprouva fut telle qu'il se laissa tomber à genoux, saisit le bas de la robe de Mabel et la baisa avec ferveur, sans prononcer un mot.

Mabel accepta cet hommage du pauvre Suisse et, simplement, prononça :

« Allons, viens ! »

L'archer se releva et la suivit comme un chien. Elle eût été au bout du monde, qu'il l'eût suivie. Mabel n'allait pas au bout du monde, mais peut-être ce qu'elle attendait de celui qu'elle avait sauvé était-il plus difficile et plus terrible. Elle s'arrêta près du cimetière des Innocents, pénétra à l'intérieur du Logis hanté et monta jusqu'à son laboratoire, où elle alluma un flambeau.

Alors, elle tira d'une armoire du pain, un pâté et un pot de vin, disposa le tout sur une table et dit :

« Tu dois avoir faim et soif. Bois et mange. »

Le Suisse eut un rire d'enfant heureux et s'installa devant les provisions. Il ne mangea pas : il dévora.

Lorsqu'il fut rassasié, Mabel, qui l'avait regardé faire en l'étudiant, lui demanda :

« Comment t'appelles-tu ?

– Roller. Wilhelm Roller.

– D'où es-tu ?

– D'Unterwalden.

– C'est en Suisse, n'est-ce pas ?

– *Ya.*

– On m'a dit que les Suisses oubliaient difficilement un bienfait. Est-ce vrai ?

– *Mein Gott !* Je vous ai dit que ma vie est à vous. Faites-en ce que vous voudrez.

– On m'a dit, reprit Mabel, que les Suisses oubliaient encore plus difficilement l'injure.

– *Tarteifle !* Si jamais l'officier qui m'a mis au cachot n° 6 me tombe sous la main, je lui tords le cou comme à un canard !

– Mais, tu risques d'être repris et condamné pour avoir tué un officier du roi et, cette fois, je ne serai pas là pour ouvrir la porte de ton cachot. »

Le Suisse secoua la tête.

Il répondit, avec la même tranquillité féroce :

« Cette fois-là, cela me sera égal de mourir. Je n'en veux pas à l'officier d'avoir voulu me faire mourir, mais je lui en veux de m'avoir condamné sans motif.

« – Mais enfin ! après avoir tué cet homme, n'aimerais-tu pas mieux regagner ton pays ? N'as-tu donc personne là-bas qui t'attende ? »

Les yeux du Suisse se voilèrent et sa voix trembla :

« Là-bas, sur les pentes d'Unterwalden, il y a une vieille femme aux cheveux gris qui ne s'endort jamais sans avoir prié Dieu, la Vierge et les saints pour Wilhelm : c'est ma mère !

– Tu aimes bien ta mère ?

– Elle m'aime encore plus que je ne l'aime.

– Oui, fit Mabel, avec un frisson, c'est le sort de toutes les vieilles mères d'aimer leur fils plus encore qu'elles n'en sont aimées. Écoute, je ne veux pas que ta mère pleure de douleur en apprenant que son fils est mort dans la ville mystérieuse qu'elle redoutait pour lui. Car je sais trop ce que souffre une mère à apprendre la mort de l'enfant qu'elle a nourri. Wilhelm, tu reverras ta mère et ton pays. »

Les yeux du Suisse exprimèrent une joie profonde, des larmes roulèrent sur ses joues.

« Je te donnerai assez d'or pour que tu puisses regagner la Suisse. J'assurerai ton départ de façon que tu échappes à toute recherche. Et lorsque tu seras arrivé dans ton village, malgré les dépenses que tu auras pu faire, de l'or que je t'aurai donné il restera assez pour assurer une heureuse vieillesse à ta mère. En échange de tout cela, je te demanderai seulement de recommander à la vieille Margareth de prier tous les soirs, non plus pour toi qui n'en auras plus besoin, mais… pour une mère… une mère comme la tienne. Elle s'appelle Anne de Dramans.

– Anne de Dramans ! fit Wilhelm Roller en frappant son front carré qui semblait taillé dans un bloc de granit arraché à la Jungfrau, le nom est gravé là.

– C'est bien, fit Mabel. Maintenant, écoute-moi. L'officier que tu veux tuer n'est pas coupable envers toi. Il n'a fait qu'obéir, comme tu eusses obéi toi-même. En frappant cet homme, tu commettras donc un crime sans excuse.

– C'est vrai, dit Wilhelm, pensif. Mais qui donc alors a voulu ma mort ? Qui donc dois-je haïr et frapper ? Oh ! vous allez me le dire, je le sens… Je devine que vous ne m'avez amené ici que pour dire cela !

– Je vais te dire qui a voulu et froidement ordonné ta mort ; mais jure-moi d'abord de ne pas agir avant que je t'aie dit : « Il est temps. »

– Je vous le jure, *ya* !

– Tu resteras ici, tu ne te montreras pas.

– Je vous le jure.

– Je t'apporterai, deux fois par semaine, les provisions dont tu peux avoir besoin ; et, maintenant, jure-moi aussi que lorsque je t'aurai dit : « Il est temps ! » tu agiras sans hésitation et comme je te l'indiquerai.

– Je vous le jure, répéta le Suisse. Et maintenant, à votre tour, dites-moi le nom de l'infâme ?

– Marguerite de Bourgogne, dit Mabel.

– La reine !… murmura Wilhelm Roller. Oh ! je l'avais pressenti. J'avais deviné que cette femme n'est qu'un démon vomi par l'enfer. J'avais surpris d'elle des regards qui m'avaient épouvanté. Et si j'osais…

– Garde tes pensées pour toi, gronda Mabel, voyant que Wilhelm s'arrêtait. Mais, maintenant que tu sais le nom, dis-moi franchement si ta résolution de te venger est demeurée la même.

– La même ? Non. Car tant qu'il ne s'agissait que de l'officier, je ne songeais qu'à le tuer, tandis que cette reine, voyez-vous, je voudrais, avant de la faire mourir, la voir souffrir un peu de ce qu'elle m'a fait souffrir, à moi. Mais comment puis-je concevoir que je pourrais me venger de la reine de France ? Comment l'approcher ? Comment pénétrer jusqu'à elle ? Je sais trop bien comment le Louvre est gardé.

– Tu n'auras ni à la frapper, ni même à t'approcher d'elle. Et cependant, tu la tueras plus sûrement que d'un coup de dague au cœur.

– Comment ferais-je donc ?

– Tu m'as dit qu'un gentilhomme t'avait rencontré et t'avait chargé de remettre un petit paquet à la reine ?

– C'est la vérité pure.

– Te rappelles-tu toujours, te rappelleras-tu, quand il en sera temps, le visage et le nom de ce gentilhomme ?

– Son nom, dit le Suisse, c'est Philippe d'Aulnay. Et quant à son visage, c'était là une de ces figures dont, malgré soi, on garde l'image dans le souvenir.

– Bien ! dit Mabel, en fouillant dans son aumônière : voici le paquet que Philippe d'Aulnay t'avait chargé de remettre à la reine, qui devait t'en récompenser. Tu as vu la récompense imaginée par Marguerite de Bourgogne. »

Le Suisse frissonna. Il prit le paquet, qui était exactement tel que Philippe d'Aulnay le lui avait remis.

« Ouvre-le ! » dit Mabel.

Wilhelm Roller obéit, et murmura :

« Deux pierres précieuses !

– Deux émeraudes, dit Mabel. Eh bien, quand il en sera temps, c'est avec ces deux émeraudes que tu pourras te venger sans que rien au monde puisse sauver celle qui a imaginé pour toi la récompense que tu sais. Garde-les, garde-les précieusement. Et lorsqu'il en sera temps, il suffira que tu ailles trouver quelqu'un que je te dirai. Et si ce quelqu'un te demande alors qui t'a remis ces deux émeraudes, que répondras-tu ?

– Philippe d'Aulnay.

– Et si ce quelqu'un te demande où tu as rencontré Philippe d'Aulnay, que répondras-tu ?

– Près de la Tour de Nesle ?

– Cela suffit ; maintenant, tu n'as plus qu'à attendre. »

Et Mabel, après un dernier geste, s'éloigna, descendit l'escalier, sortit du Logis hanté, tandis que le Suisse, plongé dans une terrible rêverie, cherchait à comprendre à quel effroyable drame il se trouvait mêlé.

IV

FIANÇAILLES DE GILLONNE ET DE SIMON MALINGRE

Au moment même où Gillonne, triomphante, annonçait à Simon Malingre qu'elle allait s'emparer de son trésor enfoui au fond de la Courtille-aux-Roses, Simon, allongeant les bras, les avait subitement refermés, et Gillonne s'était trouvée prise au piège.

Simon Malingre partit d'un éclat de rire effrayant, s'accroupit dans l'angle où il était enchaîné et plaça Gillonne en travers de ses genoux. Il la maniait comme une plume, ses forces décuplées à la fois par le désespoir et par la joie. Gillonne, dans une suprême convulsion, parvint à redresser la tête, saisit le bras de Simon dans ses dents, et ces dents, elle les y incrusta avec frénésie.

Simon éprouva une atroce souffrance, mais il continua de rire. Seulement, son poing demeuré libre se leva et s'abattit comme une masse sur le crâne de Gillonne.

Gillonne eut un grognement bref et perdit connaissance.

« Là ! fit Simon, comme ça, tu te tiendras tranquille, vieille guenon. Voyons, que pourrais-je faire bien de toi ? Écoute, ma chère. Tu ne m'entends pas ? Ça ne fait rien, écoute tout de même ! Sais-tu ce que je vais faire ? Je vais prendre les clefs des cadenas que tu as eu la gentillesse d'apporter, ouvrir ces mignons cadenas si joliment travaillés et me débarrasser des chaînes. Après quoi, petite guenon, je te mettrai simplement à ma place, enchaînée là où je suis, les bons cadenas bien fermés, et puis, avant de m'en aller, j'attendrai que tu te réveilles pour voir un peu la figure que tu feras. Voilà ce que j'appelle une bonne farce. Qu'en dis-tu, ma douce fiancée, Gillonne d'enfer ? »

En parlant ainsi, Malingre riait frénétiquement et secouait avec fureur Gillonne, qui n'avait garde de répondre, vu qu'elle était sans connaissance.

« C'est donc toi, continua Malingre, qui seras grillée à ma place. Pour le quart d'heure, comme je te le disais, je me contenterai d'admirer la grimace que tu vas faire à ton réveil. Et Dieu sait si tu fais de merveilleuses grimaces quand tu t'y mets ! J'attendrai... Hum ! Est-ce bien la peine d'attendre ? C'est que j'ai l'enfer dans le gosier, moi ! c'est que j'enrage de soif, moi ! Tout compte fait, il vaut mieux que je m'éloigne à l'instant. Les clefs des cadenas ! Voyons, où sont les clefs ? »

Simon Malingre fouilla Gillonne. Puis il fouilla avec plus d'impatience. Puis il la fouilla avec frénésie.

Et, enfin, l'évidence lui apparut dans toute son horreur, les clefs, ces clefs que Gillonne lui avait montrées, eh bien, elle ne les avait plus sur elle ! Soudain, il poussa un rugissement : il venait d'apercevoir les clefs !

Alors, il s'avança aussi loin qu'il put, aussi loin que la longueur des chaînes le lui permettait, mais toujours sans lâcher Gillonne qu'il tenait convulsivement contre lui.

Un soupir de terreur gonfla sa poitrine : si loin qu'il eût pu aller, il ne pouvait toucher encore à ces clefs.

Alors, le malheureux se mit à tirer sur les chaînes qui lui entraient dans les chairs.

Enfin, Simon Malingre comprit qu'il s'épuisait en efforts impuissants : il se retira, grogna une sourde imprécation, se ramena dans son angle, mais non sans empoigner Gillonne.

« Au moins, dit-il, tu crèveras avec moi ! »

Presque aussitôt, Gillonne rouvrit les yeux.

Un instant, elle parut stupéfaite de se retrouver vivante entre les mains de Simon.

Puis elle remarqua avec étonnement que Simon Malingre sanglotait.

« Qu'as-tu donc à pleurer, imbécile ? fit enfin Gillonne.

– Tu me demandes pourquoi je pleure ?… Peux-tu me demander cela alors que mon cœur est brisé de douleur ! Ah ! Gillonne, est-il possible que toi que j'aime tant, que toi, ma fiancée, tu m'aies condamné à une mort si affreuse ! Et ce qu'il y a de plus affreux, vois-tu, ce n'est pas de mourir, c'est de savoir que tu ne m'aimes pas.

– Comment vais-je mourir avec toi ? dis-moi un peu cela, mon petit Simon ? continua-t-elle à haute voix.

« – Hélas ! puisqu'on va venir me prendre pour me brûler, puisque monseigneur le comte interrogera sans doute, ne devrai-je pas, cruelle nécessité ! ne devrai-je pas, moi qui ne mens jamais, lui dire toute la vérité et te déclarer ma complice ?

– Voyons, fit-elle enfin, est-il nécessaire que tu meures ?

– Hélas ! oui ! puisque j'ai trahi mon maître ! puisque j'ai introduit dans l'hôtel une bande de truands à qui je voulais livrer la petite Myrtille, car c'est bien là mon crime, n'est-ce pas, Gillonne ? Et ce crime, où saurais-je mieux l'expier que sur le bûcher que tu m'as préparé ? »

Gillonne frémit, car, dans cet instant, elle put supposer que Malingre, pour mieux la tuer, s'était résigné lui-même à la mort.

« Simon, cria-t-elle, mon cher Simon, je ne veux pas que tu meures !

– Mais, moi, je veux mourir ! » rugit Malingre.

« Comment, songeait Gillonne, ne m'a-t-il pas étranglée tout à l'heure ? Pourquoi n'a-t-il pas ouvert les cadenas avec les clefs que je lui ai montrées ? »

« Écoute, Simon, continua-t-elle tout haut, ce serait trop affreux que deux fiancés comme nous, qui s'aiment tant dans le fond, malgré leurs disputes, se condamnent bêtement à mourir ! Pardonne-moi, veux-tu, de t'avoir faussement dénoncé à monseigneur ! Pardonne-moi de t'avoir fait mettre ici ! Je te jure, Simon, c'était seulement pour te faire peur, comme tu m'avais fait peur, toi. Mais, avant le jour, je t'eusse délivré ! et la preuve, ajouta-t-elle, en regardant fixement Malingre, c'est que j'avais apporté les clefs du cadenas ! »

Simon essuya ses yeux d'une main, tandis que, de l'autre, il continuait à maintenir fortement Gillonne.

« Dis-tu vrai ? fit-il, tu consentirais à me délivrer ?

– Écoute-moi attentivement et nous allons sceller une réconciliation définitive, car j'ai un projet qui doit infailliblement nous enrichir, sans compter nos projets sur Buridan.

– Je t'écoute.

– Oui, mais jure-moi que jamais plus tu ne tenteras rien contre moi.

– Je te le jure.

– En ce cas, dit Gillonne, nous sommes sauvés tous deux, et cette nuit qui devait voir notre mort sera la nuit de nos fiançailles. Nous sommes désormais liés l'un à l'autre, car moi-même, je te jure assistance et fidélité ! Et maintenant, écoute-moi. Je vais commencer par ouvrir les cadenas et te délivrer.

– Bon, grogna Simon Malingre. Et ensuite ?

– Nous montons là-haut et emmenons la petite Myrtille.

– Où l'emmenons-nous ? fit Malingre, étonné.

– À la Courtille-aux-Roses, où nous nous installons, moi pour surveiller la petite et toi pour surveiller ton trésor. Puis, nous prévenons Buridan, et je puis t'assurer qu'il aura assez de confiance en moi pour croire tout ce que je lui dirai. Nous lui amenons Myrtille et, pour commencer, nous recevons de ce côté une honnête récompense.

– Admirable ! fit Malingre. Et je devine le reste. Nous prévenons ensuite monseigneur de Valois et, de ce côté-là, nous recevons également non seulement notre pardon, non seulement notre rentrée en grâce, mais encore une récompense d'autant plus honnête que nous aurons soin de nous la faire octroyer avant de conduire monseigneur jusqu'à Myrtille… Admirable ! te dis-je.

– Jusqu'à Myrtille, oui, acheva Gillonne, et par la même occasion jusqu'à Buridan que nous lui aurons prouvé être son fils ! En sorte que monseigneur entrera en possession de Myrtille et se débarrassera d'un fils gênant ! En sorte que nous avons droit à tout ce que nous voulons comme récompense !…

– Sublime ! s'écria Malingre, sublime !…

– Or ça, reprit Gillonne en se fouillant pour trouver les clefs, hâtons-nous et commençons par le commencement.

– Oui, fit Malingre, commence par ouvrir les cadenas, puisque tu as les clefs.

– Je les aurai laissées tomber, dit Gillonne au bout d'un instant, je ne les trouve pas… Ah ! les voici… »

Et Gillonne, qui venait de fouiller le cachot d'un regard circulaire, voulut se lever pour aller ramasser les clefs.

« Un instant de patience ! » dit Malingre, sans lâcher Gillonne.

Gillonne tressaillit.

D'un coup d'œil, elle calcula la distance qui séparait les clefs de Malingre, et elle comprit !…

« Mais les voici, les clefs ! dit-elle en les désignant à Malingre.

– Tiens, c'est vrai ! Comment sont-elles là ? Par ma foi, je ne les aurais pas vues tout seul, car ma vue baisse.

– Quoi qu'il en soit, Simon, si tu veux sortir d'ici, si tu veux que nous exécutions notre plan, il faut que je puisse ouvrir les cadenas, et, si tu veux que j'ouvre les cadenas, il faut que je puisse prendre les clefs, et si tu veux que je prenne les clefs, il faut que tu me lâches.

– Si je te lâchais, tu pourrais tomber et te faire mal. Or, je tiens tellement à toi que ce serait pour moi un crève-cœur si tu allais te blesser en cherchant à me sauver. Donc, je ne te lâche point. »

Gillonne s'avança donc vers les clefs, tandis que Malingre la tenait par un poignet aussi solidement qu'un noyé peut tenir la planche sur laquelle il s'est cramponné.

En quelques instants, Gillonne eut ouvert les cadenas, les chaînes tombèrent, et Simon Malingre se trouva libre.

Lorsque le comte de Valois, délivré, comme on a vu, par le roi en personne, se rendit dans son hôtel après cet entretien où fut résolue la perte de Marigny, sa première idée fut de s'informer de Simon Malingre et de Gillonne. Son capitaine des gardes, après l'avoir suffisamment congratulé de son heureux retour, lui annonça que, fort heureusement, il avait pu s'emparer de Simon Malingre dans la nuit même où monseigneur avait été enlevé par une bande de truands.

« Et où est-il ? demanda Valois.

– Dans un bon cachot de ce manoir, dûment enchaîné.

– Qu'on l'aille chercher à l'instant ! qu'on le mène à la maîtresse tour de l'hôtel pour y être pendu. Ou plutôt, non ! Qu'on l'amène ici, car je veux l'interroger tout d'abord sur les causes de sa trahison. »

Le capitaine s'élança, tandis que Valois, se promenant de long en large dans sa grande salle d'armes, frappait les dalles d'un talon furieux et roulait dans sa tête des projets de torture dont le moindre eût fait tomber Malingre à la renverse d'épouvante, s'il eût pu en avoir connaissance.

La porte se rouvrit enfin et Valois s'arrêta, les sourcils froncés, en se tournant vers cette porte.

À la fin, il pâlit.

Au lieu de son capitaine lui amenant Malingre, ce fut une femme qu'il vit entrer, une femme vêtue de noir, le visage masqué de noir, et que, cependant, il reconnut à l'instant.

La femme s'avançait jusqu'à lui.

Valois, les traits décomposés, l'avait reconnue, car il murmura :

« Est-il donc bien vrai que tu es sorcière ou fée ? Toi que j'ai vue morte à Dijon, et que je vois vivante ! Toi qui as été enfermée dans un cabinet sans issue et qui en es sortie par je ne sais quel maléfice ! Toi enfin qui as pu pénétrer dans cet hôtel et arriver jusqu'à cette salle où nul, sous peine de mort, ne peut entrer sans y être mandé par moi ! Viens-tu donc du fond de l'enfer et au nom de Satan ?…

– Je viens au nom de Dieu, répondit Anne de Dramans d'une voix très calme. Je viens, Valois, te rappeler le pacte qui nous unissait. »

« Un pacte nous unissait, reprit-elle. Il fallait une sorcière à jeter dans les cachots du Temple, une malheureuse à brûler vive. Cette jeune fille qui était condamnée, qui devait mourir, il me plaisait à moi qu'elle vécût. Lorsque tu es venu au logis du cimetière des Innocents, je me suis offerte pour remplacer celle que tu cherchais. Tu as accepté, tu as juré que Myrtille serait sauve. Lorsque tu m'es venu voir dans le cachot du Temple, où je me suis révélée à toi, je t'ai prévenu que je trouverais le moyen de savoir si tu avais tenu ton serment. Et lorsque j'ai su que, cette fois encore, tu étais parjure, ma patience s'est lassée. Je suis sortie du Temple. Je suis sortie du cabinet devant lequel veillaient les gardes du roi. J'ai franchi les fossés et les murailles de ton manoir et je suis venue te demander : « Valois, qu'as-tu fait de Myrtille ? »

Si Valois avait pu garder un peu de sang-froid, il se fût dit, dans sa superstition même, qu'il était étrange qu'une sorcière ou une fée eût besoin de l'interroger pour savoir ce qu'était devenue la jeune fille.

« Il te reste, reprit Mabel, un dernier moyen de sauver ton âme et ton corps. Cette jeune fille est ici, dans ton hôtel. Rends-la-moi, et je te jure par le Dieu vivant que tout le reste sera pardonné, oublié. »

Valois tremblait convulsivement.

« Au contraire, continua Mabel, si tu te refuses à cette réparation, je t'assigne à comparaître devant Dieu, ton dernier juge, et cela dans le délai de trois jours.

– Et si je te rends Myrtille !

– Par le Dieu vivant, répéta Mabel, tu es sauvé, dans ton corps et dans ton âme !...

– C'est bien. Que tu sois un être vivant ou une simple illusion, j'ai foi dans ta parole. Écoute et regarde ! »

Charles de Valois s'élança vers la porte. Mais, avant de l'ouvrir, il se tourna vers Mabel comme pour la prendre à témoin de sa bonne volonté.

Et il ne vit plus Mabel à la place où il l'avait laissée.

Familiarisé déjà avec les pensées surnaturelles, Valois ne fut pas étonné.

« La fée s'est rendue invisible, songea-t-il, mais elle est là qui guette, écoute et regarde ! »

Il n'eut pas le temps d'en penser plus long : à ce moment, le capitaine des archers du manoir ouvrait la porte, tout pâle, tout tremblant, sans oser proférer un mot.

« Eh bien, gronda Valois. Cet homme ? Ce Malingre ?...

– Nous l'avions mis dans un cachot ; il était enchaîné par les chevilles et les poignets. À moins de supposer que l'hôtel est hanté et qu'un démon ait enlevé votre valet, je n'y puis rien comprendre car je viens moi-même d'entrer dans le cachot de Malingre... Eh bien, Malingre n'y est plus : il ne reste que les chaînes.

– Bien ! fit Valois avec ce même calme qui avait surpris le capitaine. Qu'on aille donc me chercher Gillonne et qu'on me l'amène à l'instant ! »

Près d'une demi-heure s'écoula, sans que le comte osât faire un mouvement.

Enfin l'officier revint et sa réponse fut :

« Monseigneur, Gillonne a disparu ! »

Valois fut agité d'un tressaillement. Mais, à la grande surprise du capitaine, il ne manifesta aucune colère.

« C'est bien, répéta-t-il. Maintenant, écoute : tu te rappelles bien l'endroit où nous nous sommes heurtés à Buridan, l'autre nuit ?

– Certes, monseigneur ! Depuis quelques jours, personne n'osait y pénétrer, vu la défense que vous en aviez faite.

– Ce bâtiment a-t-il été fouillé ?

– Oui, monseigneur. »

Cette fois, Valois pâlit.

« La rencontre, reprit-il d'une voix sourde, a eu lieu devant la porte d'une chambre dans laquelle nous entendions la voix d'une jeune fille appelant au secours. Qu'on fouille de nouveau le Logis aux Pèlerins, qu'on entre surtout dans cet appartement d'où partait la voix. Qu'on m'amène la jeune fille qu'on y retrouvera. »

De nouveau, le capitaine partit, puis revint… et sa réponse fut qu'on avait défoncé la porte de la chambre en question, qu'on avait visité le bâtiment du haut en bas et qu'on n'avait trouvé âme qui vive…

Valois fit un geste et le capitaine se retira.

Demeuré seul, le comte ferma soigneusement la porte, puis se dirigea vers le fauteuil où plutôt le trône où tout à l'heure s'était assise Anne.

Il demanda :

« Es-tu là ? Me vois-tu ? M'entends-tu ? Je t'adjure de m'apparaître… »

Quelques minutes s'écoulèrent.

Mais le fauteuil demeura vide, la salle déserte.

Valois reprit d'une voix étranglée :

« Quoi qu'il en soit, tu as vu que, cette fois, j'ai tenu mon serment. De bonne foi, j'ai voulu te rendre Myrtille, et tu ne dois pas m'imputer sa disparition… »

Le spectre, s'il était là, demeura silencieux.

« Monseigneur ! s'écria à ce moment le capitaine des archers en rentrant précipitamment, nous n'avons trouvé ni Gillonne, ni Malingre, ni la jeune fille ; mais une femme… une femme étrangère au manoir, vêtue de noir et masquée…

– Eh bien, cette femme ! rugit Valois qui, à cette description, reconnut la sorcière.

– Une sentinelle l'a aperçue au moment où elle traversait l'arrière-cour vers la poterne de l'est. Un des nôtres l'accompagnait. La sentinelle leur a crié de s'arrêter, mais ils ont disparu par la poterne ! Il y a trahison, monseigneur ! »

Pendant quelques minutes, Valois demeura frappé de stupeur.

Il fit arracher les tentures du dais. Il fit déplacer le trône.

Et alors, derrière ces tentures, apparut une vieille porte qui donnait dans un réduit, lequel s'ouvrait sur un escalier.

Il n'y avait pas eu miracle !

Il y avait eu trahison, ce qui était plus grave !

Il est probable que Mabel s'était réfugiée dans ce réduit, se réservant de se montrer ou de s'en aller selon que les circonstances la pousseraient ou non à laisser croire à Valois qu'elle était sorcière ou spectre.

Il est probable aussi que, dès l'instant où elle entendit le capitaine assurer que Myrtille avait disparu, elle avait pris le parti de s'éloigner…

Il résulta de ces événements que, le jour même, trois ou quatre archers suspects furent mis en prison, puis, Valois, ne se trouvant plus en sûreté, licencia ses gardes, et monta une nouvelle compagnie. En outre, il cessa d'habiter son hôtel et s'installa définitivement au Temple dont il était gouverneur. Enfin, il donna au prévôt un signalement très exact de Gillonne et de Malingre, avec ordre de les lui trouver et de les lui ramener morts ou vifs.

V

LA COUR DES MIRACLES

Nous avons laissé Buridan et ses compagnons devant la porte d'une masure de la Cour des Miracles ; près du seuil, avons-nous, se dressait une perche au sommet de laquelle pendait un quartier de charogne toute sanglante.

Cette perche, c'était le pavillon de la Cour des Miracles.

Et elle indiquait que ce logis était celui du roi.

Il y avait un roi. Là, comme au Louvre.

En effet, dès que des hommes sont réunis en société, quel que soit le but de cette société, ils se croiraient incapables de respirer s'ils ne se mettaient sous la tutelle d'un maître. Il y aurait là ample matière à réflexions ; mais comme nous sommes ici pour raconter une histoire et non pour nous livrer à des palabres philosophiques qui ne changeraient rien aux conceptions de ceux qui nous lisent et qui auraient, par surcroît, le désavantage de les ennuyer, nous nous contentons de résumer toutes réflexions intempestives dans cet alinéa.

Il y avait un roi à la Cour des Miracles.

Ce roi s'appelait Hans. C'était une brute. Il était doué d'une force herculéenne. Quand on tuait un bœuf, Hans arrivait, retroussant sa manche, balançait son poing dans l'espace, le poing s'abattait sur le front de la bête qui tombait, assommée, presque toujours du premier coup.

Lancelot Bigorne, faisant signe à Buridan de le suivre, était entré dans le logis, c'est-à-dire dans le Louvre de Hans.

Devant l'âtre, une vieille femme filait du chanvre, une vieille, très vieille, la tête branlante, une vieille qui grelottait de fièvre.

« Où est Hans ? » demanda Bigorne.

La vieille leva le doigt vers le plafond pour signifier que le roi était au premier.

« Est-ce qu'il va descendre ? » reprit Lancelot.

La vieille fit oui d'un signe de tête.

L'escalier de bois, dont on entrevoyait les marches disloquées au fond d'une obscure salle, gémit sous un pas pesant et Hans apparut.

En voyant ces étrangers, il fronça les sourcils.

« Qui êtes-vous ? demanda-t-il en les dévisageant d'un regard soupçonneux. Que demandez-vous ? Comment avez-vous pu entrer dans la Cour des Miracles ? »

Lancelot esquissa un geste mystérieux, probablement quelque signe qui servait aux truands à se reconnaître entre eux.

Hans le considéra attentivement, et dans cette figure bestiale on eût pu surprendre alors un éclair d'intelligence dépourvue de cette astuce qu'elle exprimait d'ordinaire.

Hans prit un escabeau, s'assit gravement et dit :

« Soyez les bienvenus chez moi… La vieille, va donc nous chercher à boire, ce sont des amis.

– Hans, dit Bigorne, nous allons t'expliquer le sujet de notre visite…

– Tout à l'heure ! fit Hans. L'habitude, ici, avant de boire avec quelqu'un et de cimenter ainsi l'amitié, est de lui demander son nom. Qui êtes-vous ? »

Buridan fit signe à Bigorne de parler.

« Moi, dit celui qui servait d'introducteur, je suis Lancelot Bigorne. Ce gros que tu vois là, Hans, c'est Guillaume Bourrasque, empereur de Galilée ; celui-ci, avec son nez pointu, c'est Riquet Haudryot, roi de la Basoche ; celui-ci, qui pourrait lutter avec toi sans désavantage, c'est messire Gautier d'Aulnay, et celui-là, c'est Jean Buridan. Voilà qui nous sommes. »

À chacun de ces noms, la sauvage physionomie de Hans s'était de plus en plus éclairée. Lorsque le dernier nom fut prononcé, cette physionomie redevint grave. Hans fixa longuement le jeune homme et dit :

« C'est vous qui êtes Jean Buridan ?

– C'est moi, répondit Buridan.

– Daignez donc accepter ce vin, venu il y a vingt-cinq ans de Bourgogne : buvez-le dans ces coupes, qui sont réservées pour les circonstances illustres… »

Buridan s'inclina et, le premier, vida sa coupe d'un trait.

Lorsque les trois flacons eurent été épuisés jusqu'à la dernière goutte, Hans reprit :

« Maintenant, il est temps que je sache le motif du grand honneur qui m'est fait en ce jour ?

– Hans, je sais que, si j'allais me jeter aux pieds du roi ou de la reine, j'obtiendrais grâce pour mes compagnons et moi ; je sais que, si je disais certaines choses au premier ministre Enguerrand de Marigny ou à l'oncle du roi, comte de Valois, nous serions saufs. Eh bien, moi Buridan, en mon nom et au nom de mes compagnons, je viens demander l'hospitalité à Hans le truand, roi des mendiants et régent de la Cour des Miracles. »

Hans se leva et dit gravement :

« Je vous reçois comme mes hôtes dans la Cour des Miracles… Je vous ai suivis, Jean Buridan, Lancelot Bigorne, Guillaume Bourrasque, Riquet Haudryot. Je vous ai suivis dans vos actes et, sans vous connaître, sans vous avoir vus, je me suis dit : Ceux-là sont des révoltés ; ceux-là, tôt ou tard, aboutiront à la Cour des Miracles, parce que, tôt ou tard, Paris tout entier les accablera de sa haine. Je vous attendais donc. Vous êtes ici les hôtes de Hans le truand. Vous êtes ici chez vous. »

Hans, d'un geste lent, désigna la pièce où il se trouvait, les meubles, les fauteuils, produits de ses rapines et de ses pillages ; de ce même geste, il parut envelopper la maison et la Cour des Miracles tout entière. Puis cette physionomie, qui s'était éclairée par degrés jusqu'à jeter de sombres éclairs d'intelligence hautaine, s'éteignit aussi par degrés, rentra dans la nuit, et devant les compagnons étonnés, pensifs, il n'y eut plus qu'une figure de brute monstrueuse.

Hans, lentement, sortit de la maison et rentra dans le logis, à la porte duquel pendait un quartier de charogne sanglante.

Trois jours s'étaient écoulés. Guillaume, Riquet et Gautier jouaient aux dés, mangeaient et buvaient.

Lancelot Bigorne dormait.

Buridan, pendant ces trois journées, tenta de sortir de la Cour des Miracles. Mais il lui semblait que peu à peu un cercle se resserrait autour de ce misérable quartier. Dans les rues avoisinantes, des patrouilles passaient de plus en plus nombreuses. Il remarqua que des sentinelles étaient apostées. Il crut comprendre qu'il se préparait quelque chose de formidable. Il songeait à Myrtille. Il songeait à Valois. Il songeait à cette femme qui était sa mère, et que Bigorne lui avait assuré être vivante. Mille pensées se heurtaient dans sa tête. Il éprouvait l'indicible besoin d'aimer et d'être aimé.

Une nuit, Lancelot Bigorne l'entendit qui murmurait :

« Et pourtant, vous êtes mon père, comte de Valois !... »

Il souffrait affreusement de l'incertitude où il se trouvait, et toute cette souffrance se traduisait par cette pensée qui ne lui laissait aucun répit :

« Le comte de Valois est mon père ! Et le comte de Valois m'a dit qu'il aime Myrtille ! Et Myrtille est chez le comte de Valois !... »

Le matin du quatrième jour, vers dix heures, il rassembla ses compagnons pour leur proposer quelque suprême et nouvelle tentative.

Au moment où il allait parler, la porte s'ouvrit et une femme parut.

« Gillonne ! » cria Buridan.

Buridan tremblait et ne se sentait pas le courage d'interroger la vieille.

« Seigneur Jésus ! j'en ai eu du mal pour vous retrouver ici ! Enfin, grâce à un de mes amis qui est manchot, goitreux et ulcéreux de son métier, j'ai pu pénétrer jusqu'ici... J'ai su que vous étiez venu au rendez-vous que je vous avais assigné à l'hôtel de Valois, j'ai su que malheureusement vous n'aviez pas réussi... oui, mais j'étais là, moi !

– Que veux-tu dire ? balbutia Buridan.

– Que j'ai fait ce que vous n'avez pu faire !

– Myrtille !...

– Je l'ai délivrée !...

– Courons !... mes amis..., ma chère Gillonne... »

À ce moment, Simon Malingre entrait à son tour.

Et Simon Malingre donnait la main à Myrtille !

Dans l'instant qui suivit, les deux amants étaient aux bras l'un de l'autre. Pendant quelques minutes, on n'entendit que les sanglots de bonheur de la jeune fille et les exclamations bruyantes de Guillaume, de Riquet et de Gautier.

Il semblait à Buridan et à Myrtille qu'ils faisaient un rêve.

Lorsque Buridan s'arracha de cette extase, il chercha des yeux Gillonne pour la remercier.

Gillonne et Simon Malingre avaient disparu !…

VI

LA COUR DE FRANCE CONTRE LA COUR DES MIRACLES

Au Louvre, dans l'oratoire de Marguerite de Bourgogne, pièce sévère ornée de quelques meubles seulement, aux sculptures noircies par le temps, aux tentures sombres, avec un christ se détachant sur l'un des panneaux, au-dessus d'un prie-Dieu.

Trois personnages : Marguerite, Louis Hutin, Charles, comte de Valois.

C'est une sorte de conseil d'État, et, en même temps, un conseil de famille.

Mais d'autres personnages invisibles assistent à cette scène : Juana, derrière une porte, et Mabel, cachée au fond d'un cabinet d'où elle peut tout voir et tout entendre.

Dans ce conseil de famille, c'est un coup d'État qui vient d'être résolu :

L'arrestation d'Enguerrand de Marigny.

Tous les trois ont peur.

Maintenant qu'ils sont décidés, maintenant que l'exécution va avoir lieu, ils redoutent quelque suprême résistance de Marigny, et, pareils aux chiens d'arrêt devant le solitaire acculé, ils se demandent lequel des trois va être éventré par le dernier coup de boutoir de la bête.

Dix heures tintent lentement à quelque horloge.

Tous les trois tressaillent.

C'est l'heure pour laquelle on a donné rendez-vous dans le Louvre à Enguerrand de Marigny.

Le roi, précipitamment, va ouvrir la porte de l'oratoire qui donne sur la grande galerie.

La galerie est remplie d'une foule de seigneurs, de capitaines et de chevaliers, étonnés d'avoir été mandés au Louvre à cette heure matinale. De chaque côté de la galerie sont alignés vingt-quatre archers immobiles, pareils à des cariatides, et, près de la porte, Hugues de Trencavel est là, l'épée nue au poing.

Le roi jette un long regard sur cette mise en scène qui symbolise sa puissance et il se sent électrisé ; il sourit, il est rassuré, il ne peut s'empêcher de saluer d'un geste large cette assemblée guerrière.

Une clameur éclate en coup de tonnerre :

« Vive le roi !... »

Louis prononce quelques mots à l'oreille du capitaine des gardes, qui pâlit.

C'en est fait, l'ordre de l'arrestation de Marigny vient d'être donné.

« Quand il sortira de l'oratoire, achève le roi. Tu entends bien, Trencavel. Je crierai : « Notre-Dame ! » alors il sera temps.

– Place au Premier ministre, crie la voix de l'huissier au fond de la galerie. Place à monseigneur Enguerrand de Marigny ! »

La foule se fend, ondule ; Marigny s'avance vers l'oratoire, calme, grave, imposant et sévère.

Marigny se dirigea rapidement vers Louis Hutin. Une sorte de colère furieuse l'agitait et ce fut d'une voix grondante qu'il parla le premier :

« Sire, dit-il, j'allais me rendre au Louvre au moment où on est venu me chercher. J'ai de graves nouvelles à vous annoncer. »

Valois recula d'un pas.

La reine frémit.

« Quelles nouvelles ? demanda le roi d'un ton glacial.

– Sire, il est dans Paris un lieu redoutable qui forme une ville dans la ville, un royaume dans votre royaume. C'est un foyer de rébellions, de troubles et de désordres. C'est le camp retranché du vice et du crime. C'est là que se recrute cette armée de mendiants, de jongleurs, de truands, lie de la société, ramassis de tous les vagabonds du monde…

– La Cour des Miracles ! gronda le roi en tressaillant.

– Je vous ai dit : « Tant que cette armée n'aura pas trouvé un chef qui comprenne la force redoutable dont il pourrait disposer, nous pouvons encore aviser et prendre des mesures pour éteindre ce foyer de rébellion. Mais, du jour où ce chef sera trouvé, tremblez. Sire, car ce jour-là, c'est le trône de France qui sera directement menacé ! »

Et déjà, dans l'esprit du roi, sinon dans celui de Valois et de Marguerite, l'arrestation passait au second plan.

Le cauchemar évoqué se dressait dans toute sa menace.

« Ces mesures, dit Louis, nous les prendrons terribles, s'il le faut. Nous brûlerons Paris tout entier s'il est besoin, pour que la Cour des Miracles soit ensevelie sous les décombres de Paris. Avant que ce chef dont vous parlez soit trouvé, l'armée des rebelles sera…

– Il est trop tard, Sire ! dit Marigny, le chef est trouvé.

– Le chef ! balbutia le roi, chez qui l'épouvante et la colère se déchaînaient ensemble. Quel chef ?… »

Marigny, d'une voix sourde, continua :

« La Cour des Miracles choisit Buridan pour son chef et pour son roi. Buridan a autour de lui des lieutenants redoutables, car ces hommes dont vous avez mis la tête à prix, Sire, n'ont plus rien à ménager et sont capables de faire eux-mêmes ce qui chez vous n'est qu'une parole, c'est-à-dire de brûler Paris, de brûler le Louvre ! car ces hommes ce sont les d'Aulnay ! c'est Guillaume Bourrasque ! c'est Riquet Haudryot ! »

Un frémissement d'angoisse agita Valois et Marguerite.

Marigny poursuivit, et il semblait qu'une sorte de rage le soulevait de plus en plus :

« J'ai fait cerner la Cour des Miracles, Sire ! J'ai pris les premières mesures de préservation. J'ai fait ce qu'il était en mon pouvoir de faire pour essayer de sauver votre trône, mais peut-être est-il trop tard ! car je sais que l'étendard infâme de révolte a été planté au milieu de la Cour des Miracles, ce qui est le signe que ces gens préparent quelque formidable expédition ! Et ce n'est pas tout ! Je sais que Buridan, cette fois, est décidé à l'entreprise la plus audacieuse ; je sais qu'il est résolu à vaincre ou à mourir ! Car ce n'est plus sa propre vie qu'il veut sauver, c'est son amour, cette fois, qu'il jette en défi à votre premier ministre, à vous-même, à Paris, à la face du monde ! »

Marguerite fixa sur Marigny des yeux dilatés par l'horreur. Elle avait compris, elle !

Valois et le roi, frémissants tous deux, se penchaient sur le premier ministre. Et Marigny, éclatant enfin comme si sa rage et sa fureur eussent fait explosion dans sa poitrine :

« Et voyez, Sire, jusqu'où peut aller mon désespoir ! Voyez ce que je suis capable d'entreprendre à cette heure contre Buridan. Car celle qu'il aime… celle qu'il détient prisonnière dans la Cour des Miracles par la plus effroyable des audaces, eh bien, Sire, c'est ma fille ! »

À ce moment, si quelqu'un était entré dans le cabinet, il eût vu Mabel se relever, sortir rapidement comme affolée et s'élancer hors du Louvre.

« Vous entendez, Sire ! rugit Marigny, vous entendez, reine ! tu entends aussi, toi, Valois ! ma fille est aux mains de Buridan, et Buridan est roi de la Cour des Miracles ! »

Valois s'était mordu les lèvres jusqu'au sang pour étouffer le hurlement de jalousie qui lui venait contre Buridan.

Marguerite, pâle comme une morte, songeait :

« Oui, brûler Paris plutôt que de les savoir l'un à l'autre ! »

Et Marguerite de Bourgogne était la mère de Myrtille !

Et Charles, comte de Valois, était le père de Buridan !

Ainsi, tous les intérêts vitaux et passionnés du roi, de la reine et de Valois se trouvaient concentrés sur la tête d'Enguerrand de Marigny, qui venait d'être appelé au Louvre pour y être arrêté !

Marigny pouvait seul sauver le trône de Louis Hutin.

Marigny pouvait seul sauver la passion de Valois et l'amour de Marguerite.

Ces trois êtres se jetèrent un long regard et sans doute se firent la même réponse. Car le roi, marchant rapidement à la porte derrière laquelle se trouvait Hugues de Trencavel, prononça quelques mots à l'oreille de son capitaine…

L'arrestation était contremandée !

« Venez, madame la reine ! cria Louis Hutin d'une voix éclatante. Venez, comte de Valois ! venez Marigny ! écoutez tous, hommes nobles, vassaux, féaux, seigneurs !... »

Marigny, Valois et la reine étaient entrés dans la grande galerie.

Un silence effrayant pesa sur cette assemblée de rudes hommes d'armes aux éclatants costumes, encadrée par la haie des archers et les hallebardiers dressés tout le long des murailles. Louis promena son regard sur cette réunion à la fois éclatante et sombre, et d'une voix forte prononça :

« Nous avons la guerre !... »

À ces mots, une clameur énorme ébranla les murs de la vaste galerie, fit trembler les vitraux et se répercuta au loin à travers le Louvre, et jusque dans Paris.

Le silence enfin se rétablit peu à peu par grondements successifs.

« Ce n'est pas aux frontières que nous devons porter la guerre ! c'est dans l'Île-de-France, c'est dans cette ville ! c'est au centre de Paris ! Ducs, seigneurs, chevaliers, c'est la guerre de la monarchie contre la révolte ! c'est la guerre des hommes nobles contre les manants ! ce sont vos privilèges à défendre ! c'est mon trône à sauver ! c'est la guerre de la cour de France contre la Cour des Miracles !...

– La Cour des Miracles ! »

Ce fut d'abord une sorte de murmure étouffé, un bruissement de colère et de terreur mêlés, puis cela monta, grandit comme les grondements du tonnerre à l'horizon, et enfin cela éclata dans un étrange cliquetis des épées tirées, dans un effroyable tumulte d'imprécations entrechoquées, dans un déchaînement de la haine de l'homme noble contre l'homme de révolte...

« Aux truands ! aux truands !

– Des fascines autour de la Cour des Miracles !

– Aux fourches, les gueux !

– À la hart ! au feu ! au feu !... »

Alors l'effrayante nouvelle franchit le Louvre et se répandit dans Paris. Alors les boutiques se fermèrent, les bourgeois se cadenassèrent chez eux. Les chaînes furent tendues. Dans les rues, on ne vit plus que les patrouilles de cavaliers et d'archers. Des rumeurs sinistres se propagèrent à travers la ville avec la rapidité inconcevable dont semblent être animées toutes les nouvelles d'épouvante. Aux abords du Louvre, des compagnies se massaient. Dans le Louvre, on se préparait, on fourbissait les armes, et un conseil de guerre se tenait chez le roi.

Quatre mille hommes d'armes étaient prêts à marcher. Dans toutes les paroisses, le tocsin se mit à sonner.

C'était la guerre.

La guerre des seigneurs contre les mendiants !

Et partout, dans Paris, un nom volait de bouche en bouche, prononcé avec terreur, avec des malédictions, avec des menaces de mort.

Paris tout entier se dressait contre Buridan !...

Et dans la Cour des Miracles, au fond de ce logis où Hans l'avait conduit, Buridan se trouvait seul, seul avec Myrtille. Et là, de ces deux êtres de jeunesse, de vie et d'amour, de ces lèvres balbutiantes qui se cherchaient, de ces regards qui s'étreignaient, c'était un chant de paix souveraine et de bonheur infini qui montait doucement, rythmé par le murmure de ces deux noms bégayés avec ivresse :

« Buridan !...

– Myrtille !... »

VII

OÙ CHACUN SE PRÉPARE À FRAPPER

Enguerrand de Marigny fit occuper fortement toutes les voies qui aboutissaient à la Cour des Miracles. Il était peut-être le seul dans cette affaire qui agît avec sincérité. Il voulait la mort de Buridan. Il se disait que du père de Myrtille et du chef des rebelles aimé par elle, l'un des deux devait rester sur le carreau.

Une fois certain que nul ne pouvait plus sortir de la Cour des Miracles, Marigny, malgré l'impatience du roi, voulut prendre des mesures telles que pas un truand ne pût échapper au massacre.

Cela posé, nous reviendrons maintenant à deux personnages qui, à ce point de notre récit, nous intéressent particulièrement : Mabel d'une part, Marguerite de Bourgogne d'autre part.

Lorsqu'elle fut convaincue que Myrtille n'était plus au pouvoir de Valois, Mabel, revenue au Louvre, eut des heures d'angoisse et de doute déchirant. Puis, tout à coup, les rumeurs guerrières lui apprirent que des événements nouveaux se préparaient. Elle écouta, épia, interrogea et apprit seulement que le roi préparait la destruction de la Cour des Miracles.

Après la conférence qui eut lieu, entre Marguerite, le roi et Valois, après l'arrivée de Marigny, qu'on disait arrêté et qui ne le fut pas, Marguerite était rentrée chez elle, la rage au cœur. Mabel la voyait aller et venir, puis se jeter dans son grand fauteuil ; elle l'étudiait, mais elle connaissait le caractère de Marguerite, se gardait bien de l'interroger…

Comme sa suivante faisait mine de se retirer :

« Reste, dit-elle. Reste près de moi. J'ai l'âme inquiète, Mabel, je me ronge…

– Que craignez-vous ? Le roi n'a et ne peut avoir aucun soupçon…

– Il ne s'agit plus du roi ! fit Marguerite. C'est Buridan, Mabel, c'est cet homme qui m'a bafouée… c'est lui qui occupe tous les instants de ma misérable pensée… plus misérable que jamais depuis que je sais…

– Que savez-vous, madame ?

– Rien… Ou plutôt, tiens ! peut-être me donneras-tu un conseil… Buridan est à la Cour des Miracles…

– Auriez-vous maintenant l'intention de le sauver ?

– Moi ! moi ! si je pouvais… si j'étais un de ces archers qui vont assiéger la Cour des Miracles !… je voudrais entrer la première et le poignarder de mes mains, quitte à mourir de douleur sur son corps !… Non, vois-tu, ce qui me tue, c'est de savoir qu'elle est avec lui ! c'est que, s'il meurt, il mourra dans ses bras, à elle ! c'est que, jusqu'à la fin, il l'aura aimée, adorée… tandis que moi…

– Myrtille est à la Cour des Miracles ?… haleta Mabel.

– Elle y est !

– Avec Buridan ?

– Oui ! Et c'est le père même de Myrtille, c'est Enguerrand de Marigny qui m'a appris le malheur qui me trappe. »

Marguerite de Bourgogne se leva et, toute droite, pâle, les yeux flamboyants, murmura :

« J'aurai du moins une consolation. C'est de savoir que tous deux ont péri ! »

Il y eut un long silence pendant lequel ces deux femmes demeurèrent plongées chacune de son côté dans une sombre rêverie.

« Oui, dit enfin Mabel, ce sera une terrible consolation pour vous. Car rien ne peut les sauver ?

– Rien ! Rien au monde ! Je les ai condamnés tous deux.

– Tous deux ! Buridan et Myrtille ? Et rien, pas même un retour d'amour, un éclair de pitié, rien ne peut faire que Buridan et Myrtille ne meurent ensemble ?

– Sois tranquille : ils mourront tous deux !… »

Mabel sortit de l'appartement de la reine, ne s'arrêta pas, descendit par l'escalier familier qui lui était pour ainsi dire réservé, franchit diverses cours et se trouva enfin hors du Louvre.

« Ils mourront tous deux ! Pas un retour d'amour ! Pas un éclair de pitié ! Rien ! Rien au monde ne peut les sauver… Eh bien, qu'elle meure, elle aussi ! »

Elle courut au Logis hanté.

Roller attendait avec la patience que donne la haine.

« Le moment est venu ? demanda l'archer.

– Pas encore, mais bientôt, dit Mabel. Écoute, il y a ici, dans cette pièce, un rouleau de parchemins. Si le roi lit ces papiers, Marguerite sera déchue, condamnée, exécutée ; ta vengeance sera aussi terrible que tu as pu l'imaginer. Je vais m'absenter quelques heures ou quelques jours… Lorsque je reviendrai, je te dirai ce qu'il y a à faire. Si je ne reviens pas d'ici trois jours, tu agiras seul…

– C'est bien, dit Roller. Où sont les parchemins ?

– Je te le dirai. Et si je ne suis pas là pour te le dire, tu chercheras : tu trouveras sûrement. Rappelle-toi seulement ceci : un rouleau de parchemins. Mieux que le poison, mieux que le poignard, ces papiers tueront Marguerite. »

À ces mots, elle s'éloigna, sortit du logis et se dirigea vers la Cour des Miracles.

Pendant deux jours, c'est à peine si elle mangea juste assez pour se soutenir. À mesure que le temps s'écoulait, sa fièvre et son désespoir augmentaient.

Le soir du deuxième jour, en écoutant les archers, elle comprit que l'assaut aurait lieu le lendemain.

Alors, elle s'en alla.

Près de l'église Saint-Eustache, elle s'assit sous un auvent, sur une marche de pierre, et demeura là deux heures, l'esprit vide, s'acharnant à trouver un moyen de pénétrer jusqu'à son fils et ne trouvant rien… Deux cents toises à peine la séparaient de Buridan. Et Buridan, c'était son fils. Et ce fils, jamais depuis les temps lointains de Dijon, elle n'avait pu le serrer dans ses bras. Et ce fils, c'était elle qui avait cherché à l'attirer à la Tour de Nesle ! Quand elle songeait qu'elle avait parlé à Buridan sans le reconnaître, elle se mordait les poings, une sorte de rage furieuse s'emparait d'elle.

« Comment faire pour le revoir ?… »

Tout à coup, elle se leva et se mit à courir vers le Louvre.

Avait-elle trouvé le moyen ?...

Du moins, elle l'espérait ! Voici : elle irait se jeter aux pieds de la reine, lui avouerait tout, depuis la rencontre de Dijon, lui crierait que Buridan, c'était son fils, le fils de Valois ; l'enfant que Bigorne devait noyer...

Et pour son fils, elle demanderait grâce !...

Au Louvre, toutes les portes étaient fermées, mais Mabel savait sans doute le moyen d'entrer, même quand personne ne pouvait plus pénétrer dans le Louvre, car, peu de temps après avoir quitté l'église Saint-Eustache, elle était dans l'appartement de la reine.

Juana seule était là qui attendait.

« Où est la reine ? demanda-t-elle.

– Sortie, dit Juana. Il se passe des choses terribles...

– Oui... l'attaque de la Cour des Miracles...

– Non... non... pas cela... ici... chez le roi... »

Alors Mabel regarda plus attentivement Juana. Elle comprit que la petite avait quelque secret qui l'étouffait. Elle voulait parler et elle n'osait pas...

« Voyons, dit Mabel. Tu sais que je puis arranger bien des choses... est-ce que Louis a appris ?...

– Non, fit Juana avec un soupir. Le roi n'a encore aucun soupçon sur la reine. Mais... c'est bien terrible... que faire ?

– Quoi, parle donc ! gronda Mabel.

– Le sire d'Aulnay... ce pauvre jeune Philippe... Enfin, je l'ai vu...

– Tu as vu Philippe d'Aulnay ? Toi ?

– Oui.

– Dans les oubliettes ?...

– Oui !... Et il m'a commandé de prévenir le roi qu'il était là !... Et j'ai prévenu le roi !

– Et la reine l'ignore ?...

– La reine le sait. Seulement, ce qu'elle ne sait pas, c'est que c'est moi qui ai prévenu le roi. Alors… oh ! c'est affreux ! sauvez-le ! oh ! sauvez-le !…

– Sauver qui ?… Parle donc, misérable !

– Philippe !… La reine a été chez Stragildo. Et Stragildo va descendre dans les oubliettes… vous comprenez ?… La reine ne veut pas que Philippe parle !… »

Déjà Mabel n'écoutait plus. Elle s'était élancée au-dehors. Elle prenait en toute hâte le chemin du fleuve. Tout à coup, elle se frappa le front. Et alors, changeant de direction, elle marcha vers le cimetière des Innocents.

Elle trouva Roller qui, en prévision de tout événement, ne s'était pas déshabillé et dormait, étendu sur un grand coffre en bois.

« Suis-moi ! » lui dit Mabel.

Roller frémit d'impatience et d'espoir, et tous deux se mirent en route. En chemin, Mabel, en quelques mots, expliqua au Suisse ce qu'elle attendait de lui…

Ils franchirent le fleuve et abordèrent près de la tour.

Roller alla se poster sous le saule où tant de fois Philippe d'Aulnay avait fait le guet. Là, Mabel lui parla une dernière fois. Roller tira son poignard et dit simplement :

« C'est bien !… »

Alors, Mabel entra dans la Tour de Nesle.

Pendant que Marigny se préparait à frapper Buridan, que Valois se préparait à frapper Marigny, que Roller guettait la reine pour lui donner le coup de mort, Marguerite de Bourgogne se préparait à assassiner Philippe d'Aulnay.

Ce fut dans ce moment que le roi entra chez elle.

« Par Notre-Dame, dit Louis, la nouvelle est incroyable mais elle est sûre : je viens d'envoyer aux cachots de la grosse Tour, et devinez qui s'y trouve ?

– Sire, comment pourrais-je le savoir ?

– Le sire d'Aulnay ! fit le roi en éclatant de rire. Comment y est-il ? le diable le sait ! Qui l'a arrêté ? Et où cela s'est-il fait ? Nul n'a pu le dire. Mais quel que soit celui qui m'a mis ce rebelle entre les mains, je l'enrichirai, par tous les diables ! J'ai voulu vous en donner la nouvelle, chère amie, sachant toute l'inquiétude que vous aviez…

– En effet, Sire, c'est une heureuse nouvelle. Un de vos ennemis acharnés…

– Non, non, Marguerite, dit le roi, en secouant la tête. Le sire d'Aulnay n'a jamais été mon ennemi… Il sait le nom de la femme qui me trahit. Et maintenant que je le tiens, je l'obligerai bien à parler, fût-ce par la torture…

– Sire, dit-elle avec fermeté, il ne faut pas que vous continuiez à vivre dans ce doute qui vous fait un mal affreux. Il faut faire interroger cet homme…

– Faire interroger ? Non, Marguerite. Car fût-ce Dieu lui-même qui interroge ce Philippe, je suis sûr que Dieu ne me rapporterait pas exactement ses paroles… puissé-je être foudroyé si je blasphème ! Non, je veux moi-même lui parler, moi-même entendre le nom de l'infâme créature… comprends-tu, Marguerite ?… Je veux savoir, enfin !

– Mon cher Sire, reprit Marguerite, allez-y au plus tôt. Plus vite vous saurez, plus vite l'infâme dont vous cherchez le nom sera châtiée… Que n'y allez-vous de ce pas ?…

– Non, dit Louis, je dois maintenant m'occuper de ces drôles que nous allons faire un peu griller dans leur terrier de la Cour des Miracles, mais dès demain matin je descendrai aux oubliettes… »

Louis serra tendrement sa femme dans ses bras et sortit.

« Demain matin, murmura Marguerite, avec un sourire livide. J'ai toute la nuit devant moi ! Et que ne fait-on pas en une nuit ?… Allons, cette fois encore, je suis sauvée ! »

Elle s'enveloppa d'un manteau, rabattit la capuche sur sa tête, dit quelques mots à Juana, afin qu'elle pût être prévenue en cas d'alerte, puis sortit du Louvre par le chemin ordinaire qu'elle avait pris si souvent pour aller à ses nocturnes et terribles rendez-vous.

Quelques minutes plus tard, elle pénétrait dans la rue Froidmantel et arrivait à l'enclos aux lions dont la porte s'ouvrit sur un coup de sifflet qu'elle répéta trois fois.

Stragildo dormait profondément. Réveillé par le valet qui avait ouvert à Marguerite, le gardien en chef des lions arriva bientôt dans la pièce où l'attendait la reine.

« Sais-tu où se trouve Philippe d'Aulnay ?

– Si je le savais, j'irais le trouver à l'instant.

– Pourquoi ? demanda Marguerite, en tressaillant.

– Pour lui enfoncer six pouces de cette lame au défaut de l'épaule, dit Stragildo, en montrant son poignard. C'est le bon endroit. De tous ceux que j'ai frappés là, je n'en ai pas vu un seul qui soit revenu.

– Ainsi, tu frapperais cet homme d'un coup mortel ? Tu lui en veux donc ?

– Je l'avoue, dit Stragildo en se redressant. Malheureusement, ajouta-t-il, j'ignore où le trouver.

– Je vais te le dire, moi ! » dit la reine.

Alors Marguerite, ayant fait signe à Stragildo de se rapprocher d'elle, se mit à lui parler à voix basse. Et, quand elle eut fini, Stragildo reprit :

« Je suis prêt.

– C'est bien, dit la reine. Suis-moi.

– Allez-vous donc vous-même me faire entrer au Louvre et m'escorter jusqu'au cachot de Philippe d'Aulnay ?…

– Non, Stragildo. Je vais à la Tour de Nesle et tu vas m'y accompagner. Là, quand le moment d'agir sera venu pour toi, je te le dirai, tu iras au Louvre, tu descendras aux oubliettes et tu frapperas ! »

Stragildo ne fit aucune objection et suivit Marguerite.

Marguerite monta jusqu'à la plate-forme et Stragildo l'y suivit. Elle s'accouda au parapet et regarda au loin, dans la nuit. Une sombre rêverie s'empara d'elle. Son regard où brillait une flamme intense, alla chercher dans le sombre Paris nocturne un point d'où montaient de sourdes rumeurs…

La Cour des Miracles !…

Et alors son sein s'oppressa, ses yeux se gonflèrent.

Un sanglot râla dans sa gorge. Et elle murmura :

« Buridan !… Buridan va mourir !… »

VIII

MARGUERITE

« Stragildo…

– Vous venez de m'appeler, madame ? »

La reine releva sa tête, frissonna et dit :

« Es-tu prêt ? »

Stragildo sourit, il écarta son manteau et montra un court poignard à lame acérée, large, l'arme de l'assassinat.

Paris, ce soir-là, avait une physionomie de terreur ; Paris, sillonné de rondes d'archers du guet, des patrouilles à cheval ; Paris, avec ses chaînes tendues, ses portes fermées et, au fond des ruelles, la marche silencieuse de troupes armées d'où montait le sourd bruissement du cliquetis des armures.

Ces masses de gens d'armes, pareilles à des flots se déversant en un bassin central, affluaient vers le même point de Paris…

Et c'était ce point que maintenant contemplait Marguerite de Bourgogne, ce point sur lequel se concentrait toute l'ardeur de ses pensées.

« La Cour des Miracles !… Dans quelques heures, le siège sera complet ! Dans quelques heures, l'assaut, peut-être, sera donné par les archers du roi contre la Cour des Miracles !… En ce moment, le comte de Valois, Enguerrand de Marigny, prennent leurs dernières dispositions ! Demain, peut-être, le roi me dira :

« Rassurez-vous Marguerite, le capitaine Buridan, roi des truands, est mort !… »

Un sanglot râla dans la gorge de la reine de France.

À ce moment, Stragildo, pareil au génie malfaisant, se rapprocha de la reine :

« Madame, dit-il avec un sourire de férocité paisible, pourquoi vous inquiéter ainsi de choses qui n'en valent pas la peine ?… Songez que j'ai des hommes à moi parmi les archers qui vont attaquer la Cour des Miracles. Songez que mes hommes ont l'ordre de vous débarrasser de cette jeune fille !… Myrtille morte,

Enguerrand de Marigny, son père, en mourra de douleur ; cela fera deux !... »

La reine palpitait, agitée de frissons tumultueux.

Son esprit éperdu oscillait entre la jalousie et l'amour.

Elle voyait Myrtille morte... et l'affreuse vision lui inspirait une joie plus affreuse...

Monstrueuse joie de la mère rivale de la fille !

Elle voyait Buridan mort... et alors les sanglots l'étouffaient.

« Allons, reprit Stragildo avec sa familiarité de valet possesseur de secrets effrayants, il est temps d'agir ! Ne nous occupons pas de Gautier d'Aulnay, puisqu'il est à la Cour des Miracles avec Buridan et que tous les habitants de la Cour des Miracles vont mourir !... Mais Philippe ! madame, Philippe ! Je vous dis qu'il est temps !...

– Que dis-tu ?

– Je dis, madame, gronda Stragildo, que vous avait fait saisir Philippe d'Aulnay. Je dis que, par une imprudence folle, vous l'avez fait enfermer au Louvre !... Je dis que le roi vient d'apprendre que Philippe d'Aulnay est prisonnier au Louvre et qu'il veut le voir, l'interroger !... Je dis que si un mot échappe à Philippe, vous êtes perdue !

– C'est vrai ! c'est vrai ! bégaya la reine. Oh ! qu'il meure donc, celui-là ! Es-tu prêt ?... »

Et, comme tout à l'heure, Stragildo souleva son manteau, montra son poignard, et il murmura :

« J'attends, madame, j'attends que vous me disiez enfin en quel cachot se trouve d'Aulnay !...

– Eh bien... va donc ! rugit Marguerite de Bourgogne... Tu trouveras Philippe d'Aulnay dans le cachot n° 5...

– Fasse le diable que j'arrive à temps ! gronda-t-il. Car vous avez bien hésité, madame ! »

Et, rapide, silencieux, glissant dans les ténèbres, il s'élança dans l'escalier de la tour, sortit, franchit la Seine et se rua vers le Louvre.

Comme il passait le pont-levis, Stragildo vit le roi qui, escorté de flambeaux et d'hommes d'armes, traversait une cour...

« Où va le roi ? demanda-t-il d'une voix rauque à un archer. Il se rend à l'attaque de la Cour des Miracles ?...

– Non, répondit l'archer. Le roi va interroger un prisonnier qui se trouve dans le cachot n° 5.

– Malédiction ! » rugit Stragildo.

Marguerite de Bourgogne, demeurée seule sur la plate-forme de la Tour de Nesle, avait repris sa contemplation, essayant de percer les ténèbres ou de saisir quelqu'une de ces rumeurs lointaines qui venaient de la Cour des Miracles.

À ce moment, elle tressaillit.

Une femme était devant elle !... Peut-être un de ces spectres qu'elle voulait fuir et qui s'incarnait pour lui barrer le chemin... car cette femme semblait vraiment porter le masque de la mort sur son visage tragique.

Cependant, après un instant de terreur nerveuse, la reine eut une exclamation de joie : elle venait de reconnaître le spectre... la femme si soudainement apparue...

« Mabel ! fit Marguerite.

– Oui, ma reine, c'est moi !...

– Que le Ciel te préserve et te bénisse, toi qui viens toujours à la reine dans les moments de danger et qui sembles, d'un souffle, d'un regard, écarter ces dangers l'un après l'autre.

– Madame, vous disiez que j'arrive toujours au moment où il faut écarter de vous quelque péril. Seriez-vous donc menacée en ce moment ?

– Oui ! fit la reine d'une voix sourde. Philippe, ce Philippe que j'ai fait jeter dans une oubliette, où il devait mourir... eh bien, par je ne sais quelle trahison, le roi a su que cet homme était dans un des cachots du Louvre... le roi l'a voulu voir... et, à cette heure, Philippe d'Aulnay lui parle peut-être... à moins que Stragildo ne soit arrivé à temps, ajouta-t-elle avec un sourire terrible.

– Stragildo n'arrivera pas à temps au Louvre, dit-elle.

– Que veux-tu dire ? gronda la reine en frissonnant.

– Je veux dire qu'au moment où je sortais de la royale forteresse pour venir ici, le roi se rendait au cachot n° 5...

– Je suis perdue !

– Je le crois ! dit Mabel avec un calme terrible.

– C'est bien, je vais au Louvre ; et là, je saurai si je puis me défendre ou si enfin ma destinée va s'accomplir. »

Mabel eut un geste qui arrêta Marguerite prête à s'élancer vers l'entrée de l'escalier tournant.

« Vous oubliez, dit-elle, que vous avez promis de m'accorder ce que je suis venue vous demander ?

– Que veux-tu donc ?

– La grâce de Buridan ! D'un mot, vous pouvez l'obtenir du roi. Un sourire de vous peut faire rentrer dans leurs antres les bêtes fauves déchaînées. »

La reine haletait. Un combat terrible se livrait en elle. Mabel la contemplait avec une si ardente expression d'espoir, que ses yeux, dans la nuit, paraissaient fulgurer.

« Dis-moi ce qu'il faut faire... maintenant que tu m'as mis cet espoir au cœur... oh ! je ne vis plus, vois-tu ! Sauver Buridan... le sauver seul... oui, tu m'y as fait songer... c'est le salut pour moi... car mon sort est lié au sien. »

Mabel parut se replier sur elle-même. Elle chancelait.

« Si vous tuez Myrtille, vous tuez Buridan ! Le pauvre enfant ! À la minute suprême de l'agonie, peut-être mourra-t-il encore avec un sourire de bonheur, s'il sait que Myrtille est sauvée ! Mais le condamner à vivre, madame, et lui faire savoir qu'elle est morte, elle... ah ! madame, plutôt bêtes fauves, plutôt l'incendie de la Cour des Miracles ! plutôt la corde du gibet ! »

Mabel râlait. Ses mains cherchaient les mains de Marguerite. Elle se courbait. Ses genoux se ployaient.

« Dis-moi pourquoi tu veux que Buridan soit sauvé ? »

Mabel tomba tout à fait à genoux, et, avec une infinie douceur, avec un accent de simplicité tragique, répondit :

« C'est mon fils !

– Ton fils, Buridan, ton fils !

– Mon fils ! » répéta Mabel, d'une voix plus ferme.

En même temps, elle se releva.

« Écoutez-moi, dit-elle. Bientôt, il sera trop tard pour moi, pour mon fils et pour vous. Je vous dis que Buridan est mon fils. Je vous dis qu'il faut le sauver et sauver aussi celle qu'il aime, sans quoi la vie ne serait pour lui qu'une agonie un peu plus longue...

– Mais, comment es-tu la mère de Buridan, voyons ?

– Il est juste que vous sachiez, en effet ! dit Mabel avec une étrange intonation. Vous disiez tout à l'heure que, sans doute, je n'ai jamais aimé. Eh bien, j'ai aimé ! Un jour, mon amant vint me voir dans la maison isolée où je m'étais réfugiée... À peine était-il entré que sa nouvelle maîtresse fit irruption...

– Le nom de cette maîtresse ?

– Vous allez le savoir comme le reste. Cette jeune fille, qui s'était livrée à mon amant, avait une âme passionnée ; son cœur vibrait, mais comme peut vibrer l'airain que rien n'amollit ; la jalousie était la marque de son esprit, mais une jalousie capable de crimes monstrueux... cette jeune fille, madame, se jeta sur moi et me poignarda... »

Marguerite jeta une sourde imprécation.

« Elle me crut morte !... continua Mabel. Mais je vivais ! je voyais ! j'entendais ! je comprenais ! Et je ne pouvais faire un mouvement !... Alors, madame, se passa la chose la plus affreuse. Ma rivale ordonna que mon fils fût tué comme moi !... Et c'est cela, voyez-vous, que je ne lui ai jamais pardonné. Mon amant obéit ! Il remit mon fils... son fils ! oui, son enfant ! il le remit à un serviteur qui s'éloigna pour aller jeter le pauvre petit dans le fleuve... »

Cette fois, ce fut un gémissement qui jaillit des lèvres de Marguerite.

« Maintenant, écoutez ceci ! continua Mabel, se redressant toute droite, la voix dure, le visage flamboyant, pareille au génie de la vengeance. Écoutez ! le serviteur ne noya pas l'enfant ! Il fut pris de pitié ! Il le déposa dans une cabane où des gens qui passaient le recueillirent et l'emmenèrent à Béthune, en Artois, et l'y élevèrent !... L'enfant ne mourut pas ! Et moi je ne mourus pas !...

Moi, je vins à Paris ; je laissai au temps le soin de changer mes traits… quelques années, d'ailleurs, suffirent à faire de moi une vieille femme, car les heures comptaient double pour moi, et chaque minute était une douleur.

– Tais-toi, tais-toi !

– Alors, je m'insinuai auprès de celle qui m'avait poignardée et avait donné l'ordre d'assassiner mon fils. Je devins sa suivante préférée, son amie ; je l'étudiai, je reconnus en elle la femme aux passions violentes, et je préparai la plus terrible des vengeances !…

– Tais-toi, spectre !…

– Il faut bien que je vous dise tout !… Le nom du pays où ces choses se passèrent : la Bourgogne !… Le nom de la ville capitale : Dijon ! Le nom de mon amant : Charles, comte de Valois, oncle du roi de France !… Le nom de la jeune fille qui se donna à lui et me poignarda : Marguerite de Bourgogne !

– Et ton nom, à toi, spectre maudit, je n'ai pas besoin que tu le dises ! car bien souvent il a sonné comme un glas à mes oreilles : tu es Anne de Dramans !…

– Oui ! répondit Mabel avec une terrible simplicité.

– Eh bien, rugit Marguerite, c'est la dernière fois que ce nom sera prononcé ! Cette fois, du moins, mon poignard achèvera ce qu'il a commencé à Dijon… »

Et, d'un coup violent, elle frappa Mabel au sein.

Mabel ne tomba pas…

D'un deuxième coup, elle frappa au même endroit.

Cette fois, la lame se brisa.

Marguerite recula, effarée, en grondant :

« Oh ! est-il donc vrai que tu es sorcière ? »

Pour toute réponse, Mabel écarta son vêtement à l'endroit où elle avait été frappée et montra une de ces cottes de mailles fines, serrées, telles qu'on les fabriquait dans les ateliers de Milan ou de Tolède, les deux grands centres de travail de l'acier, l'un en Italie, l'autre en Espagne.

Et Mabel ajouta alors :

« Maintenant, Marguerite, voici ce qui me reste à vous dire :

« Depuis que je sais mon fils vivant, ma vengeance, si longtemps et si précieusement préparée, n'est plus dans mon esprit qu'un rêve qui s'efface. Je vous sauve si vous sauvez mon fils et celle qu'il aime. »

Marguerite demeura longtemps sans répondre, la tête baissée, les yeux fixés sur cette lame de poignard dont les morceaux étaient tombés à ses pieds.

Enfin, elle gronda :

« Ainsi, tu me donnes à choisir entre ta vengeance et ton pardon, entre ma perte et le salut de Buridan ?

– Oui, je vous donne à choisir entre la paix et la guerre. Et je vous jure, ajouta Mabel, je vous jure que, si vous choisissez la guerre, c'est vous, reine, qui serez écrasée.

– Eh bien, je choisis la guerre. Dussé-je être écrasée comme tu me l'annonces, dussé-je, déchue de mon rang, traîner une existence lamentable, tout vaut mieux que la certitude de leur bonheur ! la guerre, soit. La guerre, dont ton fils et ma fille vont être les premières victimes. »

Mabel, sans un mot, sans un geste, se dirigea vers l'escalier tournant, qu'elle descendit, et elle sortit de la tour.

De l'ombre de ce saule, sous lequel Philippe d'Aulnay avait si souvent guetté, un homme s'avança et demanda :

« Est-il temps ? Faut-il agir ? »

Mabel répondit :

« Oui. L'heure de la vengeance est venue, Wilhelm Roller. Va m'attendre au logis du cimetière des Innocents. Et si tu ne m'as pas revue avant midi, tu porteras au roi de France les papiers dont je t'ai parlé. »

Sur ces mots, Mabel s'éloigna en toute hâte, et l'homme qu'elle avait appelé Roller demeura quelques instants à la même place, puis, à son tour, s'éloigna.

Roller avait à peine fait quelques pas que, d'un massif qui baignait son feuillage dans les flots de la Seine, bondit un homme.

Sous les premières lueurs de l'aube, il y eut un éclair d'acier.

Un bras se leva et s'abaissa dans un geste rapide.

Roller s'abattit avec un sourd gémissement.

L'homme le considéra un instant avec un sourire, puis le saisit par les pieds et le traîna jusqu'à la Seine.

Puis il se redressa et regarda autour de lui.

À ce moment, Marguerite de Bourgogne, fatale et tragique, apparaissait à la porte de la Tour de Nesle. Elle vit l'homme, murmura :

« Stragildo ! »

Le bravo s'approcha de la reine. D'un geste et d'un sourire, il lui désigna le malheureux qu'il venait de tuer et qui gisait sur le bord du fleuve, les pieds dans l'eau.

Marguerite n'eut pas un geste d'étonnement. Seulement, elle demanda :

« Pourquoi ?

– Parce que j'ai entendu quelques mots que votre estimable suivante disait à cet homme. »

Stragildo ajouta :

« Savez-vous, madame, que votre suivante est une redoutable vipère ?... Eh bien, ceci était la dent venimeuse qui devait vous mordre aujourd'hui. J'ai arraché la dent.

– Ramène-moi au Louvre, dit la reine, et raconte-moi ce que tu as vu, ce que tu as entendu dans le cachot de Philippe d'Aulnay. »

IX

LES OUBLIETTES DU LOUVRE

Philippe d'Aulnay, dans sa prison, avait eu une vision, survenue au bout d'un temps inappréciable, c'est-à-dire au bout d'une heure peut-être, ou peut-être au bout de longues heures. D'abord, ce furent diverses images qui se présentèrent à lui dans le délire d'une soif intense. Puis, peu à peu, une sorte de brouillard s'était étendu sur cet esprit en proie depuis plusieurs mois à l'idée fixe de l'amour. Et, toutes ces images s'étant effacées l'une après l'autre, Philippe eut la sensation que ce brouillard s'entrouvrait et qu'une femme d'une éclatante beauté lui apparaissait, souriante. Philippe d'Aulnay était tombé à genoux en murmurant :

« Marguerite !… »

Les yeux extasiés se fixèrent sur l'apparition.

Un bruit de pas et de verrous tirés… puis, tout à coup, le cachot s'emplit de lumières et deux hommes entrèrent, tandis que plusieurs archers se rangeaient dans l'étroit espace du couloir, prêts à sauter sur le prisonnier à la moindre alerte.

Les deux hommes, c'étaient le roi et le comte de Valois.

Philippe les regarda avec étonnement.

« Qui êtes-vous ? demanda-t-il.

– La question est plaisante ! gronda Louis Hutin. Voyons, es-tu décidé maintenant à me dire le nom de celle qui me trahit ? Le secret que contenaient ces papiers que tu as brûlés à la Tour de Nesle, vais-je le savoir ? Écoute, tu as osé faire rébellion contre ton roi… tu as osé porter la main sur moi… je te pardonne tout cela, si tu parles !… »

À ce moment, parmi les archers qui gardaient la porte, se glissa un homme qui, sans doute, avait ses entrées partout, car les soldats le laissèrent passer avec une sorte de respect craintif.

Il passa la tête dans le cachot et il écouta ce qui se disait.

« Voyons ! reprit le roi. Qui t'a arrêté ? Qui t'a fait jeter dans ce cachot ?… Je te ferai grâce, entends-tu, je te ferai sortir si tu consens à parler, à dire toute la vérité à ton roi !… »

Philippe d'Aulnay le regardait étrangement. Un prodigieux travail s'accomplissait dans son esprit. Sa raison n'était plus qu'un chaos. Et, dans ce chaos, un éclair, un seul, une lueur sinistre illuminait la nuit...

Philippe était fou... et, dans cette minute, il se rendait compte de sa folie !...

Philippe venait de reconnaître le roi !

Philippe sentait, comprenait que, d'un instant à l'autre, il allait retomber dans la pleine démence, que sa raison allait échapper à sa surveillance.

Oh ! alors... est-ce que chacune de ses paroles n'allait pas être une terrible accusation contre Marguerite ?...

« Parle ! gronda de nouveau Louis... parle donc, par Notre-Dame ! ou je te fais écorcher vif et je livre ta carcasse aux chiens... »

« Le roi ! rugit au fond de lui-même Philippe, épouvanté. Le mari de Marguerite ! »

Fou de fureur, Louis le secoua par les épaules.

« Parle ! hurla-t-il. Le nom ? Ce nom que tu sais ! Le nom de celle qui me trahit et qui est ta maîtresse ! Mort du diable ! Parle ou je te tue !... »

Le roi, soudain, recula avec un cri d'horreur et d'effroi...

Philippe d'Aulnay venait de se redresser...

Et, sur son visage livide, sa bouche apparut sanglante, toute rouge... et, en même temps, de cette bouche, une sorte de tronçon de chair rouge tomba.

Philippe d'Aulnay, d'un coup de dent, venait de se trancher la langue pour ne pas dénoncer Marguerite de Bourgogne !...

Presque aussitôt, il retomba tout d'une masse, sans connaissance.

« Sire, dit Valois à Louis, lorsqu'ils furent remontés dans l'appartement du roi, je me charge d'obtenir de cet homme les aveux nécessaires ; qu'il puisse parler ou qu'il écrive, je le forcerai, moi, à dire ce nom que vous cherchez ! Seulement, je vous demanderai la permission de faire transporter l'homme au Temple, où je l'aurai sous la main.

– Fais, Valois ! » répondit le roi.

Quelques minutes plus tard, Philippe d'Aulnay, toujours évanoui, était jeté sur une charrette et transporté au Temple.

« Maintenant, murmura alors le comte de Valois, tu ne peux plus rien dire contre moi, Marguerite, car j'ai une arme terrible contre toi !... »

Et Valois, ayant mis son prisonnier en lieu sûr, se hâta vers la Cour des Miracles pour assister à l'assaut.

Louis Hutin, de son côté, se prépara à monter à cheval. Mais, avant de quitter le Louvre, il fit demander si la reine dormait, et comme on lui répondit que Mme Marguerite, inquiète de toutes ces rumeurs insolites, se tenait dans son oratoire, il s'y rendit...

Marguerite venait de rentrer.

Le récit que Stragildo venait de lui faire l'avait fait frissonner, mais l'avait aussi rassurée.

Ce fut d'un front serein qu'elle reçut son royal époux.

Louis lui proposa de venir assister à la prise et au sac de la Cour des Miracles, ainsi qu'à la pendaison de Buridan et des autres rebelles qui devait s'ensuivre.

« Sire, pardonnez-moi, dit Marguerite en pâlissant. Je ne suis qu'une femme et ces spectacles de violence me font mal. Je prierai pour vous, Sire...

– Oui, murmura Louis en la serrant passionnément dans ses bras, vous êtes la plus douce des femmes ! Et je suis bien heureux, Marguerite, d'être aimé d'un ange tel que vous !... Adieu ! Dans quelques heures, je viendrai vous annoncer que ces misérables rebelles ont vécu...

– Dieu vous garde, Sire ! »

Louis Hutin s'éloigna.

Quant à Marguerite, elle défaillait. Déjà, elle ne songeait plus ni au roi, ni à Philippe d'Aulnay, ni aux menaces de Mabel.

« C'en est fait, râla-t-elle, éperdue. Buridan va succomber. Rien ne peut le sauver !... Rien ! Oh ! si ! Encore un espoir ! Encore cette tentative !... »

Fiévreusement, Marguerite se mit à écrire :

« Buridan, une dernière fois, veux-tu être sauvé ? Veux-tu vivre dans la richesse, les honneurs et la puissance ? Rappelle-toi ce que je t'ai dit à la Tour de Nesle !... Ce que je t'offrais alors, je te l'offre encore. Dans quelques heures, Buridan, tu vas mourir. L'instant est suprême. Si tu veux... tu diras oui à celle que je t'envoie. Le reste me regarde !... »

Marguerite plia le papier sans le signer ni le cacheter.

Puis elle courut à son bahut, dont elle ouvrit un tiroir. Dans ce tiroir, il y avait plusieurs parchemins en blanc scellés du sceau royal et portant la signature du roi de France.

Elle saisit un de ces parchemins et, au-dessus de la signature, écrivit :

« Ordre de laisser passer le porteur des présentes. »

Puis, elle frappa de son marteau d'argent.

Juana parut, pâle encore de ce qu'elle avait osé faire, de sa visite au Louvre, suivie de la visite à Philippe d'Aulnay, suivie de la visite du roi. Elle ignorait encore ce qui s'était passé entre Philippe et le roi ; elle ignorait également que le prisonnier avait été transporté au Temple.

« Juana, prends ce billet et cache-le dans ton sein. »

La jeune fille obéit.

« Maintenant, reprit Marguerite, voici un laissez-passer signé du roi. Avec ce parchemin, tu franchiras le cordon des troupes placées autour de la Cour des Miracles. Dans la Cour des Miracles, tu trouveras Jean Buridan. Tu lui remettras le billet que tu portes dans ton sein et tu reviendras me dire ce qu'il t'aura répondu. Si tu n'es pas rentrée avant le jour, Juana, je suis perdue. Va, ma fille. »

Juana s'élança, pleine d'ardeur.

Nous avons dit qu'elle aimait la reine d'une affection profonde et sincère.

X

LAISSEZ PASSER

Après avoir, au pied de la Tour de Nesle, prononcé quelques mots à l'oreille de l'homme qui l'attendait là, Mabel s'était éloignée.

On a vu ce qui était arrivé à l'homme.

Un double coup de poignard de Stragildo.

L'homme était resté étendu sur la berge où Stragildo l'avait laissé, soit insouciance, soit qu'il eût été pressé de rejoindre la reine.

Mabel n'avait rien vu de ce drame.

Ayant franchi la Seine, elle s'était dirigée vers la Cour des Miracles pour renouveler sa tentative insensée, pour essayer une dernière fois de pénétrer jusqu'à Buridan.

Comme elle l'avait dit à la reine, elle avait passé trois jours et trois nuits à essayer de franchir la ligne des archers qui encerclait la Cour des Miracles. Repoussée de partout, on a vu qu'elle avait été chercher la reine au Louvre, puis à la Tour de Nesle.

Mabel était sortie de la Tour de Nesle plus désespérée encore qu'elle n'y était entrée.

Dès lors, la perte de Marguerite fut résolue dans son esprit.

Il n'y avait plus pour elle aucun moyen de sauver son fils. Il n'y avait plus même aucun moyen de le voir une dernière fois.

Pourtant, poussée par une sorte d'instinct, elle se rapprochait de la Cour des Miracles. Plus elle avançait, plus elle voyait de soldats rangés le long des rues et prêts à marcher. À ce moment, ayant levé la tête, elle aperçut entre les toits le ciel qui pâlissait : le jour allait venir.

« Encore une heure, murmura Mabel, et tout sera fini. »

Elle continua d'avancer et se heurta à une escouade d'archers qui barrait dans toute sa largeur la ruelle où elle se trouvait. Il y avait là un officier, et Mabel tressaillit en reconnaissant Geoffroy de Malestroit. À cent pas de là, la ruelle débouchait dans une Courtille où tout n'était que silence et ténèbre : la Cour des Miracles.

« Mon petit est là ! murmura Mabel. Il est là, plein de vie, et dans une heure ce sera fini !

– Au large ! » cria un des archers.

Mabel se jeta en avant, en criant :

« Seigneur de Malestroit ! Je viens de la part de la reine.

– Que demandes-tu ?

– Laissez-moi passer jusqu'à la Cour des Miracles. Qu'est-ce que cela peut vous faire ? Une femme de plus ou de moins dans le carnage qui va commencer. »

Malestroit secoua la tête et fit un signe à ses hommes, qui resserrèrent leurs rangs.

« Vous n'aurez donc pas pitié de moi, vous aussi ? Tenez, je vais tout dire, mon digne seigneur. Supposez que vous soyez dans cette Cour des Miracles, supposez que ces fascines soient pour vous brûler et ces soldats pour vous tuer. Supposez que votre mère veuille vous voir une dernière fois au moment où vous allez mourir… »

Malestroit tressaillit.

« Vous vous attendrissez, haleta Mabel, en refoulant ses sanglots. Je suis mère, mon cher seigneur. Et mon fils est là. Figurez-vous que je l'ai vu deux fois à peine depuis le temps lointain où il n'avait que six ans et que j'ai passé ma vie à le regretter, que j'ai usé mes yeux à le pleurer. Ce n'est pourtant pas une grande faveur que je vous demande. Qu'est-ce que je veux ? Je veux aller mourir avec mon fils. Ayez pitié, monseigneur…

– Comment s'appelle ton fils ? demanda Malestroit, ému.

– Buridan », répondit Mabel.

Elle n'eut pas plus tôt prononcé ce nom qu'elle comprit qu'elle venait de se fermer la route.

« Archers ! cria Malestroit, repoussez cette femme. »

Cinq ou six soldats se jetèrent sur Mabel.

« Et toi ! cria Mabel, maudit sois-tu ! Et puisses-tu succomber un des premiers sous les coups des truands de la Cour des Miracles ! »

Malestroit pâlit et voulut jeter un nouvel ordre.

Mais Mabel, repoussée à coups de piques, renvoyée de soldat en soldat, comme une balle, était bien loin déjà.

Alors, elle s'éloigna, erra quelque temps à l'aventure.

Tout à coup, il lui sembla qu'un pas furtif et léger courait près d'elle. Elle ouvrit les yeux et, à dix pas d'elle, aperçut une jeune fille qui s'avançait rapidement.

« Juana ! fit sourdement Mabel. Où va-t-elle à cette heure ? vers quelle besogne infâme ? »

La jeune fille s'avançait sans défiance. Lorsqu'elle fut près d'elle, Mabel, tout à coup, la saisit par les deux poignets, qu'elle étreignit violemment.

« Te voilà, petite Juana, fit Mabel avec un ricanement haineux. Où vas-tu donc ainsi ? quel malheureux vas-tu chercher à attirer dans les filets de la ribaude ?

– Oh ! murmura Juana, vous me faites peur. Jamais je ne vous ai vue ainsi. Laissez-moi. J'ai un message à remplir qui ne souffre aucun retard.

– Un message de la reine, n'est-ce pas ?

– Sans doute. La reine n'est-elle pas notre commune maîtresse ? N'avez-vous pas vous-même cent fois porté ses messages ? Si vous aviez été au Louvre, tout à l'heure, c'est vous, de préférence à moi, qu'elle eût chargée de celui-ci.

– Eh bien, donne. Je m'en charge !

– Impossible, dit Juana. Laissez-moi passer. »

Mabel avait lâché l'un des poignets de Juana et, de sa main libre, elle cherchait le poignard qu'elle portait à la ceinture, comme la plupart des femmes de qualité.

« Vous êtes donc résolue à me tuer ? »

Mabel, sans rien dire, leva l'arme.

Un instant encore, et l'arme s'abattait sur le sein de la jeune fille. Juana fouilla rapidement sous son manteau, en tira deux papiers, l'un enveloppant l'autre, et les tendit à Mabel.

Dans les mouvements que fit celle-ci pour les saisir, Juana se dégagea et s'enfuit comme une biche que poursuit la meute.

Mabel demeura hébétée, ses deux papiers à la main, les yeux fixés sur Juana qui disparaissait au bout de la rue.

« J'eusse dû frapper ! Je veux leur mort à tous ! »

Puis, ramenant machinalement ses yeux sur les parchemins, elle murmura :

« Sans doute, un message pour quelque malheureux. Il sera du moins sauvé pour aujourd'hui. »

Et, avec cette morne indifférence qu'elle avait maintenant pour tout ce qui ne touchait pas à Buridan, elle laissa tomber les parchemins à ses pieds, puis s'en alla lentement.

Tout à coup, prise d'une idée subite, elle revint brusquement sur ses pas.

« Il faut que je sache le nom du malheureux. Si je pouvais le sauver tout à fait ! Moi qui ai porté tant de messages mortels, si je pouvais au moins prévenir cet inconnu de ne pas se rendre au piège où on l'appelle ! »

Elle se baissa et ramassa les papiers qu'elle venait de jeter. Elle déplia celui qui servait d'enveloppe au deuxième et tout de suite son regard tomba sur le sceau royal et la signature : « Louis, roi. »

« Ordre de laisser passer le porteur des présentes », murmura Mabel en lisant.

Un flot de sang avait empourpré son visage.

« Laisser passer, reprit-elle, mais où ? où Juana devait-elle se rendre ?… Ce deuxième papier me l'indiquera peut-être. »

Elle le déplia et le lut d'un trait.

Dans le même instant, elle fut saisie d'un tremblement convulsif, une joie insensée flamboya dans ses yeux ; elle tomba à genoux et cria :

« Dieu est avec moi ! »

Ce billet, c'était celui que Marguerite de Bourgogne avait écrit pour Buridan et que Juana devait porter à la Cour des Miracles.

XI

OÙ SIMON MALINGRE ET GILLONNE CROIENT RÊVER

Nous entrons à la Cour des Miracles au moment où Simon Malingre et Gillonne viennent de ramener Myrtille à Buridan, c'est-à-dire à un moment où Marigny avait fait poster quelques sentinelles autour de la Cour des Miracles, mais où, en somme, le siège n'était pas commencé. Gillonne et Malingre avaient donc pu entrer et accomplir la première partie de leur programme, qui consistait à réunir les deux fiancés depuis si longtemps séparés. La deuxième partie de ce programme consistait à prévenir Valois qu'il trouverait à la fois Buridan et Myrtille dans la Cour des Miracles.

La troisième partie consistait à faire assassiner Buridan.

Pour le moment, Malingre et Gillonne considérèrent que le plus pressé pour eux, c'était de s'éloigner de la Cour des Miracles, car ils redoutaient les questions de Buridan et les explications qui pourraient s'ensuivre.

Profitant donc du moment d'émotion soulevé dans toute la société Buridan par l'arrivée soudaine et inespérée de Myrtille, Gillonne et Malingre s'étaient éclipsés en douceur.

Mais ils n'avaient pas fait vingt pas que Malingre se sentit harponné à la jambe, en même temps que Gillonne était harponnée au bras.

En même temps, deux voix rocailleuses et goguenardes prononçaient :

« On ne passe pas par là ! »

Ils s'aperçurent que la Cour des Miracles avait étrangement changé d'aspect. Des groupes nombreux stationnaient, de-ci, de-là, et les regardaient en ricanant. Ils essayèrent de faire quelques pas et ils furent entourés par une bande de culs-de-jatte et de manchots, parmi lesquels ils reconnurent un manchot et un cul-de-jatte qui ne les avait pas perdus de vue.

« Pas par là ! Pas par là ! » crièrent les estropiés en les bousculant.

Les deux malheureux retombèrent ainsi au milieu d'une troupe d'aveugles qui se mit à les pousser en hurlant :

« Pas par ici ! Pas par là ! »

Enfin, poussés, bousculés, lancés de groupe en groupe, de nains en goitreux, de cancéreux en géants, Simon Malingre et Gillonne se trouvèrent jetés à travers la porte d'un logis, laquelle porte se referma immédiatement derrière eux. Ils se virent alors dans une salle spacieuse, mais misérablement meublée, et où la lumière n'entrait que par une imposte grillée d'épais barreaux de fer. Au fond de cette salle était assis un homme qui leur dit :

« Enfin, vous voilà donc ! Voilà une heure que je vous attends !

– Lancelot Bigorne ! » s'exclama Simon Malingre dont la figure grimaça un sourire.

C'était, en effet, Lancelot Bigorne. Et c'était lui qui avait organisé toute cette comédie dont Malingre et Gillonne venaient d'être les victimes. Il avait suivi le couple au moment où celui-ci s'était éclipsé du logis habité par Buridan. En quelques instants et grâce à cette sorte de franc-maçonnerie de la Cour des Miracles, les deux intrus avaient été signalés, le mot d'ordre donné.

« Tu nous attendais ? fit Malingre, que la présence de Bigorne rassurait déjà.

– C'est-à-dire que, depuis cette intéressante conversation que nous avons eue ensemble chez Noël-Jambes-Tortes, je te cherche partout. Or, en t'apercevant tout à l'heure, je me suis dit que tu étais venu pour me parler de la bonne affaire.

– Nous sommes donc d'accord ?

– *Optimé !* comme dit le docteur Cheliet.

– Eh bien, il faut donc d'abord que Gillonne et moi nous allions trouver le comte de Valois ! dit Malingre en se levant. Viens, Gillonne. Bigorne va nous faire sortir de la Cour des Miracles…

– Un instant, dit froidement Gillonne. Je ne veux pas m'en aller, moi !

– Bon ! fit Malingre. Es-tu folle ?

– Folle ou non, je reste, dit Gillonne en appuyant sur chaque mot. Que veux-tu ? Je l'aime, moi, cette Myrtille ! Je ne voudrais pas la faire pleurer. Écoute, je trouve que la fortune acquise à ce prix serait bien lourde à supporter…

– Çà, elle perd la tête !… gronda Malingre.

– Je dis, continua Gillonne, que je ne veux pas prêter les mains à cette trahison ! Je dis que le pauvre Buridan mérite de vivre et de vivre heureux avec celle qu'il adore ! Je dis que je tiens en détestation ce comte de Valois qui poursuit de sa haine deux gentils amoureux, lesquels ne demandent rien au monde que le droit de s'aimer… »

« Oh ! oh ! songea Bigorne, la commère est plus dangereuse que ce misérable Malingre ! Quelle limace !… Voyons, si je l'écrasais d'un coup de talon ?… »

« Bigorne, cria Malingre, ne l'écoute pas !

– J'ai dit ce que j'ai dit, reprit Gillonne. Si le seigneur Buridan était ici, je lui crierais : « Prenez garde ! On veut vous tuer. On veut vous enlever Myrtille !… »

Malingre lança un regard stupéfait à Gillonne, et Bigorne murmura :

« Mes braves amis, reprit-il, je vois avec peine que vous n'êtes pas d'accord. J'en ai le cœur déchiré. L'un veut rester et sauver Buridan. L'autre veut sortir de la Cour des Miracles pour courir chez l'illustre comte de Valois ! Que faire ?

– Que Gillonne reste ! dit Malingre. J'agirais donc seul… seul avec toi, Bigorne ! »

Lancelot hocha tristement la tête.

« Ne m'as-tu pas dit que tu dois prendre Gillonne pour femme ? Je ne puis me mettre sur la conscience la séparation de deux fiancés tels que vous. Vous resterez donc tous deux. Quand vous serez d'accord, vous me le direz. »

Et Bigorne, se débarrassant de l'étreinte désespérée de Malingre, s'élança au-dehors.

Simon Malingre entendit le bruit des verrous que l'on poussait et, terrifié, se laissa tomber sur un escabeau. Il ne sortit de sa stupeur que pour accabler Gillonne de reproches et d'injures. Gillonne, sombre et pensive, le laissa dire. Puis, quand il eut fini, elle laissa tomber ce mot :

« Imbécile !…

– Comment, imbécile ? fit Malingre.

– Tu ne vois donc pas que Bigorne nous a joués ? Tu ne vois donc pas qu'il appartient corps et âme à Buridan ? Tu ne vois donc pas qu'il t'a arraché ton secret mot à mot et que nous sommes ses prisonniers ?…

– Ses prisonniers !… dit Malingre, effaré. Ainsi, ces manchots, ces aveugles, ces nains… ?

– Des hommes à lui qu'il a apostés pour nous barrer tous les chemins et nous pousser ici où il nous attendait !…

– Nous sommes perdus ! murmura Malingre, épouvanté.

– Pas encore ! » répondit Gillonne.

XII

LA VEILLÉE DES ARMES

La première journée qui avait suivi leur réunion s'était passée, pour Buridan et pour Myrtille, comme une minute de bonheur. Buridan songea alors à mettre sa fiancée en lieu sûr, c'est-à-dire à quitter promptement non seulement la Cour des Miracles, mais encore Paris.

Seulement, lorsque Guillaume Bourrasque et Riquet Haudryot, envoyés en éclaireurs, allèrent étudier les ruelles avoisinantes, ils s'aperçurent que la Cour des Miracles était cernée de toutes parts et qu'il n'y avait aucune possibilité de sortir.

Le coup fut terrible pour Buridan.

Bientôt, l'impossibilité même de tenter une sortie armée lui fut démontrée.

Buridan s'organisa donc dans le logis où Hans l'avait installé.

Le lendemain, à la première heure, Hans vint le trouver.

« Enguerrand de Marigny est celui qui dirige toute cette armée qui, en ce moment, assiège le royaume d'Argot. Quelques-uns des nôtres ont pu l'approcher d'assez près. Et je vous dis, cet homme est résolu à détruire la Cour des Miracles. À moins qu'il ne soit poussé par une autre idée », ajouta Hans en regardant fixement Buridan.

Buridan, un instant, baissa la tête et devint pensif.

« Vous avez raison, dit-il, ce n'est pas contre la Cour des Miracles ni même contre mes compagnons qu'Enguerrand de Marigny a amassé dans toutes les rues avoisinantes tout ce qu'il y a d'archers et de gens d'armes dans Paris.

– Et contre qui donc ?

– Contre moi ! » dit Buridan.

Le visage de Hans s'assombrit. Ses poings se crispèrent. Un double éclair jaillit de ses yeux. À ce moment, Buridan prononça :

« Il y a un moyen d'éviter ce carnage : faites-moi conduire à Enguerrand de Marigny, et je vous jure que les troupes royales vont se retirer aussitôt. »

Hans ne répondit pas tout de suite. Il semblait plongé dans une rêverie qui emportait au loin sa pensée.

« Je vous ai accueilli ici comme un frère, je vous ai donné un asile et vous me répondez par une insulte. »

Buridan tressaillit.

« Vous êtes jeune, continua Hans, et vous avez l'esprit troublé par l'amour. Votre insulte, d'ailleurs, était généreuse, puisqu'en me proposant une action vile vous aviez seulement l'intention de sauver un ramassis de mendiants et de ribaudes. Mais, sachez-le, il n'est pas un de ces mendiants, pas une de ces ribaudes qui accepterait d'avoir vie sauve moyennant la lâcheté que vous me proposez. N'en parlons plus. Ce soir, il y aura réunion générale dans cette cour, et là, devant tout le royaume d'Argot assemblé, j'aurai, moi, une autre proposition à vous faire. »

Sur ces mots, Hans sortit, laissant Buridan stupéfait.

Cette journée s'écoula dans une inquiétude mortelle pour le jeune homme. S'il avait été seul, l'idée d'une bataille à livrer l'eût galvanisé. Mais il y avait Myrtille ! Et Buridan, à la pensée que la jeune fille allait sans doute mourir, se sentait paralysé, ce qui prouve une fois de plus que l'amour est la pierre d'achoppement des hommes d'action.

Le soir vint enfin.

Sur un mot d'ordre donné par le chef suprême, c'est-à-dire le roi d'Argot, il y avait peut-être là cinq ou six mille hommes et femmes, qui avaient afflué de tous les points du royaume d'Argot. Et tous avaient pris place en bon ordre. Le duc de Thunes, le duc d'Égypte, leurs comtes, leurs suppôts, leurs massiers, les Égyptiens, les hubins, les calots, les coquillards, les courtauds de boutanches : personnages hideux, farouches, déguenillés, figures sombres, tout ce monde inouï, fantastique, fabuleux, formait un ensemble de cauchemar.

Et cependant, tous ces visages étaient graves, tous les regards étaient tournés vers l'estrade, vide pour le moment.

Tout à coup, un grand silence se fit dans cette foule : Hans venait d'apparaître sur l'estrade. D'une voix que l'on put entendre jusqu'aux confins de la Cour des Miracles, il prononça :

« Francs bourgeois, Égyptiens, Argotiers, Courtauds, Sabouleux, Piètres, Capons, Orphelins, Narquois, Rifodés, Polissons, Calots, Francs-mitons, nos massiers et suppôts vous ont dit qu'en présence des troupes royales prêtes à envahir le royaume d'Argot, j'ai une importante proposition à vous faire. Cette proposition, la voici. Les troupes royales n'en veulent à aucun de nous. Leur chef, Enguerrand de Marigny, n'a d'autre but que de s'emparer de la personne de Jean Buridan, réfugié parmi nous. Si Jean Buridan est livré à Enguerrand de Marigny, l'attaque dont nous sommes menacés n'aura pas lieu et nous conserverons nos droits et privilèges, entre autres celui qui fait de la Cour des Miracles un territoire défendu à tous sergents ou archers du guet. Je vous propose donc de faire venir ici le chevalier du guet et de lui livrer Jean Buridan… »

Un silence de mort accueillit cette déclaration.

« Que ceux qui sont de mon avis se lèvent ! »

Nous avons dit qu'il y avait cinq ou six mille hommes et femmes rassemblés là. Ces hommes étaient des mendiants, des voleurs, des tire-laine, des truands ; ces femmes étaient des ribaudes. Les unes vivaient de leurs vénales amours. Les autres vivaient de fraude ou de brigandage.

Lorsque Hans eut fini de parler, sur toute cette foule, il y eut trois hommes qui se levèrent pour approuver.

Dans le même instant, ces trois hommes tombèrent assommés.

Il y eut, dans chacun des groupes dont ils faisaient partie, une rumeur courte et sinistre, puis de chacun de ces groupes, on vit se détacher cinq ou six hommes emportant un cadavre. L'une de ces bandes entra dans la rue des Francs-Archers, l'autre dans la rue. Saint-Sauveur, la troisième dans la rue aux Piètres. Les porteurs funèbres atteignirent les premières lignes de troupes royales et jetèrent parmi les archers stupéfaits les cadavres des trois argotiers qui venaient d'être assommés. Puis ces porteurs paisibles et farouches regagnèrent leur place, et ce fut tout.

« Eh bien, Jean Buridan ! cria alors Hans d'une voix éclatante, que penses-tu de ces gens sans feu ni lieu, sans foi ni loi, de sac et de corde, tous à pendre et à rouer, amusants surtout lorsque, exposés au pilori, ils font aux honnêtes gens de Paris la grimace de douleur par quoi la foule des gens honnêtes est toujours amusée ! »

Il y avait une sombre amertume dans ces paroles, qui vibrèrent et se répercutèrent dans le lourd silence…

Buridan, Bigorne, Bourrasque, Haudryot et Gautier d'Aulnay étaient au pied de l'estrade.

« Répondez, monseigneur de Valois, dit Lancelot Bigorne.

– J'y vais ! fit Buridan. Oui, moi, fils de Valois et cousin germain du roi de France, je vais dire à ces truands ce que je pense d'eux ! »

Il monta sur l'estrade.

Dans la multitude, il y eut une rumeur de curiosité, le nom de Buridan courut de table en table.

Puis, de nouveau, le silence régna.

« Argotiers du royaume d'Argot, dit-il, voulez-vous de moi pour compagnon ? »

Une tempête de clameurs se déchaîna.

Buridan attendait sur l'estrade, debout près de Hans, qui souriait étrangement.

« Voilà la lignée de Valois entruandée, dit Bigorne. Eh bien, par saint Barnabé, cela fait honneur au Valois ! »

Hans fit signe et le silence se rétablit.

« Argotiers, dit-il, puisque vous ne voulez pas livrer Jean Buridan et ses compagnons, il faut songer à vous défendre. Demain, peut-être, la Cour des Miracles sera envahie… C'est un défi suprême que vous venez de jeter à l'autorité royale, c'est la guerre que vous déclarez au premier ministre, au prévôt, à la force, à l'ordre…

– Guerre ! Guerre ! rugirent les truands, comme avaient rugi les seigneurs assemblés dans la galerie du Louvre.

– Eh bien, soit : la guerre ! dit Hans d'une voix qui domina le tumulte. Mais c'est ici une guerre nouvelle, à laquelle nul de nous n'est habitué. Mais nous ne savons pas l'art des batailles rangées. Moi, roi d'Argot, je déclare donc qu'il nous faut un chef, un capitaine. Moi, roi d'Argot, je déclare que j'obéirai à cet homme qui peut nous donner une victoire d'où nos privilèges sortiront affermis pour des siècles.

– Oui ! oui ! un chef !... Et j'obéirai, dit le duc d'Égypte.

– Un capitaine qui nous guide ! dit le duc de Thunes.

– Ducs, comtes, massiers, suppôts, argotiers ! reprit Hans, ce chef est tout désigné. C'est Jean Buridan.

– Hourra ! Hourra ! Hourra !

– Vive le capitaine Buridan !... »

Alors, mendiants, Égyptiens, truands se formèrent en une longue colonne qui défila devant l'estrade, étrange défilé d'êtres déguenillés et sordides, de visages hideux et flamboyants ; effrayante procession d'où jaillissaient des menaces, des cris de mort et des acclamations, où se confondaient pêle-mêle des jeunes femmes à la beauté flétrie, des vieilles qui marmottaient des imprécations et traçaient dans l'air des signes cabalistiques, des géants aux épaules d'hercule, des gnomes aux jambes torses, et tout cela passait comme un torrent qui, sur son passage, charrie des fleurs, des arbres, des cadavres, et tout cela hurlait :

« Hourra ! Hourra ! Hourra !

– Vive le capitaine Buridan ! »

Buridan poussa la porte de la chambre qu'il occupait avec Gautier, et, à la pâle lueur d'un flambeau, il vit Myrtille qui l'attendait...

Il la serra dans ses bras... Elle était toute tremblante...

« Buridan, fit-elle, ces cris de mort... ces clameurs... ces hommes dans la lumière des torches... J'ai tout vu, tout entendu de là-haut... Je suis descendue... Buridan, mon cher fiancé, que se passe-t-il ?

– Rien qui doive t'effrayer... mais tu as eu tort de descendre de ta chambre...

– Puisque tu dois te battre, Buridan, je serai près de toi. Je veux ma part de tes dangers, et tu n'as pas le droit de m'écarter, puisque c'est ensemble que nous devons mourir.

– Myrtille, si tu viens à la bataille, si, dans la mêlée, tu frappes l'un de ceux qui vont nous assaillir, si cet homme expire sous tes yeux, tu risques ceci : qu'en baissant ton regard sur le cadavre, tu ne reconnaisses ton père. »

La jeune fille devint très pâle.

Elle se recula de quelques pas, cacha son visage dans ses deux mains et Buridan l'entendit qui sanglotait tout bas.

Alors, il prit la main de la fille d'Enguerrand de Marigny et la reconduisit dans sa chambre. Puis, tandis que Myrtille, tombant à genoux, priait la Vierge et les saintes qu'elle tenait en vénération, Buridan redescendit jusque dans la salle du rez-de-chaussée où il retrouva ses compagnons assemblés.

« Et maintenant, dit Buridan, puisque je suis capitaine et que vous êtes les lieutenants, tenons conseil de guerre !… »

La journée qui suivit se passa en étranges préparatifs qui furent faits du côté de la rue des Francs-Archers. La rue Saint-Sauveur et la rue aux Piètres furent barricadées. Et, certes, ces barricades étaient telles qu'elles pouvaient permettre aux assiégés de résister des mois.

Or, à la suite du conseil de guerre qui fut tenu et où Buridan développa son plan, la rue des Francs-Archers, qui, cependant, était la principale, ne fut pas barricadée.

Or, c'était de ce côté-là que devait se porter le gros effort des assaillants…

Le soir vint. La nuit enveloppa de son ombre la Cour des Miracles, qui semblait écrasée de silence.

Les troupes royales semblaient dormir.

XIII

LAISSEZ PASSER (*suite*)

Vers cinq heures du matin, Buridan fut prévenu qu'un mouvement de troupes royales se dessinait vers les barricades, c'est-à-dire vers la rue Saint-Sauveur et la rue aux Piètres, tandis que la rue des Francs-Archers demeurait parfaitement paisible.

« Auraient-ils éventé le piège ? » se demanda Buridan.

Il monta dans la chambre de Myrtille et trouva la jeune fille devant la porte ouverte, écoutant et guettant.

« C'est l'heure, n'est-ce pas ? demanda-t-elle.

– Oui », fit Buridan.

Une indicible émotion l'étreignit alors à cette minute où il allait se séparer de celle qu'il aimait – séparation éternelle peut-être, cette fois.

Quant à elle, pâle comme une morte, elle gardait ce sourire qui électrisait Buridan. Et ce fut elle qui parla :

« Si tu revenais vainqueur, et si le malheur avait voulu qu'Enguerrand de Marigny soit tombé sous tes coups, c'est alors, mon bien-aimé, que nous serions à tout jamais séparés par le sang. Jure-moi, Buridan, jure-moi que, si tu te trouves face à face avec lui, dans la mêlée, ton épée se détournera de lui… »

Buridan se mit à genoux et dit :

« Je jure que je n'ai plus aucune haine contre Enguerrand de Marigny. Je jure que, si le hasard de la mêlée faisait se croiser l'épée du seigneur de Marigny et la rapière de Jean Buridan, la rapière s'abaissera, dût l'épée me percer la poitrine. Es-tu contente, Myrtille ?

– Je te bénis pour la preuve d'amour que tu me donnes. Je te bénis, mon cher amant, puisque tu aimes mieux être uni dans la mort à Myrtille que d'être à jamais séparé d'elle par le sang versé. »

Myrtille avait perdu connaissance.

Buridan la souleva dans ses bras, l'emporta sur le lit.

« Ohé ! seigneur capitaine ! » cria à ce moment une voix.

Buridan reconnut la voix de Bigorne et il se dit que, si Bigorne l'appelait, c'est que l'attaque était imminente.

« Adieu, Myrtille ! » murmura-t-il dans un sanglot.

Il se baissa et, déposant sur ce front virginal un long baiser, il se jeta hors de la chambre sans tourner la tête.

À ce moment, il était terrible.

La voix de Bigorne, une deuxième fois, retentit alors.

« Ohé ! seigneur capitaine, nous avons un prisonnier ! »

Buridan était arrivé en bas.

« Un prisonnier ? demanda-t-il.

– Ou plutôt une prisonnière ! fit Bigorne d'une voix qui parut à Buridan étrangement vibrante. Elle est là », ajouta-t-il, en désignant la grande salle du rez-de-chaussée.

Buridan marcha vers la porte.

« Que veux-tu ? dit Buridan, qui, dans l'exaltation où il se trouvait, redouta une catastrophe inconnue.

– Maître, dit Bigorne, rappelez-vous ce moment solennel où vous avez levé l'épée sur un homme que vous teniez sous vos genoux. L'épée allait frapper. L'homme allait mourir. Alors, je vous ai saisi le bras comme je viens de le saisir et je vous ai dit : « Ne tuez pas le comte de Valois, car le comte de Valois, c'est votre père. »

– Et, maintenant, qu'as-tu à me dire ?

– Rappelez-vous, répondit Bigorne, ce que je vous ai dit ensuite. Je vous ai parlé d'une femme…

– Tu m'as dit, Lancelot, que cette femme c'était… »

Le mot s'étrangla dans la gorge de Buridan.

« Je vous ai dit que c'était votre mère ! dit Bigorne, et maintenant, Jean Buridan, et maintenant, fils du comte de Valois et d'Anne de Dramans, vous pouvez entrer !

– Ma mère ! » balbutia Buridan.

Et il entra.

Mabel était seule dans la grande salle.

Buridan la vit tout de suite dans la demi-obscurité. Il la vit si pâle, avec un visage si douloureux et si rayonnant à la fois, qu'il sentit fléchir ses genoux et s'arrêta contre la porte fermée. Seulement, il éclata en sanglots, ses bras se tendirent dans un geste vague et il répéta :

« Ma mère ! »

… Et tout à coup, il eut cette sensation que deux bras de femme, deux bras frénétiques et tendres le saisissaient avec une violente douceur… Il eut cette sensation, inconnue de lui, que sa tête éperdue se reposait sur un sein de femme qui battait sourdement… Il eut cette sensation de rêve qu'il redevenait enfant et qu'il s'endormait en une délicieuse sécurité sur le sein maternel… Il sentit sur son front une pluie tiède, abondante, précipitée, la pluie des larmes de sa mère… et vaguement, en s'évanouissant, il entendit ces mots :

« Mon Jehan ! mon fils ! je t'ai enfin ! »

Les deux heures qui suivirent furent pour Mabel et Buridan, c'est-à-dire pour la mère et le fils, des heures inoubliables, de ces moments auxquels l'homme, parvenu à la plus extrême vieillesse, reporte encore son souvenir attendri, pour y chercher l'illusion et y trouver encore un dernier rayon, avant de s'enfoncer dans les ténèbres de la mort.

Elle dévorait son fils du regard et le tenait par la main comme pour bien s'assurer que, réellement, elle l'avait. Mais surtout, maintenant que s'était accompli le miracle, elle voulait de toutes ses forces sauver Buridan.

« Maintenant, reprit-elle donc, maintenant, il faut que tu partes…

– Que je parte ?…

– Il faut fuir, te dis-je !…

– Fuir ! Mais même si je le voulais, ma mère, même si je voulais épargner par une lâcheté une douleur que je tremble de vous infliger, comment le pourrais-je ? »

Mabel sortit un parchemin de son sein.

C'était le laissez-passer signé et scellé de la signature royale que Marguerite avait remis à Juana.

Quant au message destiné à Buridan, Mabel le déchira en petits morceaux qu'elle jeta.

Buridan poussa un cri de joie.

« Tu vois ! s'écria Mabel, haletante d'espoir.

– Venez ! ma mère ! venez ! » répondit Buridan qui, entraînant Mabel, lui fit monter l'escalier jusqu'en haut et la poussa dans la chambre de Myrtille.

Buridan désigna la jeune fille, à demi prostrée encore.

« Ma mère, dit-il, si vous voulez que je vive, si vous voulez me donner la force de passer avec mes compagnons à travers toute une armée, voilà celle qu'il faut sauver !… »

Une heure plus tard, Mabel et Myrtille franchissaient l'une des barricades élevées par les truands et entraient dans la rue aux Piètres.

Mabel avait le visage aussi calme et indifférent que lorsqu'elle se trouvait près de Marguerite dans le Louvre ; il eût été impossible de saisir chez Myrtille un indice de crainte ou d'émotion. Elle allait comme en rêve… elles étaient en présence de la première ligne d'archers.

« Holà, ribaudes ! ricana le chef du poste. Halte !… »

Mabel marcha à l'officier qui venait de parler ainsi.

« Vous venez d'insulter deux femmes appartenant à la reine. Votre nom ?

– Ça, fit l'officier, interloqué, es-tu folle, femme ?… Holà, qu'on arrête…

– Votre nom ? » répéta Mabel en mettant sous les yeux de l'officier le parchemin royal.

L'officier pâlit… Il s'inclina, se courba et balbutia :

« Je ne savais pas… Par grâce, n'exigez pas mon nom et pardonnez-moi…

– C'est bien. Je pardonne. Faites-moi escorter jusque hors des lignes…

– Dix hommes d'escorte ! cria l'officier en respirant. Et qu'on veille à ce que pas un mot, pas un regard ne déplaise à ces deux femmes jusqu'à ce qu'elles soient hors des lignes ! Sans quoi, les fers !... »

Tout à coup, Mabel, à l'un des nombreux détours de la rue, comprit qu'elle se trouvait dans le voisinage d'un chef important. Et, en effet, là, bien que les hommes d'armes fussent plus nombreux, un grand silence régnait dans la rue.

« Hâtez le pas, dit-elle au chef de l'escorte, car la reine attend la réponse que je dois lui apporter. »

À ce moment, des trompettes sonnèrent.

Plusieurs officiers sortirent et, parmi eux, un homme de haute stature, à la physionomie rude, aux yeux sombres.

« Marigny !... murmura Mabel.

– Quelles sont ces deux femmes ? demanda-t-il. Pourquoi ont-elles une escorte et d'où viennent-elles ? »

D'un geste prompt comme l'éclair, Mabel remit au chef de l'escorte le parchemin royal et lui glissa à l'oreille :

« Répondez. Cinquante écus d'or pour vous si ce chef ne vous retient pas longtemps. C'est de la part de la reine.

– Monseigneur, dit le soldat en déployant le parchemin, ces femmes ont un laissez-passer et elles sont attendues au Louvre dans un instant. »

Marigny jeta un coup d'œil sur le parchemin et ordonna qu'on laissât passer les deux inconnues.

Dans le même instant, ses yeux se reportèrent sur le visage de Mabel. Il tressaillit. Son visage devint très pâle. Il fit deux ou trois pas rapides.

« Mabel ! » fit-il, sourdement.

Dans ce moment, un soupir désespéré gonfla le sein de Myrtille. Elle se renversa dans les bras de Mabel. Sa capuche retomba légèrement...

« Damnation ! gronda Enguerrand de Marigny, c'est Myrtille ! »

En même temps, dans la foule des archers, stupéfaits, avec une sorte de cri où il y avait une joie furieuse et un défi suprême, il saisit sa fille dans ses bras puissants, la souleva et l'emporta évanouie dans l'intérieur du logis.

« Malédiction ! » rugit Mabel.

Et elle-même se jeta d'un bond à la suite de Marigny.

Celui-ci avait déposé Myrtille sur une sorte de large canapé rembourré de coussins, et, sans plus s'occuper d'elle, au bruit que fit Mabel en entrant, il se retourna et, lançant à celle-ci un regard foudroyant, marcha sur elle, terrible, presque auguste, car, dans cette minute, il portait sur sa physionomie le double sentiment de la joie et de la douleur paternelles à leur suprême degré.

« Marigny, dit Mabel, regarde derrière toi. »

Marigny se retourna d'instinct et vit Myrtille qui, à pas chancelants, les mains jointes, marchait vers lui.

« Marigny, reprit Mabel, demande à ta fille si elle veut rester près de son père ou suivre Mabel la maudite. »

Le poing retomba lentement et Marigny, hagard, balbutia :

« Qu'est-ce à dire ?... Elle ne t'entraîne donc pas de force ? Tu la suis donc volontairement ?... Parle !... Je comprends, ajouta-t-il tout à coup en se frappant le front, Marguerite de Bourgogne, c'est ta mère ! et, pauvre enfant, tu veux rejoindre ta mère !... Myrtille, mon enfant chérie, oublie un instant que c'est le premier ministre qui te parle. Rappelle-toi seulement que je suis encore pour toi Claude Lescot, que tu as tant aimé. Rappelle-toi comme tu entourais mon cou de tes deux bras et comme avec tendresse tu me disais : « Père, quand serez-vous pour toujours près de votre fille ?... » Et maintenant, Myrtille, dis-moi, est-ce à Marguerite de Bourgogne que tu veux aller ? Ou bien veux-tu accorder à mon cœur meurtri un peu de ta pitié ?... Myrtille, demeures-tu près de ton père, ou suis-tu Mabel, la détestable exécutrice des ordres de ta mère ?... »

Myrtille se mit à genoux, saisit une main de Mabel, et prononça simplement :

« Père, c'est la mère de Buridan... »

Enguerrand de Marigny chancela. Il porta la main à son front et dans sa gorge râla un sanglot qui se termina par un éclat de rire effrayant.

« C'est dans l'ordre, fille de Marguerite de Bourgogne ! Ah ! c'est là la mère du truand ! ajouta-t-il avec un éclat de rire. Eh bien, j'aurais dû le deviner ! À tel fils, telle mère ! La mère s'est faite l'infamie ! le fils s'est fait le vol ! La mère est l'humble et ignoble servante d'une ribaude couronnée, le fils guette les passants aux détours des chemins pour les détrousser et les filles au fond des courtilles pour les enjôler !... Eh bien, par les plaies du Christ, je ne suis plus ici le père qui pleure et supplie, je suis le ministre qui ordonne et fait justice ! Mère de Buridan, je t'arrête ! Et ton crime, c'est d'avoir pour fils le chef des truands. Fille de Marguerite de Bourgogne, je t'arrête ! Et ton crime, c'est... »

À ce moment, et tandis que Marigny, ivre de rage, balbutiait et levait ses deux mains crispées, comme pour saisir à la fois Mabel et Myrtille, à ce moment, disons-nous, un bruit d'éclatante fanfare monta dans la rue.

Une rumeur lointaine grandit et s'approcha rapidement, apportant jusqu'à Mabel les cris mille fois répétés de : « Vive le roi ! »

Marigny n'entendait rien. Mais Mabel avait entendu.

D'un bond, elle fut à la fenêtre.

« Eh bien, cria-t-elle, puisqu'on arrête la fille de Marguerite de Bourgogne, il faut que le monde sache ! Il faut que le monde épouvanté apprenne que la reine de France a été la maîtresse d'Enguerrand de Marigny ! Il faut que le roi sache que son premier ministre arrête la fille de son épouse ! »

Marigny demeura hébété, comme frappé de la foudre.

« Le roi !... »

Dans l'escalier retentit le pas de Louis Hutin et de son escorte.

« Voici le roi, dit Mabel à haute voix. Eh bien, monseigneur, faut-il que je demande à l'époux de Marguerite la grâce de la fille d'Enguerrand de Marigny ?

– Silence, femme ! rugit Marigny.

– Laissez passer, monseigneur, ou, par le Dieu que vous invoquiez tout à l'heure, le roi va savoir.

– Silence ! bégaya Marigny, dont les cheveux se dressaient sur la tête.

– Sommes-nous libres ? Je me tais. Sinon… »

Marigny courut à la porte, l'ouvrit, ou plutôt la défonça d'un coup de pied.

Et, d'une voix pareille à un gémissement, il cria :

« Ordre du roi ! laissez passer… »

Mabel avait saisi, empoigné Myrtille dans ses bras, et, farouche, terrible, flamboyante, toute droite, elle descendait l'escalier, emportant la fiancée de son fils…

« Le roi ! » annonça une voix éclatante à l'autre porte.

Marigny, le visage décomposé, la démarche chancelante, alla à la rencontre de Louis Hutin.

« Sire, balbutia-t-il en se courbant plutôt comme un homme accablé sous le poids d'un malheur que comme un seigneur qui salue le roi.

– Eh bien, Marigny, fit Louis Hutin de sa voix joyeuse, vous avez entendu, n'est-ce pas ? que mes braves demandent bataille. Sommes-nous prêts ?

– Oui, Sire, nous le sommes ! répondit Marigny en se redressant et, cette fois, d'un accent si terrible que chacun songea qu'il allait y avoir une fameuse capilotade de truands. Nous sommes prêts, et malheur aux rebelles !…

– Bataille, donc ! » cria Louis Hutin.

Mabel et Myrtille étaient parvenues au logis du cimetière des Innocents. Le premier soin de la mère de Buridan fut de barricader la porte d'entrée. Puis elle vint s'asseoir près de la jeune fille, que cette scène avait brisée.

« Je n'avais pas de mère, murmura-t-elle enfin, et je n'ai plus de père…

– Cet homme est dans la main de Dieu, dit Mabel avec solennité. Où va-t-il ? À quelle catastrophe ?… Je ne sais… mais il est marqué, compté, pesé…

– Ô mon père…

– Il faut t'habituer à cette pensée que ton père est mort le jour où, pour la dernière fois, tu as vu Claude Lescot… Et quant à Enguerrand de Marigny, tu l'as entendu !… Et quant à celle qui est ta mère... tout à l'heure, à midi, quelqu'un va venir ici qui pourra t'en parler.

– Quelqu'un ? » demanda Myrtille.

Mabel ne répondit pas. Elle s'absorbait en sa rêverie.

À midi, celui qu'elle attendait ne vint pas : le malheureux Roller n'avait garde de venir ; il avait, comme on dit, reçu son compte. S'il était mort ou s'il lui restait chance de vie, c'est ce que nous verrons en temps et lieu.

Mabel sortait des ténèbres de la haine.

Elle venait de retrouver son fils. Elle tenait dans sa main la main de celle pour qui son fils vivait : elle entrait dans la lumière.

Dans sa rêverie, elle s'interrogeait avec étonnement : elle constatait que cette haine, qui jusqu'alors avait été sa raison d'être, passait à l'arrière-plan de ses préoccupations. Elle se surprenait à penser que la reine était peut-être moins criminelle que ne la faisaient les apparences.

Une sorte d'indifférence lui venait.

La question vitale, chez elle, n'était plus la vengeance.

Que Marguerite de Bourgogne reçût son châtiment ou continuât à vivre dans la puissance et la gloire, Mabel comprenait que ce n'était plus là pour elle-même une question de vie ou de mort.

Pendant les deux jours qu'elle passa au logis du cimetière, elle songea à ces choses sans prendre de résolution. Myrtille reprenait courage. Elle aussi renaissait à la vie.

Le soir du deuxième jour, Mabel sortit : sans doute elle allait aux renseignements. Lorsqu'elle rentra, ses yeux brillaient. Et comme Myrtille l'interrogeait, elle se contenta de lui dire :

« Je crois maintenant que nous pouvons aller attendre à Montmartre, où Buridan ne tardera pas à nous rejoindre... C'est ce que nous ferons demain matin.

À l'aube, les deux femmes étaient prêtes à partir.

Mabel songeait à Wilhelm Roller, qui n'avait pas reparu.

« C'est donc que je ne dois plus m'occuper du sort de Marguerite... se dit-elle. Les papiers sont là... Les papiers accusateurs qui prouveront au roi l'infamie de Marguerite. Dois-je les détruire ? Pourquoi ? Dois-je les emporter ?… Non ! Ce que je dois faire, c'est de ne pas m'en mêler !… Les papiers resteront où ils sont ! Si Roller vient et qu'il les trouve… eh bien, Marguerite sera punie ! S'il ne vient pas, ou si, étant venu, il ne les trouve pas, eh bien, c'est que Marguerite est pardonnée par Dieu comme elle l'est peut-être par moi ! Laissons-la dans la main de Dieu ! »

Mabel et Myrtille se mirent donc en route. Mabel avait acheté la veille un âne qu'elle couvrit elle-même de son double bât avec beaucoup de dextérité. Elle prit Myrtille dans ses bras et l'assit sur un des côtés du bât ; sur l'autre côté, elle plaça un sac contenant divers objets et notamment une cassette très lourde.

La cassette était pleine d'écus d'or.

Ce fut ainsi que Myrtille sortit de Paris.

Deux heures plus tard, la mère et la fiancée de Buridan arrivaient au village de Montmartre, composé de quelques misérables chaumières agenouillées autour d'une chapelle. Ce fut dans une de ces chaumières qu'elles s'installèrent. Et comme, par-dessus la cime des bois qui couvraient les pentes, on apercevait au loin les remparts et les tours de Paris, Myrtille chercha des yeux le point probable où se trouvait Buridan.

Mais elle ne vit qu'un hérissement de toits aigus, et, au loin, les grosses tours du Louvre, et plus loin encore une tour isolée qui semblait s'estomper dans une buée grise comme un fantôme du fond d'un rêve.

« Mère, quelle est cette tour étrange et solitaire ? »

Mabel tressaillit et répondit :

« La Tour de Nesle ! »

XIV

LA BATAILLE

Le capitaine Buridan avait fait barricader la rue Saint-Sauveur et la rue aux Piètres ; c'étaient de fortes barricades composées de poutres, de charrettes renversées, de sacs remplis de terre ; cela formait d'épaisses murailles impossibles à franchir et difficiles à démolir au moment de la mêlée. La rue des Francs-Archers, au contraire, avait été laissée libre. Seulement, ce passage était occupé par une troupe compacte, choisie parmi tout ce qu'il y avait de plus obstiné en truanderie.

De puissantes rumeurs montaient de la Cour des Miracles. Les truands, divisés en trois compagnies, se massaient à la barricade Saint-Sauveur, et à la barricade aux Piètres. La troisième troupe, moins nombreuse, s'avançait dans la rue des Francs-Archers.

Une effroyable clameur s'éleva du côté de la rue aux Piètres, puis, presque aussitôt, du côté de la rue Saint-Sauveur : les archers venaient de se lancer à l'assaut des deux barricades…

Alors une femme s'élança, une ribaude dépoitraillée, la robe retroussée, les bras nus, brandissant une hache. Derrière elle, deux, trois, dix femmes se ruèrent et, derrière les femmes, les truands, avec d'inimaginables imprécations.

En sorte que des deux côtés de la barricade, des gens grimpaient, se hissaient, retombaient, se relevaient pour s'élancer encore. Et bientôt ce fut sur le sommet de la barricade que se déchaînèrent les clameurs : archers contre truands, hommes, femmes mêlés ; les coups de masse pleuvaient et retentissaient étrangement sur les cuirasses et les casques, les haches jetaient au soleil des éclairs livides, et là, dans ce grouillement terrible de corps enlacés, d'armes entrechoquées, de plaintes, de vociférations, un homme, debout parmi les cadavres, rudement campé sur ses jambes, cet homme sans armes, ayant jeté sa rapière, apparaissait comme une fantastique silhouette de cauchemar. D'un mouvement uniforme, sans hâte, avec des gestes précis, Guillaume Bourrasque empoignait l'un après l'autre les archers rués à l'escalade. Un instant, on le voyait soulever l'homme dans ses bras, puis l'homme, avec un cri étouffé, décrivait une courbe dans l'espace et venait s'écraser au pied de la barricade.

Un silence pesa sur la rue Saint-Sauveur.

Sur la barricade, il n'y avait plus personne que Guillaume et Riquet.

Mais, à ce moment, une clameur, trouant les mille clameurs de la Cour des Miracles, s'élevait dans la rue des Francs-Archers.

Guillaume et Riquet s'élancèrent de ce côté : les truands, refoulés par les troupes de Marigny, reculaient en désordre.

Bourrasque et Haudryot se ruèrent en criant :

« À la rescousse ! Mort au guet !…

– Où allez-vous, compères ? » fit un homme en se plantant devant eux.

C'était Bigorne.

« Tu ne vois pas que les nôtres reculent.

– Bah ! fit Bigorne, clignant de l'œil, laissez reculer !… »

Que se passait-il dans la rue des Francs-Archers ? Là, Marigny avait porté le gros de ses forces, non seulement parce qu'il n'y avait pas de barricade, mais parce que la rue plus large permettait de s'avancer en masse. Le premier ministre commandait en personne. Derrière les bandes d'archers disposées pour marcher l'une derrière l'autre, en face du logis de Marigny, le roi, hissé sur un tonneau, assistait de loin à la bataille et trépignait d'enthousiasme. Près de lui se trouvait Valois, qui venait de le rejoindre et de lui annoncer que la barricade de Saint-Sauveur était imprenable. En même temps, arrivait Châtillon qui, lui, disait que cinquante de ses hommes venaient d'être mis hors de combat devant la barricade aux Piètres.

De ces nobles seigneurs, aucun n'avait tiré l'épée, aucun n'avait pris la masse d'armes ou la hache ; quelques-uns tenaient un simple poignard à la main ; d'autres, une courte dague ; aucun d'eux ne portait l'arme de guerre.

En tête de tous, marchait Marigny.

Il était sombre et ses regards flamboyaient, pareils dans ce visage à des éclairs sortant d'une nuée noire.

À la main, il tenait un fouet à chiens : c'était son arme.

Derrière lui, un triple et quadruple rang de seigneurs, silencieux, méprisants.

Derrière les seigneurs – la fleur de la cour de Louis Hutin –, les archers, piquiers, hallebardiers, en masses profondes qui hurlaient et s'excitaient à la grande tuerie.

Marigny, tout à coup, arriva sur les premiers rangs de truands et cria :

« Arrière, chiens !…

– Sus ! Sus ! » gronda la voix tumultueuse des archers.

Et on vit, oui, on vit les masses de truands reculer sous son regard !

Un éclat de rire monta des rangs seigneuriaux.

« Hourra ! Hourra ! » hurlèrent les archers, qui eurent un mouvement pour s'élancer en tumulte.

Au loin, le roi trépignait de joie.

Valois, livide de rage, assistait à ce triomphe qui pouvait rendre à son rival toute sa gloire et sa force.

Marigny marchait toujours ; devant lui, les ribauds, les courtauds, les piètres, tout le gibier de potence, comme affolé, refluait en grondant :

« Arrière, chiens ! »

Ils reculaient, ils se débandaient… Ils poussaient d'effroyables jurons, c'est vrai, mais ils reculaient, se bousculaient, rentraient en désordre dans la Cour des Miracles…

Et Marigny entrait dans la Cour des Miracles, où alors les lamentations, les cris de miséricorde retentirent de toutes parts !… Et derrière Marigny, les seigneurs !… Et derrière les seigneurs, deux mille archers…

Les archers se mettaient en bataille au milieu de la cour…

La révolte était vaincue !…

« Que ceux qui veulent vie sauve viennent se rendre à merci ! » cria Marigny, d'une voie puissante.

À ce moment, un bruit formidable retentit dans la rue des Francs-Archers.

Aussitôt après, et coup sur coup, ce bruit de tonnerre se renouvela deux ou trois fois, puis cela se mit à gronder sans interruption en même temps que, du fond de la rue s'élevait un nuage épais.

Dans le même instant, mendiants, piètres, capons, courtauds, truands, tout ce monde exorbitant qui avait semblé fuir devant le fouet de Marigny, tous ces êtres déguenillés, sordides, farouches, qui s'étaient jetés dans toutes les allées, se terrant comme une immense famille de lièvres surpris par le chasseur, hommes, femmes, tous armés de haches, de piques, de rapières, de poignards, tous reparaissaient, se ruaient sur la troupe de Marigny, tourbillonnaient, jetaient de féroces imprécations dont chacune ponctuait un coup terrible porté à une poitrine, à un crâne… Ils étaient là une foule rugissante de démons, quatre ou cinq mille, peut-être, et cela formait comme un vaste tourbillon enserrant de ses replis les malheureux archers qui jetaient leurs armes, les seigneurs immobiles et pâles, attendant le coup de mort, et, enfin, Marigny, stupéfié d'horreur.

La rue des Francs-Archers était barrée.

Ou plutôt la rue des Francs-Archers n'existait plus dans la partie qui avoisinait la Cour des Miracles.

Les maisons, des deux côtés, n'étaient plus qu'un amas de décombres.

Cela formait un énorme entassement de pierres, de poutres, de plâtras, de tuiles, comme si un cyclone eût ravagé ce coin de Paris.

On ne pouvait plus entrer dans la Cour des Miracles.

On ne pouvait plus en sortir.

Enguerrand de Marigny, cinquante chevaliers et seigneurs, deux mille archers et officiers étaient prisonniers des truands…

Ce qui s'était passé, le voici :

Cinq ou six maisons, de chaque côté de la rue, avaient été minées, sapées, démolies dans leurs fondations, pendant qu'une troupe de cinq à six cents truands, sous les ordres du duc de Thunes, tenait tête aux archers pendant deux jours, répondait aux jurons par des menaces et aux insultes par des imprécations. Donc, tandis que les hommes du duc de Thunes amusaient ainsi les archers du roi, tandis que les troupes royales se concentraient peu à peu, tandis que les chefs décidaient de porter leur principal effort dans cette rue, où, pensaient-ils, les rebelles n'avaient pas eu le temps de dresser une barricade, Buridan s'occupait de ce travail souterrain.

Les maisons minées furent étayées à l'intérieur par des poutres.

Au pied de chaque poutre, une longue corde fut attachée.

Lorsque Marigny fut passé, suivi des chevaliers et des compagnies, dont il avait le commandement, Buridan sonna du cor.

C'était le signal.

Dix hommes, attelés à chaque corde, tirèrent ensemble…

Les poutres tombèrent… Les murs s'abattirent, les toits s'effondrèrent… La barricade était formée par l'entassement des pierres et débris qui jonchaient la rue sur une hauteur de quinze pieds.

Seulement, cette barricade, au lieu d'être formée avant, venait de se dresser après.

Buridan entra dans la Cour des Miracles, suivi de Lancelot Bigorne et de Gautier d'Aulnay.

D'un bond, il sauta sur l'estrade voisine de l'étendard des truands.

Là, il sonna du cor.

Une volée de flèches siffla autour de lui sans l'atteindre.

« Abattez-le ! hurla Marigny. Ma fortune à qui tuera cet homme ! »

Vingt archers s'élancèrent. Mais autour de l'estrade, ils se heurtèrent à une masse de mendiants aux figures terribles : c'était la garde d'honneur du capitaine Buridan.

Buridan sonna une troisième fois.

Dans le même instant, sur tous les points de la Cour des Miracles, les haches tombèrent, les poignards furent rengainés, les piques s'abaissèrent, le tumulte s'apaisa…

On n'entendit plus que le gémissement des blessés qui persistait, comme ce bruissement d'écume après le coup de tonnerre de la vague venant frapper les rochers.

La bataille était finie.

Chaque seigneur était entouré de truands.

La foule des archers valides était poussée dans un coin.

Buridan descendit de l'estrade, marcha à Marigny et le salua. Puis, il se rapprocha, jusqu'à ce qu'il fût tout près, et pâle, dans un souffle, il murmura :

« Monseigneur, votre fille m'a ordonné de vous faire grâce.

– Chien de truand ! gronda Marigny.

– Monseigneur, reprit Buridan, voulez-vous faire grâce à votre fille ?…

– Si elle était là, je la poignarderais ! rugit Marigny.

– Monseigneur, continua Buridan, voulez-vous me donner pour épouse votre fille Myrtille ?

– Sois maudit ! gronda Marigny.

– Eh bien, je la prends ! » dit Buridan.

XV

LES DEUX ROIS

Deux heures après la bataille, dans ce logis où Marigny avait établi son quartier général et où il avait revu sa fille et Mabel, dans cette même salle où avait eu lieu la scène à laquelle nous faisons allusion, Louis Hutin, Valois, Châtillon et quelques autres tenaient conseil.

La douleur du roi était terrible, et, après s'être répandue en gestes extravagants s'était terminée par une violente crise de fureur.

Louis, abattu, écoutait les conseils de ses familiers, et surtout de Valois, lesquels se résumaient en un seul : lever le siège !

« Sire, dit Châtillon avec fermeté, vous ne pouvez condamner ni vos compagnons prisonniers, ni la ville de Paris qui subirait un effroyable désastre : il faut nous retirer ! »

À ce moment, des pas précipités montèrent l'escalier.

« Laissez entrer ! dit Louis en prêtant l'oreille. C'est peut-être une nouvelle. »

Châtillon courut ouvrir la porte, jeta un regard dans l'escalier et revint, tout effaré.

« Sire, dit-il, c'est un de nos amis prisonniers : Malestroit.

– Mon brave Geoffroy ! s'écria joyeusement le roi. Qu'il entre ! Qu'il entre !

– Me voici, Sire ! dit Geoffroy de Malestroit, en pénétrant dans la pièce. Mais je dois prévenir le roi que je suis accompagné par deux ambassadeurs de messieurs les truands et que j'ai répondu de leur vie.

– Tu as promis cela, Malestroit ?

– J'ai promis bien plus ! J'ai promis que ces deux hommes pourraient parler devant le roi.

– Et à qui as-tu promis, Malestroit ?

– Au capitaine Buridan, Sire. Et le capitaine Buridan m'a dit :

« – J'ai foi en votre promesse, sire de Malestroit, j'ai foi dans la magnanimité du roi. »

« Ayant promis, Sire, je dois déclarer que si j'ai eu tort, si le roi ne ratifie pas mes paroles, je retourne me rendre prisonnier à merci. »

Malestroit se retira de quelques pas et attendit, les bras croisés. Le roi devînt pensif.

« Un gentilhomme doit tenir parole, dit Louis, et, puisque tu as engagé la mienne, si étrange que soit l'ambassade, je recevrai ces hommes. »

Geoffroy de Malestroit alla à la porte et fit un signe.

Deux hommes entrèrent, s'avancèrent et s'inclinèrent devant le roi qui, quelques instants, les contempla silencieusement. Ils ne semblaient ni fiers de leur victoire, ni intimidés par l'assistance.

« Qui es-tu ? demanda enfin Louis Hutin en s'adressant à l'un d'eux.

– Le duc de Thunes ! répondit l'homme laconiquement.

– Et toi ? reprit le roi en s'adressant à l'autre.

– On m'appelle Hans, roi d'Argot.

– C'est toi le roi du royaume d'Argot ? fit Louis. Et si je te faisais pendre ? »

Hans sourit et répondit :

« J'espère pouvoir vous prouver tout à l'heure combien peu je crains la mort. Mais je vous préviens loyalement que si vous me faites pendre, il pourra en résulter de grands malheurs pour vous et les vôtres.

– Sire !… intervint Malestroit.

– Paix ! fit Louis Hutin. J'ai dit que ces hommes pourraient parler. Voyons, toi, puisque tu es le roi, parle ! Qu'as-tu à me dire en ton nom ? »

Hans redressa sa taille de colosse.

« En mon nom ? fit-il, d'un ton surpris. Rien, Sire. Je parlerai donc au nom de ceux qui m'envoient.

– Soit ! Qu'ont-ils à me demander ?

– Sire. La Cour des Miracles vous demande de retirer les compagnies d'archers que vous avez armées contre elle.

– Est-ce tout ?

– La Cour des Miracles vous demande aussi de respecter et confirmer les privilèges qui lui ont été octroyés par les rois vos prédécesseurs, savoir : le droit d'élire leur roi, leurs ducs et comtes, massiers et suppôts ; le droit de faire eux-mêmes leur police dans les limites du royaume d'Argot et autres que vous connaissez. Mais, parmi ces privilèges, Sire, il en est un que nous défendrons jusqu'à la mort. Ou ce privilège sera, ou la Cour des Miracles ne sera plus.

– Quel est ce privilège ?

– Deux êtres seuls, jusqu'à cette heure où est parvenue l'histoire du monde, le possèdent : c'est Dieu, et c'est le mendiant. Le malheureux condamné qui va mourir et que votre vindicte, Sire, envoie au bûcher ou au gibet, ce misérable, s'il parvenait à se sauver des mains de vos sergents, devient inviolable dès qu'il est entré dans l'église ou dans la Cour des Miracles, dans la maison de Dieu ou dans la maison des mendiants. Sire, le mendiant a le droit de grâce tant que sa main s'étend sur la tête du condamné. Prenez garde, Sire ! En touchant à ce droit, vous avez peut-être aussi touché au droit de Dieu. Prenez garde, roi. Lorsque vous aurez détruit les droits de Dieu, vous aurez peut-être aussi détruit vos droits à vous. Votre autorité, c'est celle que vous tenez de Dieu. Supprimez l'une, vous tuez l'autre. Tout s'enchaîne. Du roi à Dieu, de Dieu au mendiant, un seul chaînon brisé et l'échafaudage sur lequel est bâti le monde s'écroule. »

Le roi, Valois, Châtillon, Malestroit, les autres seigneurs présents considéraient avec étonnement la brute qui parlait ainsi d'un ton calme où un philosophe eût démêlé une profonde ironie, mais Louis, comme s'il eût voulu échapper à l'influence du truand, secoua rudement la tête.

« Je sais ce que tu veux dire : ce Buridan, ce Gautier d'Aulnay, ce Bourrasque, cet Haudryot, ce Bigorne, enfin, m'ont gravement offensé : ils mourront.

– Même Lancelot Bigorne, Sire ?... D'après ce qu'il m'a raconté, vous lui aviez promis... »

Le roi hésita.

« Celui-là m'a fait rire, fit-il enfin, en se déridant. Et, par Notre-Dame ! les occasions de rire sont trop rares pour que celui qui fait rire ne soit pas récompensé. Tu diras donc à Bigorne que ce que j'ai dit à la Tour de Nesle est dit. Qu'il vienne au Louvre me demander sa grâce. Il n'y a pas de bouffon au Louvre ; je lui offre l'emploi. Mais, quant aux autres, ils sont condamnés.

– Je ne vous demande pas leur grâce, Sire, dit froidement le roi d'Argot. Je vous demande de respecter le droit de la Cour des Miracles. Que ces hommes soient saisis hors du refuge, c'est bien. Mais que vos archers tentent de les arracher par la violence et les armes à la main, c'est ce qui ne sera pas. Sire, je suis venu en ambassadeur… Je vous demande uniquement ceci : que nos privilèges, reconnus par vos aïeux, soient maintenus par vous.

– Acceptez, Sire ! souffla Valois à l'oreille de Louis.

– Sire, dit Châtillon, à votre place, j'accepterais.

– Et si je n'accepte pas ? dit Louis, sombre et agité.

– En ce cas, dit Hans, nous nous défendrons jusqu'à la mort. Si nos droits meurent, nous devons mourir avec eux. Seulement, Sire, en nous condamnant, vous condamnez aussi ceux des vôtres que nous tenons prisonniers. Ce digne seigneur pourra vous le dire.

– J'atteste ! fit Malestroit. Sire, en ce moment, soixante chevaliers et seigneurs, la fleur de votre noblesse, sont gardés à vue chacun par quatre hommes armés de poignards. Dans une heure, si nous ne sommes pas de retour, ces soixante chevaliers tomberont, frappés à mort. Dans une heure, vos deux mille archers seront massacrés. Dans une heure, dix mille truands et mendiants, décidés à mourir, se répandront dans Paris la torche à la main. »

Les assistants écoutaient ces paroles, pâles d'épouvante.

Chez le roi, au contraire, ces menaces provoquaient une sourde colère prête à se déchaîner.

Sa fureur allait éclater. Il se leva comme pour jeter un ordre.

À ce moment, le roi d'Argot se mit à genoux. Louis Hutin s'arrêta, interdit.

Hans se prosterna, son front toucha le plancher.

« Sire, dit le roi d'Argot, il y a longtemps, bien longtemps, que je me suis juré à moi-même de ne jamais m'humilier devant personne au monde, fût-ce devant un prince tout-puissant comme vous l'êtes ! Le jour où je me suis juré cela, je me suis dit que la minute de ma première humiliation serait aussi celle de ma mort. Sire, je m'humilie devant vous. C'est donc le vœu d'un mourant que vous entendez.

– Parle ! fit Louis d'une voix dont il ne put dompter l'émotion.

– Sire, je ne menace pas. Sire, je supplie. Je vous prie humblement d'avoir pitié, non pas de nous, mais de votre ville de Paris, de votre seigneurie, de vous-même. Sire, un mot de vous, c'est la joie, l'apaisement, la concorde, que je n'aurai pas payées trop cher de ma mort. Jurez, Sire roi, jurez de respecter le sacré privilège de la Cour des Miracles, et vos serviteurs, vos amis vous sont rendus à l'instant… »

Le roi hésitait. Il n'y avait plus de colère en lui. Mais il redoutait l'humiliation d'un recul, l'aveu de la défaite.

« Sire ! cria le roi d'Argot, Dieu et le mendiant ont droit de refuge. Mais vous avez, vous, le droit de grâce. Faites grâce, Sire ! Et vous serez aussi grand que Dieu, et vous aurez vaincu par la clémence et la générosité…

– C'est donc à ma merci que tu fais appel ?

– Oui, Sire ! dit humblement le roi d'Argot.

– Et tu dis qu'en reconnaissance de ma royale clémence mes seigneurs seront libres ?

– Oui, Sire. »

Le roi se leva. Il leva la main.

« Je fais grâce, dit-il. Sur Notre-Dame et le Christ, je jure de maintenir le privilège de la confrérie des mendiants. Comte de Valois, donnez des ordres pour faire rentrer aussitôt nos troupes. Mais que des sentinelles et des patrouilles continuent à surveiller la Cour des Miracles. J'entends qu'aucun sergent ou archer du guet n'y puisse pénétrer pour saisir les criminels dont les noms ont été publiquement criés par nos hérauts. Mais j'entends que, si Buridan et ses acolytes sortent du domaine où s'exerce le droit de refuge, ils soient aussitôt saisis et livrés à notre official. »

Hans se releva.

« Sire, merci ! dit-il. Que les prisonniers soient tout à l'heure rendus à la liberté ! ajouta-t-il en se tournant vers le duc de Thunes.

Que les barricades soient démolies ! Que tout rentre dans l'ancien ordre !... »

Louis et les assistants ne perdaient pas de vue le roi d'Argot. Le duc de Thunes sortit et se dirigea en hâte vers la Cour des Miracles. Hans tira alors le poignard qu'il portait à sa ceinture.

« Sire, dit-il, vous avez juré par Notre-Dame et le Christ de respecter nos privilèges. J'ai juré, moi, d'épargner un crime à la monarchie, une honte à Paris. C'est ici un pacte que nous faisons de roi à roi ! Je ne vous demande pas de le signer. Mais je signe, moi ! Et je signe avec mon sang... »

Dans le même instant, Hans se frappa à la poitrine.

La lame s'enfonça profondément. Il la laissa dans la plaie. Quelques secondes, il demeura debout. Mais son visage devenait d'une blancheur de cire.

Le roi et les assistants le considéraient avec une sorte de stupeur où il y avait peut-être de l'admiration. Hans murmura faiblement :

« Vous voyez pour la dernière fois la figure d'un homme libre qui ne s'est jamais humilié et qui meurt parce qu'il a juré, une fois pour toutes, de mourir au jour où il courberait la tête devant un homme fait à son image... Adieu, Sire, soyez heureux !... »

Il battit l'air de ses bras et tomba lourdement. Il était mort.

Le roi de France, lentement, se découvrit.

Le lendemain, la Cour des Miracles avait repris son aspect habituel, sauf ce coin de la rue des Francs-Archers qui avait été démoli. Une nuit et un jour de travail acharné suffirent aux truands à faire disparaître toute trace de la bataille.

Le lendemain, disons-nous, il y eut grand conseil tenu entre Buridan, Bourrasque, Haudryot, Gautier et Lancelot.

Buridan avait promis de délivrer Philippe. Avant même que de songer à aller retrouver sa mère et sa fiancée, il voulait tenir parole.

La difficulté était terrible. En effet, tant que les compagnons restaient à la Cour des Miracles, ils étaient en sûreté. Mais, hors des limites du refuge solennellement confirmé par Louis X, ils redevenaient les condamnés à mort dont la tête était mise à prix.

En somme, ils étaient prisonniers dans la Cour des Miracles aussi bien qu'ils l'eussent été dans une forteresse. Nous reviendrons d'ailleurs sur ce conseil tenu dans le logis du capitaine Buridan – d'autant plus capitaine que Hans était mort ! – car, pendant cet entretien, se passa un événement dont nous aurons à rendre compte.

Pour le moment, disons seulement que Lancelot Bigorne avait eu une entrevue avec le duc de Thunes, lequel lui avait répété les paroles du roi Louis à son sujet.

Bigorne avait donc écouté toute la discussion. Puis il s'était dit :

« Puisque maître Buridan est assez fou pour ne pas prendre tout simplement le bonheur qui s'offre à lui, puisqu'il refuse de quitter Paris avant d'avoir sauvé cet autre fou qui s'appelle Philippe d'Aulnay, je ne vois qu'un moyen d'arranger la situation, c'est de devenir fou moi-même. »

XVI

OÙ LANCELOT BIGORNE DEVIENT FOU

Ce n'était pas une mince tentative que d'entreprendre de sauver Philippe d'Aulnay. Et, d'abord, était-il vivant ? Ensuite, où était-il ?

Ces questions insolubles, Lancelot Bigorne avait entrepris de les résoudre. Son plan était d'ailleurs d'une belle simplicité : il consistait à se rendre au Louvre, à gagner la confiance du roi déjà bien disposé à son égard, et là, au centre même des renseignements, il saurait tout ce qu'il voulait savoir. La difficulté était d'arriver au Louvre sans encombre, c'est-à-dire de passer à travers les lignes des sentinelles qui cernaient la Cour des Miracles.

– Adieu, compères, dit Lancelot à Guillaume et à Riquet.

– Comment, adieu ?...

– Oui, je m'en vais. Je m'ennuie ici. J'en ai assez de voir des visages de farfadets et de gnomes, des bossus, des aveugles, des manchots ; je veux voir de près une figure de roi, et je m'en vais de ce pas au Louvre.

– Il est fou ! glapit Riquet.

– C'est bien ce que j'espère devenir », dit Lancelot.

Et il partit sans plus d'explications. Enfilant donc la rue Saint-Sauveur, il essaya d'abord de se diriger vers la rue Tirevache dans l'intention de faire une station chez Noël-Jambes-Tortes. La rue, hors même des limites du royaume d'Argot, était parfaitement paisible. Bigorne aperçut bien cinq ou six archers qui jouaient au fond d'un cabaret, mais les archers ne semblèrent pas l'avoir vu.

Bigorne se frotta les mains et continua de s'avancer plus vivement.

Seulement, un gros homme, à figure réjouie, qui venait de le dévisager, entra dans le cabaret où se trouvaient les archers.

« Eh bien, se disait Lancelot, où sont les sentinelles ? Où sont les patrouilles ? Décidément, il est plus facile qu'on ne croit de sortir de la Cour des Miracles ! »

Tout à coup, il éclata de rire.

« Et le digne Simon Malingre ? Et la digne Gillonne ? excellents amis que j'ai par ma foi oubliés dans le logis que je leur ai généreusement octroyé. Diable ! pourvu qu'ils ne meurent pas de faim !... Au fait, s'il mouraient de faim, autant cette mort-là qu'une autre ! N'importe, je voudrais bien...

– Arrête ! » fit une voix près de lui.

Lancelot Bigorne bondit et essaya de filer. Mais cinq ou six poignes robustes le saisirent et le maintinrent vigoureusement. En un clin d'œil, il eut les mains attachées au dos.

« Suis-nous ! reprit rudement la même voix.

– Heu ! Et où cela, mon bon monsieur ?

– Tu le verras bien. Marche !...

– Parce que, au cas où cet endroit ne serait pas celui que je pense, je pourrais vous indiquer ce dernier, et alors vous toucheriez, vingt sûrement, peut-être cinquante ou même cent écus : une fortune !

– Oh ! oh ! fit le sergent. Cent écus ! Ça, truand ! oserais-tu bien te jouer d'un sergent du Châtelet ?

– Répondez, vous verrez après si je plaisante.

– Soit ! Dis-moi où je devrais te conduire pour toucher cent écus ; je te dirai ensuite où je te conduis, moi.

– Au Louvre ! répondit laconiquement Bigorne.

– Au Louvre ? dit le sergent en éclatant de rire. Moi, je te conduis tout bonnement au Temple, où monseigneur de Valois, qui t'interrogera tout d'abord, décidera de toi.

– Je maintiens ce que j'ai dit. C'est au Louvre qu'il faut me conduire si vous voulez toucher la gratification.

– Et, fit le sergent goguenard, une fois au Louvre, faudra-t-il pas te conduire devant le roi ?

– Vous l'avez dit, répondit froidement Lancelot, c'est au roi lui-même que j'ai affaire. »

Cette fois-ci, le sergent fut secoué d'un fou rire.

Quelle apparence, en effet, que ce malfaiteur, ce truand, eût affaire au roi ? C'était fou, c'était à se tordre de rire, et c'était ce que faisait le brave sergent.

« Conduisez-moi au Louvre, faites savoir au roi que je désire faire des révélations importantes au roi seul sur ce qui s'est passé à la Tour de Nesle, et je vous réponds que le roi me fera immédiatement appeler devant lui ; je réponds à un tel point que ce n'est pas cent, mais peut-être deux cents écus que Sa Majesté allouera à celui qui m'aura amené devant elle.

– Soit ! fit l'homme, prenant son parti, je vais te conduire au Louvre ; mais, si tu m'as menti, malheur à toi !

– Hélas ! je n'aurai jamais de supplice plus complet que celui que vous m'avez annoncé tout à l'heure.

– Au fait, dit le sergent, il a raison. Holà ! vous autres, reprit-il en s'adressant à ses hommes, nous changeons de direction et nous allons au Louvre d'abord. »

Lancelot Bigorne ne souffla mot, mais il respira largement, comme quelqu'un qui vient d'être soulagé d'un grand poids qui l'oppressait.

La troupe changea de direction, comme venait de le commander son chef, et, quelques instants plus tard, arrivait au Louvre.

Au Louvre, ce fut une autre histoire : il fallut trouver un gentilhomme de la maison qui se chargeât d'aller informer le roi.

Enfin, après une longue attente, on vint chercher le prisonnier, toujours étroitement surveillé, et on le conduisit devant Louis.

« Hi han ! fit Bigorne en manière de salamalec.

Louis bondit. Et il s'apprêtait à donner un ordre rigoureux, lorsque, ayant regardé à deux fois le prisonnier qu'on lui amenait, il reconnut l'homme qui l'avait consolé et fait rire. Louis se radoucit et cria :

« Est-ce bien toi que je revois, fou ?…

– Je vois avec plaisir que monseigneur le roi a bonne mémoire, répondit Bigorne, il m'a tout de suite appelé par mon nom. »

Aussi, après avoir répondu audacieusement au roi, crut-il devoir appuyer sa réponse d'un nouveau braiment sonore, à la stupéfaction profonde des assistants, mais pour la plus grande joie du roi qui, cette fois, éclata franchement de rire, riant autant des hi han ! frénétiques de Lancelot que des mines effarouchées de ceux qui l'entouraient.

« Assez, assez ! maître fou, fit le roi, voyant que Lancelot ne s'arrêtait plus de braire. Voyons, tu as des révélations importantes à nous faire, paraît-il ? Eh bien, cesse de faire l'âne et parle en bon français. »

À ce moment, l'un des gentilhommes présents fit deux pas en avant et se rapprocha du roi comme pour lui dire quelques mots confidentiels.

« Qu'est-ce ? fit le roi ; parlez, monsieur. »

Le gentilhomme prononça à voix basse quelques mots dont le résultat fut que, soudain, le sourire bienveillant du roi disparut par enchantement et, que ce fut d'un ton rude, mauvais, qu'il s'adressa à Bigorne, cependant que l'auteur de ce changement à vue rentrait dans le rang.

« Çà, que me dit-on, mon maître, que vous avez combattu aux côtés de ce truand qui a nom Buridan ? que vous avez été pris au sortir de ce lieu infâme, réceptacle de crimes et de rébellion qu'on appelle la Cour des Miracles ?

– Sire, fit Bigorne qui comprit cette fois qu'il jouait sa tête, ne saviez-vous pas que j'étais à la Cour des Miracles ?

– Certes. Mais tu as combattu ! On t'a vu ! Est-ce vrai ?

– C'est vrai, Sire !

– Tu avoues donc ? gronda le roi.

– Je fais plus que d'avouer… je m'en vante. Hi han ! tiens !… je voudrais vous y voir, vous, tout roi que vous êtes ! Et si votre vie dépendait uniquement de la vie d'un autre, – comme la mienne dépendait de celle de ce Buridan, – ne tireriez-vous pas l'épée pour la défense de cet autre, tout comme je l'ai fait pour le sire de Buridan ? Vous oubliez, Sire, maintenant que je suis délivré de toute crainte, ce que je vous ai dit de mon sort attaché à celui de ce Buridan que l'enfer engloutisse. Cet oubli me chagrine, mais ne me surprend pas, car, hélas ! il en est toujours ainsi : les grands oublient volontiers tout ce qui touche aux petits comme moi. Moi qui n'ai paru me rebeller et n'ai défendu ma triste carcasse que pour la mettre tout entière au service de mon roi !… voilà l'accueil qui m'est fait ! Pauvre Lancelot Bigorne, pauvre moi, mon cœur en souffre et en gémit… mais du moins, par saint Barnabé, mon vénéré patron, tout le monde entendra ma douleur ! »

Des hi han ! lamentables, funèbres, ponctuèrent ce discours fantastique autant que brave, car Lancelot Bigorne jouait tout simplement sa tête en ce moment.

Le roi ne put résister et, une fois encore, il éclata de rire, en disant :

« C'est vrai ! j'avais oublié que ton sort était étroitement lié à celui de ce truand, et, par Notre-Dame, j'aurais fait comme toi. Mais, dis-moi, te voilà donc dégagé, que tu abandonnes ce Buridan ?

– Sans doute, et c'est pourquoi, me souvenant des promesses faites par mon roi, j'étais parti pour venir le trouver et me mettre à sa dévotion, lorsque ces brutes (il désignait du regard les hommes qui le gardaient) sont tombées sur moi comme une volée de corbeaux voraces, m'ont ficelé… que c'en est pitié… et m'auraient entraîné vers je ne sais quel cul de basse-fosse, si celui-là n'avait entendu ma voix et pris sur lui de me conduire ici.

– Pauvre Lancelot Bigorne, dit le roi, moitié ironique, moitié touché, tu seras entré en tes nouvelles fonctions de fou d'une bien triste manière, mais, n'importe, tu m'as bien fait rire, et je te revaudrai cela.

« Messieurs, ajouta-t-il en se tournant vers les seigneurs stupéfaits, je vous présente mon fou, celui qui seul a le droit de dire les vérités les plus désagréables à tous, même à moi…

– Surtout à vous, interrompit irrespectueusement Bigorne.

– Surtout à moi. Soit. Le drôle a la langue bien pendue, gare à vous, messieurs ! Pourtant, que nul ne s'avise de molester mon bouffon… il pourrait lui en cuire. Et vous autres, qu'attendez-vous pour délier les cordes qui paralysent les mains de Sa Majesté la Folie ? »

En un clin d'œil, les liens qui attachaient les bras de Lancelot Bigorne furent tranchés, et, tandis que ses gardes s'écartaient de lui avec respect, plus d'un puissant seigneur vint lui faire son compliment, cherchant à s'attacher cette puissance qu'était à l'époque le fou du roi. Lancelot, bon prince, se laissait congratuler et embrasser avec une condescendance comique.

Cependant les gardes qui l'avaient accompagné, s'étaient éclipsés prudemment, moins le sergent qui paraissait attendre.

Lancelot le vit et, le prenant par la main, il le conduisit devant le roi à qui il dit à brûle-pourpoint :

« Voici un homme à qui j'ai promis cent écus en votre nom. Plaise à Votre Majesté les lui faire donner.

– Cent écus ! Malepeste ! c'est une somme, cela ! Voilà une plaisante manière de commencer tes fonctions ! Et pourquoi donnerais-je cent sous à ce bélître qui t'a arrêté ? »

Le sergent trembla.

« Pour avoir consenti à me conduire devant vous au lieu de me traîner au Temple, dit Bigorne.

– Cent écus pour si peu.

– Bon, fit tranquillement Bigorne, voilà le roi qui déjà trouve que son bouffon ne vaut pas cent pauvres écus !…

– Allons, fit le roi, qu'on donne dix écus à cet homme et n'en parlons plus. Seulement, à l'avenir, soit plus ménager de mes deniers… si tu veux qu'il en reste pour toi.

– Mon ami, dit Bigorne en allant au sergent, je t'ai promis cent écus de la part du roi ; le roi ne tenant pas la parole que j'ai donnée en son nom, tu te présenteras de ma part au trésorier ; je t'abandonne ma première année de paye.

– C'est bon ! fit Louis. Qu'on lui donne ses cent écus. Et puis qu'on le mette au cachot pour cent jours, pour n'avoir pas exécuté l'ordre qu'il avait reçu de conduire son prisonnier au Temple… »

Le sergent sortit à demi enchanté et à demi furieux.

Bigorne se disait : « J'ai dit ma première année. Donc, ce digne Louis croit que je m'installe à perpétuité. »

« Suis-moi », reprit le roi en s'adressant à son nouveau bouffon, tandis que les assistants, sur un geste, rétrogradaient vers les antichambres.

XVII

LE ROI ET LE BOUFFON

Lorsque tout le monde se fut retiré, le roi passa dans son cabinet, suivi de Lancelot Bigorne qui prenait possession de ses fonctions de fou et qui, d'ailleurs, sentait bien qu'il n'en avait pas fini avec le roi. Bien au contraire, la lutte, car c'était une véritable lutte qui allait avoir lieu entre ces deux personnages, la lutte, donc, ne faisait que commencer.

La plus légère imprudence pouvait faire perdre à la fois au pauvre Lancelot sa charge de fou et sa vie de truand.

Le roi s'assit dans son fauteuil.

« Çà, maître fou, voyons ces révélations ; qu'as-tu à me dire au sujet de ce qui s'est passé à la Tour de Nesle ? Lorsque tu m'y conduisis, tu te contentas de me placer devant une porte, en me disant de chercher et que je trouverais. J'ai cherché et je n'ai rien trouvé. Cependant, ajouta-t-il d'un air sombre, il faut que je trouve ! Parle donc, si tu sais quelque chose !

– J'ai des révélations à faire, moi ?…

– Pourtant, fit le roi, n'est-on pas venu me dire que tu voulais me parler à ce sujet ?…

– Ah ! oui, c'est vrai ! on est venu vous dire cela, reprit tranquillement Lancelot, mais voyons, là, fallait-il pas dire quelque chose pour être admis en présence du roi ?

– Alors, fit le roi désappointé, car Lancelot lui paraissait sincère, alors tu ne sais rien ? Tu n'as surpris aucun secret ?

– Je ne sais rien ! rien !… Pas la plus petite chose… que ce que je vous ai dit : « Frappe et on t'ouvrira ! Cherche et tu trouveras !… » Et que la peste m'étouffe, que la fièvre me fasse claquer du bec et grelotter des membres le reste de mes jours, si je mens !

– Allons ! fit le roi avec un soupir, n'en parlons plus.

– Mais, reprit lentement Bigorne qui paraissait peser le moindre mot, mais si je ne sais rien, moi, je connais quelqu'un qui sait, lui, qui sait tout !

– Qui est celui-là ? dit avidement Louis, nomme-le.

– Eh bien, voilà !… Le sire d'Aulnay, Philippe d'Aulnay sait tout… Mais qu'est devenu le sire d'Aulnay ? Le diable le sait… Est-il seulement vivant encore ?

– Il est vivant ! fit le roi dans un rugissement de joie féroce, il est vivant et je sais où il est, moi, si tu l'ignores. Me voilà bien avancé… le seul qui sache tout ne veut pas parler… ou ne peut plus parler. »

Bigorne, lui, malgré la satisfaction intérieure qu'il éprouvait à apprendre que Philippe était vivant, ne broncha pas.

Simplement, il répondit :

« C'est qu'on ne sait pas le faire parler.

– Que signifie cette insinuation ? »

Bigorne haussa les épaules et dit :

« Le roi veut-il me permettre une question ?

– Parle !

– Le roi répondra-t-il franchement à ma question ?

– Drôle ! tu abuses de tes droits, il me semble.

– Alors, je me tais.

– Parle, brute ! je répondrai à ta question.

– Qui a été chargé de faire parler le sire d'Aulnay… attendez, je vais répondre pour vous… je gage que c'est Mgr le comte de Valois… à moins que ce soit Mgr de Marigny.

– C'est Valois ! fit le roi qui se demandait où son bouffon voulait en venir.

– Valois !… Je l'aurais parié !… Valois ! Hi han ! Hi han ! »

Et Bigorne tout en pensant : « Bon ! Philippe est au Temple », Bigorne se livrait à des démonstrations extravagantes de joie ironique et remplissait le cabinet du bruit de ses braiments plus ironiques encore.

« Ah ! çà, drôle, t'expliqueras-tu ? fit le roi, de plus en plus assombri. Je te jure que ce n'est pas le moment de rire.

– Pardieu, je ris parce que vous donnez le sire d'Aulnay à garder… car le sire d'Aulnay est bien au Temple, n'est-ce pas ? »

Le roi fit un signe affirmatif.

« Vous le donnez à garder au comte de Valois… un de ceux qui ont un intérêt capital à ce que le prisonnier ne parle pas !

– C'est vrai, fit le roi, j'y pense aussi maintenant. »

« Mais que sait donc Valois ?

– Ce que sait Valois ?… demandez-le à Marigny.

– Marigny aussi… Oh ! je ne vois que félonie et trahison autour de moi ! Et que sait Marigny ?

– Demandez-le à Valois ! » fit Bigorne.

Le roi demeura quelques instants frappé de stupeur, puis :

« Sais-tu, dit-il, que tu accuses les deux hommes les plus puissants après le roi ?…

– Hi han !… fit Bigorne, jouant la terreur, plaise à Votre Majesté de remarquer que je n'accuse personne… Je dis, ce qui est la vérité, que Mgr de Valois et Mgr de Marigny en savent aussi long ou peu s'en faut que le sire d'Aulnay, et qu'ayant intérêt à ce que celui-ci ne parle pas, ils s'arrangent en conséquence. Mais je ne les accuse de rien, moi, je ne sais rien…

– Je vais faire appeler Valois et Marigny à l'instant même, nous verrons bien…

– Nous ne verrons rien… Ils diront respectueusement au roi qu'ils ne savent de quoi le roi veut leur parler, ils diront cela et ils le maintiendront !… Et le roi, comment, par quelle preuve pourra-t-il les convaincre de mensonge ?… Le roi n'a aucune preuve… Le roi sera placé d'une part entre deux seigneurs qui donneront leur parole de chevaliers qu'ils ne comprennent rien à ce qu'on leur dit, et d'autre part un pauvre, un misérable bouffon comme moi, qui ne sait rien, mais peut tout faire savoir au roi !… Et le roi n'hésitera pas ! Il ajoutera foi à la parole des deux seigneurs qui ne feront qu'une bouchée du pauvre Lancelot ! Devrais-je voir si tôt finir mes jours pour avoir voulu servir fidèlement mon maître, mon roi ! Hi han !… pauvre moi, pauvre !…

– C'est vrai, fit le roi, tu as raison… mais, pour Dieu ! cesse tes braiments qui n'ont que faire ici.

– C'est juste, fit Lancelot qui redevint très sérieux et ajouta, avec un air de dignité qui frappa étrangement le roi :

« Sire, je ne suis que le plus humble de vos sujets, je suis ici par votre grâce, n'ayant d'autre fonction que celle d'amuser et de divertir mon roi, mais, Sire, sous une écorce rugueuse peut se cacher un bon fruit... Que mon roi laisse tomber un regard sur moi, qu'il m'honore d'un peu de sa royale confiance, et ce qui lui tient tant à cœur, ce que je ne puis dire, dussé-je être roué vif, attendu que je l'ignore, ce que d'autres savent et peuvent dire, j'en jure le Christ, je le ferai dire à mon roi !... Et pour cela, Sire, que faut-il ? Ruser ?... Ah ! je le sais, ce mot sonne mal à vos royales oreilles... mais ceux qui apportent au service de leur maître, trahison et félonie, méritent d'être combattus par leurs propres armes... C'est le seul moyen de les vaincre... À la ruse, il faut opposer la ruse... »

Le roi parut d'autant plus frappé que ces paroles et ce maintien calme et digne contrastaient étrangement avec les allures qu'il avait vues jusque-là à celui qu'il avait pris pour bouffon.

Que se passa-t-il ensuite ? Quel entretien eut lieu entre le roi et son fou ? Quelles décisions furent prises ?

C'est ce que la suite de ce récit nous apprendra sans doute.

XVIII

ÉVASION DE SIMON ET DE GILLONNE

Il nous faut revenir momentanément à deux de nos personnages que nous avons laissés dans une situation précaire et dont les faits et gestes sollicitent notre attention : nous voulons parler de l'homme de confiance du comte de Valois, Simon Malingre, et de sa digne compagne Gillonne.

Quarante-huit heures environ après le départ de Lancelot Bigorne, ces deux personnages n'avaient pas aperçu visage humain, et, chose plus terrible, n'avaient pas encore reçu la moindre miette de pain, la plus petite goutte d'eau pour se sustenter ou s'humecter la gorge.

« Gillonne ! gémit Malingre.

– Simon ? interrogea Gillonne.

– Allons-nous périr de faim et de soif dans cette tanière d'enfer, comme deux renards pris au gîte ?

– Nous ne sommes pas perdus encore !…

– Faut-il entendre par là que tu as une idée ?

– Peut-être !

– Quelle est-elle ?… Gillonne, ma bonne Gillonne, dis-la, ton idée… Je sais de quelles ressources dispose ton esprit subtil. Vois-tu, j'ai toujours pensé que tu étais la forte tête de nous deux… Que la foudre m'écrase si je ne te dis la vérité !

– La forte tête !… murmura Gillonne en laissant tomber sur son compagnon un regard méprisant, la forte tête, oui, malheureusement pas le bras.

– Chienne de sorcière ! hurla Simon, exaspéré par ce silence méprisant, parleras-tu ?… Je ne sais ce qui me retient d'écraser ta carogne carcasse !… car, enfin, c'est ta faute, ce qui nous arrive là… »

Gillonne, après avoir regardé un instant fixement son compagnon, laissa tomber ce seul mot :

« Imbécile ! »

L'effet fut foudroyant.

« Pardonne-moi, ma bonne Gillonne, je m'emporte et j'ai bien tort... Dans la situation où nous sommes, nous devrions nous prêter une aide réciproque... j'ai eu tort de l'oublier et je te promets que cela ne m'arrivera plus.

– C'est fort heureux, grommela Gillonne, te voilà enfin raisonnable.

– Mais, ne me disais-tu pas, tout à l'heure, que tu avais ton idée ? fit Simon.

– À quel sujet, Simon ?... j'en ai beaucoup, des idées.

– Au sujet de la possibilité de nous sortir de cette infernale prison.

– Oui, j'ai mon idée.

– Voyons cette idée ?

– Prends patience, Simon... il est mauvais parfois de cueillir un fruit encore vert.

– Ah ! Et penses-tu que le fruit soit bientôt mûr ?

– Peut-être !

– Et quand il sera à point, me le montreras-tu, ce fruit ?

– Sans doute.

– Cherche, Gillonne, cherche, et quand tu auras trouvé, tu me le diras ; pendant ce temps, je vais chercher aussi. »

Là-dessus, comme la nuit était complètement venue, ils s'étendirent chacun sur une botte de paille qu'on avait mise là à leur intention et s'efforcèrent de s'endormir.

Cependant, chose bizarre et anormale, le cachot, puisque aussi bien c'était un cachot, paraissait s'éclairer lentement, doucement, d'une lueur tamisée et comme très lointaine.

Et, petit à petit, une coulée de lumière blafarde s'étala et forma un dessin carré très nettement indiqué sur le sol battu, dans l'intérieur de la cheminée.

Or, Gillonne ne dormait pas. Gillonne fut frappée de ce phénomène. Gillonne se dressa sur son séant et, là, les yeux exorbités, elle observa, cherchant à comprendre.

Alors, elle vit que la coulée de lumière descendait de la cheminée même, elle comprit et murmura ce seul mot :

« La lune ! »

C'était la lune, en effet, la lune qui, battant son plein et parvenue au zénith, laissait couler ses rayons lumineux par le vaste conduit de la cheminée et éclairait ainsi d'une lueur vague et indécise l'obscurité du cachot.

« Oh ! oh ! oh ! » murmura Gillonne.

Et, doucement, elle réveilla Malingre.

« Simon, fit doucement Gillonne.

– Hein ! quoi ?… qu'est-ce ? la peste t'étouffe ! venir me réveiller juste au moment où je rêvais que je m'empiffrais de si bonnes choses ! Le fruit en question serait-il mûr ?

– Regarde, fit Gillonne. Là… ce rayon lumineux… tu ne vois pas ?

– Si fait ! Eh bien ?…

– Tu ne vois pas que c'est la lune ?

– La lune ou le soleil, qu'importe ?

– Il nous importe beaucoup, au contraire. Ne vois-tu pas d'où il sort, ce rayon lumineux ?… Ne vois-tu pas qu'il est dans la cheminée ?

– Oh ! oh ! fit à son tour Malingre ; en effet, je commence à comprendre ! »

Et, se levant vivement, il se dirigea vers la cheminée.

Il resta là quelques secondes, puis il revint dans la chambre.

« Eh bien ? interrogea Gillonne.

– Eh bien, fit Simon, rayonnant, ce n'est pas très haut et c'est suffisamment large pour qu'on y puisse passer à l'aise ; de plus les pierres intérieures forment des aspérités, en sorte qu'il y a là une échelle toute trouvée… Gillonne, ma chère Gillonne, dans dix minutes je serai hors d'ici. Oh ! bienheureux rayon de lune ! »

L'instant d'après, Simon se faufilait dans le large conduit de la cheminée.

Comme il l'avait dit, les pierres intérieures formaient des aspérités qui jouèrent le rôle d'échelons, en sorte qu'en quelques instants il fut sur le toit de la maison.

Quelques minutes après, Gillonne le rejoignait, ayant effectué son ascension sans trop de peine.

Alors, Simon Malingre mesura du regard la hauteur du mur et bravement sauta… Gillonne à son tour se suspendit par les mains à l'arête et se laissa tomber, non sans invoquer deux ou trois saintes à qui elle crut devoir promettre à chacune une médaille d'or. Pour finir, bref, les deux associés se retrouvèrent sains et saufs, sans autre accident que quelques écorchures.

Le plus difficile peut-être leur restait à accomplir : il fallait sortir indemnes de la Cour des Miracles.

Lentement, avec des précautions infinies, ils se glissèrent dans l'ombre des masures, tremblant toutes les fois qu'il leur fallait passer à proximité d'une porte ou d'une fenêtre où brillait une lumière, se terrant au moindre bruit, écrasés sur le sol, retenant leur haleine.

Où étaient-ils au juste ? Ils n'en savaient rien, mais ils avançaient toujours.

Comme ils approchaient d'une maison d'assez belle apparence – apparence toute relative, bien entendu – à l'intérieur de laquelle ils voyaient briller des lumières, ils entendirent des pas, des voix nombreuses.

Un groupe de truands venait à leur rencontre et il leur était impossible de l'éviter.

Mais, arrivé devant la maison de belle apparence, le groupe s'arrêta, une porte s'ouvrit, un rai de lumière sortit de la porte ouverte, ils entendirent des exclamations, un rire large et sonore, des bruits d'escabeaux renversés, et ils virent aussi, grâce à ce rai lumineux, ceux qui venaient d'arriver et faisaient tout ce tapage, et une exclamation sourde jaillit des lèvres de Simon Malingre, terrifié.

« Lancelot Bigorne ! »

Ce disant, il se jeta à corps perdu dans un trou qui se trouvait juste là, entraînant Gillonne, aussi tremblante que lui, avec lui.

XIX

CE QUE DEVIENT LA MÉMOIRE D'ANNE DE DRAMANS

Nous avons laissé Wilhelm Roller sur la berge de la Seine au pied de la Tour de Nesle, avec un coup de poignard dans le dos et un dans la poitrine : on se rappelle même que Stragildo avait laissé ledit poignard dans la blessure de la poitrine. Ce poignard avait été donné à Stragildo par Marguerite de Bourgogne. Le manche était en argent ciselé.

Or, il y avait environ une demi-heure que Wilhelm Roller était étendu sans mouvement et en apparence sans vie, lorsqu'un quidam vint à passer malgré l'heure matinale.

Cet homme, donc, errait lamentablement, lorsque, arrivé à la hauteur de la Tour de Nesle, il s'arrêta tout à coup et dit :

« Tiens ! un mort ! »

Il se dirigea aussitôt vers le cadavre que, tranquillement, il se mit à fouiller.

Il n'y avait rien dans les poches du Suisse.

L'homme, qui s'était agenouillé pour procéder à sa perquisition, se releva en poussant un soupir. Pendant quelques minutes, il demeura tout chagrin en contemplation devant cette trouvaille qui ne lui rapportait rien. Du bout du pied, il poussa les jambes du corps et murmura :

« Il est bien mort. Mais d'autres que moi l'ont sans doute visité déjà. J'arrive trop tard. »

Comme il disait ces mots, ses yeux tombèrent sur le poignard à manche d'argent et, avec un cri de joie, il retomba à genoux.

« C'est bien de l'argent, fit-il, le pauvre diable ne m'a pas trompé ; je dirai une prière pour lui. »

En même temps, il se mit à extraire le poignard de la blessure et examina attentivement le manche.

« J'en aurai bien deux ou trois écus, peut-être un noble à la couronne. »

À ce moment, Roller poussa un faible soupir et l'homme, se relevant précipitamment, recula de plusieurs pas dont chacun était accompagné d'un signe de croix. Cependant, comme le blessé continuait à demeurer immobile, l'homme reprit courage et, comme un gémissement s'échappait des lèvres de Roller, il se dit :

« Peut-être qu'il n'est pas mort. Holà ! l'ami, ajouta-t-il en se rapprochant, si tu n'es pas mort, dis-le franchement. »

Le blessé répondit par quelques paroles inintelligibles.

Il se trouva que le pauvre hère qui venait de faire cette lugubre trouvaille n'était pas un méchant homme. Si bien qu'il se mit à puiser de l'eau de la Seine dont il aspergea la figure du blessé, lequel ne tarda pas à revenir à lui.

« Que puis-je pour vous ? » demanda alors l'homme qui, ayant traîné Roller jusqu'à la tour, l'y avait adossé.

Roller paraissait reprendre rapidement conscience de ce qui l'entourait et, à la question de l'homme, il répondit d'une voix assez distincte :

« Si vous êtes chrétien, vous m'aiderez à marcher jusqu'à la première maison du pont et vous serez récompensé.

– Je suis chrétien, répondit le gueux, et vous transporterai donc plus loin que le pont, s'il le faut. Et, quant à la récompense, ne vous en inquiétez pas, je la tiens déjà. »

Roller comprit ou ne comprit pas le sens de ces paroles, peu importe. Il fit signe à l'homme qu'il le remerciait de son aide et, aidé par lui, il parvint à se mettre debout.

Les deux hommes mirent deux heures à franchir la faible distance qui les séparait du pont, au moment où on décrochait les chaînes.

Roller désigna d'un geste la maison où il voulait être conduit : c'était une assez misérable auberge où il était connu et dont l'hôtesse le reçut charitablement, tandis que le rôdeur, qui l'avait trouvé et pour ainsi dire sauvé, s'en allait essayer de vendre le poignard de Stragildo.

Au bout de trois jours, les blessures de Roller commençaient à se fermer. Il annonça alors à son hôtesse qu'il voulait partir. La bonne femme lui fit observer que c'était vouloir sûrement se tuer, mais

Roller était têtu. De plus, il était dévoré d'inquiétude. En effet, Mabel lui avait donné rendez-vous dans le logis du cimetière et trois jours s'étaient écoulés depuis. Il s'habilla donc tant bien que mal, sortit en refusant toute aide et réussit à gagner le logis de Mabel. C'était le lendemain du jour où Mabel et Myrtille étaient sorties de Paris.

Le Suisse fit un effort d'énergie pour dompter la faiblesse qui s'emparait de lui et se mit à fouiller dans cette pièce qui avait été le laboratoire de Mabel au temps où elle préparait des philtres.

Au fond du coffre, Wilhelm trouva un fort rouleau de parchemins roulés et trois ou quatre écus d'or oubliés par Mabel. Le Suisse prit les écus et le rouleau de parchemins, enveloppés dans un papier sur lequel il y avait quelques lignes écrites.

Puis, trébuchant, se retenant aux murs, il descendit et se mit à longer le cimetière des Innocents en se dirigeant vers le Louvre. Le soir tombait.

Les environs étaient déserts.

Roller, pris d'une faiblesse, s'accota à un mur. Il sentit qu'il allait mourir.

« Mon Dieu, fit-il, une heure, je vous demande une heure. »

Mais au bout d'une cinquantaine de pas, il se sentit défaillir. Le malheureux comprenait que sa vie s'en allait avec son sang et qu'il allait payer cher son impatience de vengeance.

Ses genoux fléchirent et il tomba dans le ruisseau à l'instant où, par l'autre bout de la rue, apparaissait une troupe nombreuse de cavaliers.

Celui qui marchait en tête de cette troupe, le front penché, les rênes abandonnées, la poitrine gonflée de soupirs, semblait accablé sous le poids de sinistres pensées. Soudain, le cheval s'arrêta court.

Le cavalier parut s'éveiller d'un songe pénible et aperçut alors le blessé que son cheval avait failli écraser. Il allait passer outre lorsque quelques paroles qui montèrent jusqu'à lui le firent tressaillir.

Il mit pied à terre, se pencha sur le mourant et demanda :

« Vous dites que vous me reconnaissez ?

– Oui.

– Et que vous avez quelque chose de grave à me dire concernant le roi ?

– Oui.

– Parlez donc, je vous écoute. »

Mais maintenant Roller ne semblait plus décidé à parler. Il jetait un regard avide sur le cavalier, comme pour essayer, à cet instant suprême, de lire dans sa pensée.

« Est-il vrai, fit-il enfin, en rassemblant toutes ses forces, est-il vrai, monseigneur, que vous haïssez la reine comme je l'ai entendu dire au Louvre ?

– Tu me demandes si je hais la reine ?

– Oui ! je vous demande cela, et il n'y a qu'un mourant prêt à comparaître devant Dieu qui, si près de la Toute-Puissance du roi des rois, puisse assez oublier votre puissance terrestre pour vous poser une aussi formidable question. »

Les yeux du cavalier jetèrent un éclair :

« Eh bien, dit-il, on ne t'a pas trompé, je hais celle que tu dis. Parle, maintenant. »

Le mourant parut faire un dernier effort. Mais comprenant sans doute qu'il n'aurait pas le temps de parler longuement, il tendit le rouleau au cavalier :

« Prenez ceci… Oh ! j'aurais voulu le porter moi-même au roi… mais… puisque je… »

La parole expira sur ses lèvres, qui ne rendirent plus qu'un gémissement confus.

Le cavalier se redressa lentement et demeura debout, les yeux fixés sur le mourant.

Puis tout à coup Roller se souleva, jeta au cavalier un regard désespéré et retomba pour jamais immobile.

Le cavalier alors seulement jeta les yeux sur le rouleau de parchemins qui venait de lui être si mystérieusement remis et il lut : *Mémoire de la dame de Dramans concernant des faits qui se sont passés dans la Tour de Nesle.* Sans doute il comprit, car il devint aussi pâle qu'était pâle le cadavre à ses pieds.

Une dernière fois, il se baissa vers l'homme, le toucha au cœur, s'assura qu'il était mort, puis, cachant sous son manteau le rouleau de parchemins, remonta à cheval et poursuivit son chemin, plus pensif, plus sombre.

Ce cavalier, c'était Enguerrand de Marigny.

XX

SUITE DE L'ÉVASION DE MALINGRE

Pendant que le premier ministre, après son étrange rencontre avec ce mourant qui lui a remis un rouleau de parchemins, poursuit sa route, sombre et pensif, vers cette même heure, Simon Malingre et Gillonne avaient réussi à s'enfuir et parcourant au hasard la Cour des Miracles, obscure et silencieuse, ils étaient tombés en arrêt devant une maison où ils avaient vu une lumière et entendu des bruits.

Une porte s'était à cette minute brusquement ouverte.

Une troupe de huit à dix hommes était apparue confusément dans la nuit.

Simon Malingre et Gillonne, qui marchaient d'épouvante en épouvante, n'eurent que le temps de se jeter dans un trou. Puis la porte se referma. Et cette troupe aperçue se retira, s'évanouit comme une compagnie de fantômes.

Mais Gillonne et Simon avait entendu quelques mots, entrevu des visages, et tous deux avaient frémi – cette fois d'une telle joie qu'ils en oubliaient le jeûne auquel ils venaient d'être soumis.

« Tu ne l'as pas entendu donner le mot de passe qui nous permettra de sortir de cette cour maudite ?

– Si fait bien, je l'ai entendu ! D'Aulnay et Valois ! »

Et Malingre ajouta, pensif :

« Il est là ! Dire qu'il est entré là ! Que dit-il ? que fait-il ?…

– C'est une véritable bénédiction, reprit Gillonne, que nous nous soyons trouvés là pour entendre… Maintenant, nous pouvons fuir en toute assurance. »

Pendant ce temps, Simon restait très absorbé dans la contemplation d'une ouverture pratiquée à une certaine hauteur du sol et de laquelle s'échappait une faible lueur.

Cette ouverture, c'était tout simplement un de ces trous comme nous avons dit qu'il en existait à peu près à toutes les masures de la Cour des Miracles.

Malheureusement, ce trou était placé trop haut pour qu'on pût espérer l'atteindre.

À force de chercher, Simon trouva qu'il y avait une borne placée à peu près sous le trou.

Il monta sur la borne, mais il s'en fallait encore de toute sa hauteur pour qu'il pût atteindre le bienheureux trou.

Alors, il se mit à palper minutieusement la muraille pour voir si quelque interstice ne lui permettrait pas d'atteindre ce trou, objet de ses désirs : il fallut renoncer à ce moyen.

Simon commençait à se désoler.

Gillonne lui dit :

« Si tu peux me supporter, je monterai sur tes épaules et j'irai voir là-haut. »

Et comme Simon paraissait hésiter encore, elle ajouta :

« D'ailleurs, tu n'as pas d'autres moyens de savoir. »

C'était vrai. Simon le comprit bien.

Alors, prenant soudain son parti :

« Monte ! » dit-il.

Grâce à des prodiges d'adresse, Gillonne parvint à se mettre debout sur les épaules de Simon, qui supportait stoïquement le poids.

Ainsi juchée, la mégère se trouvait à hauteur du trou d'où elle put voir assez facilement ceux qui se trouvaient à l'intérieur et entendre ce qu'ils disaient.

Lorsqu'elle vit que ces personnages se levaient pour sortir, Gillonne jugea que la conférence devait être terminée et elle se laissa glisser à terre.

« Ouf ! dit Simon avec un soupir de soulagement, je n'aurais jamais cru que tu étais si lourde... Eh bien, qu'ont-ils raconté ? »

Prudemment, Gillonne se terra dans son trou en lui faisant signe de l'imiter.

L'instant d'après, la porte s'ouvrait à nouveau et cinq hommes en sortaient.

Lorsque Simon et Gillonne se furent assurés que ceux qu'ils venaient d'épier s'étaient enfoncés dans la nuit, ils se levèrent vivement et prirent une direction opposée, ne cherchant pas à se dissimuler et s'efforçant de prendre une allure paisible. Grâce au mot de passe surpris si fort à propos, ils purent enfin sortir indemnes de cette Cour des Miracles où ils avaient bien cru un instant laisser leurs os.

Lorsqu'elle se jugea enfin hors de danger, Gillonne consentit à parler et à répéter à Simon tout ce qu'elle avait vu et entendu. Celui-ci ne perdit pas un instant.

« Vite, dit-il, séparons-nous : toi, Gillonne, va m'attendre à la Courtille-aux-Roses. Moi, je cours au Temple, et cette fois non seulement nous rentrerons en grâce, non seulement monseigneur ne nous fait pas brûler, mais encore il nous enrichit. Va, Gillonne, et moi pour arriver plus vite, je vais prendre un cheval au Louvre. »

La mégère regarda avec un œil méprisant Simon qui s'éloignait sans plus s'occuper d'elle :

« Va !… Va, au Louvre et au Temple, tirer profit des paroles que je t'ai répétées… Mais il est de plus importants secrets que j'ai recueillis ; ceux-là, je saurai bien en tirer profit pour moi seule, et, avec l'aide du Ciel, dommage et châtiment exemplaire pour ta maudite personne… »

Cependant, Simon Malingre, assez étonné que Gillonne l'eût laissé aller seul, se dirigeait rapidement vers le Louvre où il arrivait sans encombre.

Par ses fonctions auprès d'un puissant personnage comme l'était son maître, Malingre était à même de connaître autant que personne de la cour nombre de personnages et officiers. Arrivé tout haletant au Louvre, Simon s'informa du nom des officiers en ce moment de service.

Parmi les noms qu'on lui cria, il retint ceux de deux officiers appartenant à un corps placé sous les ordres directs de Valois et, parmi ces deux-là, celui d'un officier qui, approchant de près fréquemment son supérieur, le connaissait, lui Simon, comme l'âme damnée du comte.

Malingre n'hésita pas et se fit conduire directement auprès de cet officier à qui il raconta la première histoire venue et qu'il décida facilement à faire ce qu'il avait jugé utile à ses desseins, en lui faisant valoir qu'il rendrait là un service dont Valois saurait lui tenir compte.

Le résultat de cet entretien fut que, quelques instants plus tard, Simon Malingre, monté sur un excellent cheval, filait ventre à terre vers le Temple, tandis que l'officier mettait toute sa diligence à rassembler une trentaine d'hommes avec lesquels à son tour il prenait le chemin du Temple. Sûr de lui et du renfort qu'il amenait, Simon parvint au pont-levis qui s'abaissa sans difficulté pour lui. Quelques instants plus tard, Malingre pénétrait chez Valois, dont le premier mouvement en l'apercevant fut d'appeler pour le faire saisir.

« Un instant, monseigneur, dit Simon, vous me ferez rouer ou brûler demain. Maintenant, écoutez… »

XXI

LANCELOT BIGORNE À L'ŒUVRE

Ces personnages qu'avait entrevus Simon Malingre et dont Gillonne avait pu surprendre l'entretien, c'étaient Buridan, Gautier, Bourrasque et Haudryot.

Lancelot Bigorne ayant disparu, Gautier insistait auprès de ses compagnons pour qu'on se mît aussitôt en campagne pour connaître la vérité sur Philippe, dût-il apprendre la mort de son frère. Mais sans doute Bigorne avait dit à Buridan quelques mots de son projet, car le jeune homme s'efforçait de calmer Gautier et remettait toute décision jusqu'au retour de Lancelot.

« Mais s'il ne revient pas ! grondait Gautier.

– Laissons faire Lancelot, mon cher Gautier, répondait Buridan avec douceur, c'est un fin et rusé matois et c'est de plus un ami fidèle et dévoué. Un peu de patience.

– Écoutez ! dit Guillaume Bourrasque qui assistait, ainsi que Riquet Haudryot en témoin muet à cet entretien, écoutez ! on vient chez nous… N'avez-vous pas entendu le signal annonçant l'approche d'un ami ? »

Guillaume avait ouvert la porte, avec précaution toutefois, et, reconnaissant les arrivants, s'était tourné vers l'intérieur en disant :

« J'avais bien entendu… ce sont des amis… Cornes du diable ! je crois bien que c'est Lancelot qui les conduit !…

– Lancelot ! s'exclamèrent à la fois Gautier, Buridan et Riquet, qui se précipitèrent vers la porte grande ouverte.

– Mais oui, c'est bien lui ! »

Pendant ce temps, Lancelot Bigorne, à la tête d'une dizaine de solides gaillards, était arrivé devant la porte. Se tournant alors vers son escorte, Lancelot dit, sur un ton de commandement :

« Qu'on aille m'attendre où j'ai dit… et surtout soyons sages ! »

Les hommes saluèrent et firent demi-tour.

« Un instant, fit Lancelot, paraissant se raviser ; que deux d'entre vous préviennent tous les postes, toutes les sentinelles de la cour qu'à partir de cet instant le mot de passe est changé... que nul ne sorte ou ne pénètre dans l'enceinte de la Cour des Miracles s'il ne donne le mot nouveau : d'Aulnay, Valois !... Allez et faites vivement.

– Maintenant, parle ! dit Buridan.

– Philippe ?... d'abord... dit Gautier, en même temps.

– Vivant ! » répondit laconiquement Lancelot.

Il y eut un soupir de soulagement général.

« Bon ! grogna Gautier, dès l'instant qu'il vit, c'est le principal... nous le tirerons bien des griffes qui le tiennent.

– Sans doute ! fit Buridan avec assurance.

– Où est-il ?

– Au Temple ! confié à la garde du comte de Valois ! »

Alors, Lancelot Bigorne fit mot pour mot le récit de tout ce qui lui était arrivé depuis son départ de la Cour des Miracles et retraça l'entretien qu'il avait eu avec le roi, sans omettre le moindre détail. Il ajouta qu'il avait profité de sa présence au Louvre pour fouiller un peu partout et faire main basse sur quelques parchemins en blanc, mais porteurs du sceau royal, et qu'il avait remplis à sa guise.

Il ajouta des détails circonstanciés et expliqua de quelle manière il espérait délivrer Philippe avant le jour.

Lorsqu'il eut terminé, il reçut l'approbation unanime des assistants, de même que les congratulations et les félicitations ne lui furent pas épargnées.

« Mais, fit Lancelot qui, par une entente tacite, paraissait avoir pris la direction effective de cette affaire, mais nous n'avons pas de temps à perdre. Suivez-moi, messieurs.

– Où cela ? fit Gautier.

– Vous le verrez. »

Et Lancelot conduisit tout son monde dans une autre maison et le fit entrer dans une pièce où se trouvaient plusieurs équipements complets portant les armes du roi.

Lancelot désigna à chacun le costume qui lui revenait et, pendant que lui-même endossait un costume spécial, désignant un costume d'officier à Buridan, il lui dit :

« Vous êtes naturellement chef d'escorte. N'oubliez pas surtout qu'il ne faut pas lever la visière de votre casque, sous quelque prétexte que ce soit.

– Sois tranquille », répondit Buridan.

Lorsque tout le monde fut équipé de pied en cap, il se trouva que Buridan avait tout à fait l'apparence d'un officier du roi, en service à la tête d'une troupe d'hommes d'armes en mission.

Seul, Lancelot, avait un costume entièrement caché par un immense manteau qui l'enveloppait des pieds à la tête.

Lancelot reprit la tête de cette troupe et la conduisit vers une autre masure de la Cour des Miracles dont il ouvrit délibérément la porte.

Dix hommes d'armes, équipés irréprochablement, se trouvaient là autour d'une table sur laquelle étaient quelques flacons et gobelets.

Ces dix hommes d'armes, en tout point semblables à ceux que Bigorne amenait avec lui, se levèrent à leur vue comme un seul homme et attendirent les ordres.

« Mes gaillards de tout à l'heure, fit tout bas Lancelot à Buridan. Par saint Barnabé, voilà une escorte militaire de premier ordre ou je ne m'y connais pas ! Je les ai eus grâce à l'un des parchemins que j'ai remplis. Ce sont des archers du roi, rien que cela ! Ils étaient en prison, et moi, moi fou, moi armé des ordres du roi, je les en ai tirés !… »

Puis, s'adressant à un de ces hommes qui paraissait être leur chef :

« Le mot de passe ?

– C'est fait, donné partout.

– Les chevaux ?

– Ici près.

– C'est bien !… En route, messieurs. »

« Il est admirable ! » murmura Buridan.

Pour la troisième fois, on se dirigea vers une autre masure dans laquelle se trouvaient quinze superbes chevaux tout sellés et harnachés.

« Toujours par ordre du roi ! fit Lancelot à Buridan. Le pauvre Hutin ne se doute guère qu'il a signé l'ordre de mettre quinze chevaux de ses écuries au service de son bouffon !... »

Et pendant que chacun sortait sa monture et se mettait en selle, Lancelot s'approcha de l'homme à qui il avait déjà parlé et lui dit à mi-voix :

« N'oublie pas mes instructions.

– Je n'aurai garde.

– Veillez sur l'officier qui vous commande... Vous me répondez de lui...

– On fera ce qui est convenu.

– Vous savez ce que je vous ai promis ?... votre grâce à tous à notre sortie du Temple... les parchemins vous seront délivrés séance tenante... Si vous bronchez, au contraire, vous serez pendus sans rémission.

– Soyez tranquille. On gagnera honnêtement sa grâce et la prime de cinquante écus promise...

– En route, donc ! »

Gautier ouvrait des yeux énormes. Buridan souriait. Guillaume et Riquet étaient soucieux, ayant bien dîné.

Vingt minutes plus tard, on arrivait au Temple. Bigorne sonna du cor.

De la tour, le cor répondit.

« Ordre du roi ! cria Buridan.

– Message du roi ! » cria Bigorne en exhibant un parchemin.

Le pont-levis s'abaissa.

Un officier s'approcha avec un archer porteur d'un falot, reconnut les armes du roi et s'inclina devant le sceau royal qui s'étalait au bas du parchemin.

L'instant d'après, toute la troupe mettait pied à terre dans la cour intérieure.

« Combien avez-vous d'hommes avec vous préposés à la garde du pont-levis ? demanda rudement Buridan.

– Trois ! répondit l'officier, qui reconnaissait un supérieur en celui qui lui parlait.

– C'est bien ! »

Puis, se tournant vers sa troupe, Buridan commanda :

« Quatre hommes ici pour renforcer ce poste !

– Monsieur, reprit-il en se tournant vers l'officier, momentanément vous êtes sous les ordres de monsieur (et il désignait Guillaume Bourrasque)... Voici l'ordre de Sa Majesté », reprit-il en voyant que l'officier paraissait hésiter.

Ce disant, il lui mettait sous les yeux un papier portant le sceau du roi.

L'homme s'inclina en signe d'obéissance, pendant que Guillaume et ses hommes, qui sans doute avait reçu des instructions préalables, prenaient possession du poste.

Pendant ce temps, Lancelot Bigorne parlementait avec un autre officier venu de l'intérieur pour s'informer.

« Message du roi ! disait Bigorne, qui se couvrait le visage de son chaperon... qu'on me conduise immédiatement auprès du capitaine des archers du Temple. Inutile de réveiller M. le gouverneur. »

Et, comme l'officier paraissait hésiter, lui aussi, devant ces mesures qui lui paraissaient suspectes :

« Ordre du roi ! » fit Buridan, qui les avait rejoints, en exhibant son parchemin.

Comme l'avait fait le gardien de la porte, dès qu'il eut vu le sceau royal, l'officier ne songea plus à discuter et s'empressa d'obéir.

Toute la troupe de Bigorne était entrée dans une vaste salle, attendant que l'officier revînt. Au bout de quelques instants, celui-ci reparut annoncer que le capitaine des archers du Temple attendait le messager du roi.

Comme il l'avait fait à la porte d'entrée, Buridan plaça quatre hommes à la porte de cette salle et, désignant Riquet Haudryot :

« Vous seul commandez ici jusqu'à nouvel ordre. »

Et, pour la troisième fois, il exhiba son parchemin royal en disant :

« Ordre du roi ! »

Ce qui restait de la troupe suivit Lancelot Bigorne et s'arrêta à la porte de la chambre où le capitaine des archers s'habillait en toute hâte, fort étonné de cette visite faite au nom du roi.

Lancelot, avant d'entrer, avait ouvert le vaste manteau qui l'enveloppait et il apparut revêtu de son costume de fou ; tel qu'il était d'usage de le porter à la cour.

« Seigneur capitaine, fit Lancelot en s'inclinant profondément, je suis chargé par le roi de vous remettre cet ordre. »

Ce disant, il tendait au comte un parchemin que celui-ci parcourut en donnant toutes les marques de la plus profonde stupeur.

« Vous avez ici un prisonnier du nom de Philippe d'Aulnay.

– Cela se peut… il y a tant de prisonniers, ici.

– Eh bien, donc, s'il vous plaît, veuillez me remettre ce prisonnier.

– Que je vous remette ce prisonnier ?… Vous n'y pensez pas… Mgr de Valois m'a bien recommandé…

– C'est l'ordre du roi ; Mgr de Valois n'a rien à faire ici.

– C'est bien, vous pouvez vous retirer dans la pièce que vous désignez, on vous y amènera le prisonnier dans quelques instants… Je vais donner des ordres. »

Lancelot, sans répondre, s'inclina profondément, sortit et rejoignit ses acolytes dans la pièce voisine.

« Pourquoi ne sommes-nous pas descendus dans les cachots délivrer Philippe nous-mêmes ? fit alors Gautier à voix basse.

– Eh ! fit Lancelot sur le même ton, sait-on jamais ce qui peut arriver ?… Je me soucie médiocrement de descendre dans ces caves d'où, en cas d'alerte, il nous serait impossible de nous tirer, tandis qu'ici nous voyons venir… En cas de danger, nous sommes d'un bond dans la salle d'à côté, gardée par Riquet Haudryot et les nôtres… en un mot, nous avons notre retraite assurée… tandis que, en bas… diantre !…

– Pourtant, il me semble…

– Lancelot a raison, fit à son tour Buridan ; si les choses marchent normalement, on nous amènera Philippe ici sans qu'il soit besoin d'aller le chercher… »

Au même instant, la porte s'ouvrit et on vit Philippe, pâle, défait, se tenant debout par on ne sait quel prodige, les bras et les jambes paralysés par les chaînes.

Lancelot fit deux pas en avant, et prenant son air le plus digne, son ton le plus autoritaire :

« Drôles ! » fit-il, qu'on délie le prisonnier et au plus vite… »

Au même instant, le son du cor se fit entendre. Lancelot s'arrêta net.

« C'est Guillaume Bourrasque qui sonne la retraite ! rugit Buridan. Enlevons Philippe et fuyons ! »

Il n'avait pas achevé que déjà Gautier était à l'autre bout de la salle, saisissant Philippe dans ses bras.

« Frère ! Frère ! c'est moi ! Qu'as-tu ?… Parle… »

Philippe tourna vers son frère un visage livide et un regard sans expression.

« Seigneur Dieu ! hurla Gautier… mon frère est dément !… Marguerite ! Marguerite !… »

Au même instant, un tumulte effrayant éclata ; on vit surgir des hommes d'armes qui se ruèrent sur Buridan et ses compagnons, tandis que Valois, sur le seuil de la chambre, l'épée à la main, criait d'une voix de tonnerre :

« Tue !… Tue !… saisissez-moi le fou et l'autre, là-bas, l'officier !… prenez-les vivants !… pour les autres, tue, tue !… pas de quartier. »

Et un être chétif, le visage animé par une joie féroce, dissimulé prudemment derrière Valois, criait à tue-tête, en désignant Lancelot :

« Trahison !… arrêtez-le !… ne le laissez pas fuir ! »

Et cet être hideux à voir, trépignant de joie sauvage, c'était Simon Malingre.

Cependant, en voyant la salle se remplir d'hommes armés, Lancelot Bigorne avait tiré sa rapière et, faisant un signe à ses hommes, s'était rué en avant, disant à Buridan :

« Tirons au large, l'affaire est manquée. »

Déjà, devant eux, une dizaine d'épées leur barraient la route. Ils foncèrent, tête baissée. Au même instant, Riquet Haudryot et ses hommes apparaissaient et chargeaient par-derrière.

Il y eut des cris, des plaintes, des râles, mais Buridan et les siens passèrent comme un tourbillon, bousculant tout sur leur passage, pendant que le cor précipitait ses appels et que derrière eux les clameurs grandissaient, les hurlements s'élevaient.

En quelques bonds, ils gagnèrent la salle que Riquet Haudryot venait de quitter momentanément et si fort à propos.

En un clin d'œil, la porte fut poussée, le verrou tiré et ils repartirent, gagnant dans une course effrénée la cour intérieure.

Le pont-levis était baissé et une troupe d'archers pénétrait à l'intérieur de la prison à l'instant même.

Buridan et ses hommes foncèrent, frappant d'estoc et de taille, jetant le désordre dans les rangs des soldats, surpris par cette attaque soudaine.

Aidés par Guillaume Bourrasque et ses hommes, ils franchirent le pont-levis et allaient s'élancer droit devant eux, lorsque Guillaume leur cria :

« Par ici !… À droite… »

Un homme vint à leur rencontre, tenant deux chevaux par la bride et disant :

« Vite, tous les chevaux sont là… je les gardais. »

L'instant d'après, ils fuyaient au galop, cependant qu'une troupe de cavaliers se lançait à leur poursuite.

Heureusement, ils étaient bien montés et avaient une certaine avance, en sorte que bientôt ils furent hors d'atteinte de ceux qui les poursuivaient…

Deux heures plus tard, les compagnons de Buridan se trouvaient dans la Cour des Miracles… Alors, ils se comptèrent et Buridan poussa un cri terrible.

Non seulement il n'avait pas délivré Philippe, mais Gautier manquait à l'appel !...

Les deux frères étaient restés au Temple...

XXII

ENGUERRAND DE MARIGNY

Après l'extraordinaire entrevue du roi de France et du roi d'Argot, après la mort de Hans, après enfin, la délivrance de Marigny, des seigneurs et des archers enfermés dans la Cour des Miracles par l'audacieuse manœuvre de Buridan, Louis Hutin, tenant religieusement la parole qu'il avait donnée, avait prescrit aux chefs de retirer leurs troupes et, vaincu, mais non humilié, était lui-même rentré dans son Louvre.

Pendant le reste de cette journée, le Louvre retentit donc des éclats de la colère royale qui, à propos de tout et de rien, menait grand tapage.

Cette colère du roi se manifestait d'autant plus violente qu'il n'avait personne autour de lui pour l'apaiser, personne pas même ses courtisans, pas même Valois, pas même la reine qui, en apprenant ce qui s'était passé à la Cour des Miracles, s'était enfermée dans ses appartements, pas même enfin Lancelot Bigorne qui avait disparu sans que nul pût dire au roi ce qu'il était devenu.

Louis Hutin, qui s'était rapidement habitué aux grimaces de son éphémère bouffon, le redemandait à tous les échos du Louvre, mais en vain.

Bigorne était loin. Et il y avait chance pour qu'il ne revînt pas de si tôt faire rire le roi Hutin, qui aimait tant à rire. Louis, après avoir essayé de passer sa fureur sur les valets ou sur les meubles, envoya donc chercher le comte de Valois, qui bientôt se présenta devant lui.

Louis Hutin allait toujours droit au but ; il ne connaissait point les chemins tortueux de la dissimulation.

« Expliquez-moi, fit-il dès l'abord, les insinuations que ce Lancelot Bigorne a portées contre vous ?

– Je ne comprends pas bien, dit-il. Le roi, je crois, vient de me parler de Lancelot Bigorne ?

– Sans doute ! je te parle de mon bouffon.

– Votre bouffon ! s'écria Valois, stupéfait. Lancelot Bigorne est devenu votre bouffon ?

– C'est vrai, tu ne sais pas. Eh bien, oui ! J'ai pris le digne Lancelot à ma cour. C'est désormais mon fou. Le drôle a disparu, ce qui m'ennuie fort, je l'avoue, car je n'ai vu personne pour me faire rire comme il sait le faire.

– Ainsi, reprit Valois, bouffon ou non, Lancelot Bigorne est venu au Louvre et a disparu ?

– Oui, répondit le roi, et il m'a parlé de différentes choses fort sérieuses, car ce bouffon ne rit pas toujours ; je m'en étais aperçu déjà à la Tour de Nesle. Il m'a parlé entre autre de Philippe d'Aulnay… et de toi.

– Je m'étonne qu'un grand roi comme vous accorde la moindre créance à un pareil misérable. J'ai à dire. Sire, que ce Lancelot Bigorne a été autrefois mon valet et que j'ai dû le chasser. Qu'il cherche à se venger, c'est tout naturel, car son impudence ne connaît pas de bornes. Quant à Philippe d'Aulnay, Sire, il parlera, je vous le jure, ou s'il ne peut parler, il écrira. Par un moyen ou par un autre, je lui arracherai le nom que vous cherchez. J'en prends ici l'engagement solennel.

– Et quand cela ? fit vivement le roi.

– Dès demain ou peut-être même dès ce soir. Mais, Sire, laissez-moi m'étonner que vous ayez l'esprit ainsi préoccupé d'aussi pauvres questions, alors que les intérêts de votre règne sont gravement compromis et que vous-même, Sire, vous êtes menacé !

– Mes intérêts compromis ! moi-même menacé !

– Par qui ? reprit Valois, sûr désormais d'avoir reconquis tout son crédit, par qui, sinon par celui que je vous ai dénoncé.

– Marigny ! s'exclama sourdement Louis.

– Lui-même ! N'avions-nous pas résolu son arrestation ? N'aviez-vous pas tout préparé, Sire, pour cette arrestation qui vous sauvait et sauvait l'État ? Avec une inconcevable audace, Marigny vous a tendu un dernier piège.

– Un piège ! à moi ! gronda le roi, pourpre de fureur.

– À vous, Sire ! Vous avez confié à votre plus mortel ennemi le commandement suprême des compagnies qui devaient cerner la cour des Miracles… Qu'est-il arrivé, Sire ? Vous le savez !…

– Quoi ! tu supposes donc que si mes meilleurs chevaliers et si deux mille de mes archers se sont trouvés prisonniers des truands, c'est que Marigny…

– C'est que Marigny, Sire, les a entraînés ! Ne l'avez-vous pas vu marcher à leur tête ?

– C'est vrai ! c'est vrai ! Oh ! le misérable !

– Mgr Enguerrand de Marigny demande audience ! » fit à ce moment la voix d'un huissier.

Le roi et Valois se regardèrent, tout pâles : Valois, d'un signe, indiqua au roi qu'il devait refuser l'audience.

« Que faire ? bégaya le roi lorsqu'il se trouva seul avec son oncle. Que faire ? Eh ! par Notre-Dame, c'est bien simple. Cet homme trahit, n'est-ce pas ?

– Signez l'ordre d'arrestation, Sire ! dit Valois.

– Et cet ordre, une fois signé, qui l'exécutera ?

– Moi ! » répondit le comte.

Le roi saisit un parchemin et, de sa grosse écriture maladroite écrivit :

« Ordre à messire notre prévôt et à tous sergents de la prévôté et à leur défaut à tout féal seigneur, porteur des présentes, de se saisir de la personne d'Enguerrand, sire de Marigny, et de le conduire en notre forteresse du Temple.

« Ce treizième de septembre, de l'an de grâce 1314.

« LOUIS,

« *Roi de France.* »

Valois s'empara du parchemin avec un geste de joie qui échappa à Louis Hutin.

« Comment vas-tu t'y prendre ? demanda celui-ci.

– C'est bien simple, Sire. Vous venez de refuser audience à votre ministre. Il va sûrement rentrer dans son hôtel de la rue Saint-Martin. Je vais prendre avec moi une escorte suffisante, le suivre, arriver en même temps que lui à l'hôtel et là le saisir de mes propres mains.

– Et s'il résiste ? fit sourdement le roi.

– S'il résiste ? répéta Valois en cherchant à lire dans les yeux de Louis une volonté que peut-être il n'osait pas exprimer tout haut. Que faudra-t-il faire, Sire, en ce cas ?

– Par Notre-Dame, que fait-on aux rebelles ?

– C'est bien, Sire », dit Valois, qui aussitôt s'éloigna.

Valois s'était jeté dans les antichambres, ramassant sur son passage tout ce qu'il y avait d'hommes d'armes sur lesquels il croyait pouvoir compter. Hugues de Trencavel demeura seul au Louvre avec les Suisses qui formaient la garde royale. Cette troupe montait à cheval un quart d'heure après que Marigny eut quitté le Louvre et se dirigea aussitôt vers la place de Grève, où le comte de Valois s'arrêta devant le logis du prévôt Jean de Précy, lequel, ayant été mis au courant de l'opération qui allait s'accomplir, fut fort étonné et même quelque peu épouvanté. Mais comme Valois le tenait sous son regard, Jean de Précy ne fit aucune observation, monta à cheval et se mit en tête de la troupe, tandis que Valois se plaçait à l'arrière-garde.

Au moment où Marigny entrait dans la rue Saint-Martin, où se trouvait son hôtel, un des hommes vint le prévenir qu'une troupe forte d'une soixantaine d'archers et d'hommes d'armes les suivait à faible distance.

La nuit était venue.

Marigny se retourna sur sa selle et, dressé sur ses étriers, jeta au loin un regard perçant.

Il eut un geste de lassitude et mit pied à terre devant son hôtel, dont il ordonna que le pont-levis demeurât baissé. Puis, d'un geste impérieux, il fit entrer ses gens.

« Monseigneur… fit une voix près de lui.

– Que me veux-tu, Tristan ? demanda Marigny.

– Monseigneur, ne serait-il pas bon de sonner du cor pour appeler tout notre monde à la défense de l'hôtel ?

– Tu crois donc que l'hôtel va être attaqué ?

– Je ne sais ce que je dois croire, mais les gens qui nous suivaient m'ont paru de bien mauvaise mine. Pourquoi, monseigneur, pourquoi le roi vous a-t-il refusé audience ? Pourquoi vous fait-il un si sanglant affront ?

– C'est qu'il était occupé, sans doute.

– Pourquoi, monseigneur, une troupe armée en guerre s'attache-t-elle à nos pas... et pourquoi, oh ! tenez... pourquoi s'arrête-t-elle devant l'hôtel ?

– Tristan, fit Marigny d'une voix qui n'admettait pas de réplique, va recevoir les hôtes que le roi nous envoie et, si c'est à moi qu'ils en veulent, fais-les monter dans ma salle d'armes. »

Le serviteur s'inclina profondément et s'élança vers le pont-levis au moment où Jean de Précy ordonnait à un de ses hérauts de sonner du cor.

Pendant ce temps, Enguerrand de Marigny montait lentement jusqu'à la vaste et somptueuse salle d'honneur où, étant assis près d'une table, il laissa tomber sa tête dans ses deux mains et murmura :

« Je n'ai pas de fille ! »

Machinalement, il avait déposé sur cette table le rouleau de parchemin que lui avait remis le blessé rencontré dans la rue aux Forgerons.

« Monseigneur, haleta Tristan, qui rentra précipitamment, c'est le grand prévôt, messire Jean de Précy.

– Eh bien, fit Marigny en se redressant, fais-le entrer ! »

Et Enguerrand de Marigny, haussant les épaules, se dirigea vers son trône, placé au fond de la salle.

À ce moment, les yeux de Tristan tombèrent sur le rouleau de parchemin. Il le saisit machinalement, comme Marigny l'avait déposé sur la table.

Tristan prit ce rouleau et l'emporta, non pas qu'il y attachât une importance quelconque, mais par simple habitude invétérée de mettre en lieu sûr les papiers de son maître dont il avait la garde spéciale.

Quelques instants plus tard, le prévôt entrait dans la salle, escorté de deux hérauts. Les gens d'armes étaient restés à cheval dans la cour de l'hôtel, ainsi que Valois.

Jean de Précy s'approcha en tremblant du terrible ministre, qui le regardait venir d'un visage calme et sévère.

« Monseigneur, dit le prévôt en se courbant profondément, je viens du Louvre. Le roi, qui n'a pu vous recevoir tout à l'heure, m'a commandé de courir après vous et de vous dire qu'il vous attend sur l'heure. »

Un sourire de mépris glissa sur les lèvres de Marigny.

« C'est bien, je vous précède ; suivez-moi ! »

À ce moment, les portes latérales de la grande salle d'armes s'ouvrirent et des deux côtés une foule de chevaliers, le poignard ou l'estramaçon au poing, firent irruption et se rangèrent autour d'Enguerrand de Marigny. Jean de Précy devint pâle comme un mort et ses deux hérauts s'effondrèrent.

« Bataille ! Bataille ! crièrent les gens de Marigny.

– Sus aux archers !

– Marigny, à la rescousse ! »

Enguerrand de Marigny fit un geste et le tumulte s'apaisa.

« J'entends que l'on respecte ici les envoyés du roi ! cria-t-il d'une voix forte ; j'entends que chacun regagne son logis ou son corps de garde ! »

Un silence terrible s'abattit sur cette assemblée. Alors, Marigny ajouta d'une voix plus douce :

« Le reste ne regarde que le roi. Dieu et moi ! »

Et il se mit en marche, suivi du prévôt et des deux hérauts, plus morts que vifs.

Dans la cour de l'hôtel, il monta à cheval et franchit le pont-levis.

Au même instant, il se trouva entouré, enveloppé, serré de toutes parts ; deux hommes saisirent la bride de son cheval et la troupe entière se mit en route sans que Marigny eût prononcé un seul mot.

Peu après, la troupe s'arrêtait devant la sombre masse du Temple. Alors, les gens qui entouraient Marigny s'écartèrent et se placèrent en cercle autour de lui Marigny mit pied à terre.

Jean de Précy l'imita.

Et, parmi les hommes d'armes, il y eut aussi quelqu'un qui mit pied à terre.

Ce quelqu'un s'avança dans le cercle et prononça :

« Enguerrand de Marigny, tu es accusé de félonie, dilapidation et forfaiture…

– Valois ! rugit Marigny. Malheur à moi qui ai pu oublier un instant qu'il y avait au monde un Valois ! Misérable ! que ne t'es-tu montré tout à l'heure ! tu ne serais pas sorti vivant de mon hôtel.

– Enguerrand de Marigny, continua Valois d'une voix frémissante de joie, au nom du roi, je t'arrête !

– Et moi, je te soufflette ! »

En même temps, d'un geste foudroyant, la main de Marigny se leva et, à toute volée, s'abattit sur le visage de Valois qui chancela, recula de plusieurs pas et hurla :

« Il y a rébellion ! À mort, le rebelle ! »

Dans le même instant, Marigny fut entouré.

Mais sans doute, dans cette minute tragique, apparut-il à ces gens plus formidable qu'il n'avait jamais été, car pas un poignard ne se leva sur lui.

De lui-même et sans que personne le touchât, il marcha au pont-levis, qu'il franchit.

Quelques instants plus tard, Enguerrand de Marigny, premier ministre de Louis X, était enfermé dans un cachot des souterrains du Temple.

XXIII

LA MÉMOIRE D'ANNE DE DRAMANS

Il y avait un homme qui avait assisté à l'arrestation d'Enguerrand de Marigny, et c'était ce serviteur dévoué que jusqu'ici nous n'avons fait qu'entrevoir.

Tristan avait suivi la troupe commandée par Valois et au milieu de laquelle le premier ministre s'était placé de lui-même. Tristan avait vu son maître pénétrer dans la sombre forteresse et il s'était dit : « Il est perdu. »

Jusqu'au matin, Tristan rôda autour de l'ancien manoir des Templiers avec le vague espoir que peut-être il s'était trompé et qu'il allait voir reparaître Marigny.

Ce fut vers le matin seulement qu'il se décida à s'en aller. Il se dirigea vers l'hôtel de la rue Saint-Martin en combinant dans sa tête toutes sortes de plans destinés à sauver son maître, mais qu'il rejetait l'un après l'autre.

Comme il arrivait devant l'hôtel, il vit qu'une nombreuse troupe d'archers stationnait à la porte.

Tristan fendit le flot des soldats, qui le repoussèrent brutalement. Mais un officier le vit, le reconnut sans doute et ajouta :

« Entrer, oui. Quant à sortir, ce sera une autre affaire. »

Tristan monta jusqu'à son appartement, qui était contigu à celui d'Enguerrand de Marigny.

Les deux sergents entrèrent derrière lui.

« Venez-vous pour m'arrêter ? demanda Tristan, qui se retourna vers eux.

– Tel est, en effet, l'ordre que nous avons reçu.

– Messieurs les sergents, je vous suis. Mais ne me permettez-vous pas de prendre avec moi quelques papiers qui peuvent être utiles à la défense de mon maître ?

– Au contraire, fit l'un d'eux, non seulement nous vous le permettons, mais nous vous y engageons ; prenez des papiers, l'ami, prenez-en le plus que vous pourrez vu que vous savez où ils se trouvent et que nous l'ignorons. »

Tristan ouvrit un bahut et y saisit, en effet, plusieurs liasses de parchemins, parmi lesquels se trouvaient ceux que Marigny avait déposé sur la table au moment où il avait été arrêté.

« Ah ! ah ! s'écria l'un des sergents, voilà donc la cachette aux papiers que nos hommes ont cherchée.

– Messieurs, dit Tristan, il en est d'autres plus intéressants encore.

– Prenez-les donc », firent les sergents, persuadés que le digne serviteur, terrorisé, s'apprêtait à assurer sa grâce en livrant les secrets de son maître.

Tristan fit un geste d'assentiment et pénétra dans une pièce voisine, dont il laissa la porte ouverte.

Les deux sergents eurent une seconde d'hésitation, puis, comme ils avaient l'ordre de ne pas perdre de vue de confident de Marigny, dépositaire de tous les secrets, ils entrèrent derrière lui.

En même temps, un cri de stupéfaction et de rage leur échappa.

Tristan avait disparu !

Le serviteur de Marigny n'était pas dans la pièce où il venait d'entrer et où, cependant, il n'y avait pas de fenêtre et pas d'autre porte que celle qu'ils venaient de franchir.

Les sergents, furieux et désespérés, se mirent à sonder les murs, mais leurs recherches furent inutiles. À ce moment arrivait le grand prévôt Jean de Précy, qui demanda :

« Eh bien, ce Tristan ?

– Monseigneur, répondirent les sergents, tout tremblants, il vient de nous échapper et il faut que le diable y soit pour quelque chose, car, l'ayant laissé entrer ici selon vos ordres qui étaient de le laisser faire à sa guise, nous ne l'avons plus retrouvé.

– Imbéciles ! grommela le prévôt, ils ont laissé fuir celui-là qui seul pouvait m'indiquer où se trouve le fameux trésor du ministre déchu ! »

Et comme il n'y a rien de plus féroce qu'un avare frustré dans ses espérances, Jean de Précy fit immédiatement saisir et jeter aux fers les deux malheureux sergents.

Tristan avait disparu par un passage secret qui existait dans l'hôtel. C'était un étroit escalier pratiqué dans l'épaisseur de la muraille et qui descendait jusque dans les caves secrètes de l'hôtel. En sorte que, pour trouver les trésors de Marigny, il fallait trouver les caves, et pour trouver les caves il fallait connaître l'escalier en question, et pour trouver l'escalier il fallait démolir l'hôtel pierre à pierre !

Ayant remonté l'escalier de la cave, Tristan se trouva au rez-de-chaussée d'un modeste logis, situé au milieu d'une Courtille et qui, dans le quartier, passait pour être l'habitation d'un maniaque qu'on voyait d'ailleurs assez rarement. Il va sans dire que le maniaque en question n'était autre que Tristan lui-même.

Il monta au premier et unique étage, jeta sur une table les papiers qu'il avait emportés et s'assit dans un fauteuil, triste, morne, écoutant les cris qui, de l'hôtel voisin, parvenaient jusqu'à lui.

Alors, ces papiers, il se mit à les lire. Il alluma du feu dans l'âtre et, à mesure qu'il avait lu, il laissait tomber le parchemin dans la flamme.

Il en arriva au rouleau qu'il avait pris sur la table de Marigny et l'ouvrit sans curiosité, uniquement dans le dessein de s'assurer qu'aucun de ces papiers ne contenait rien de compromettant pour son maître.

Le mémoire écrit par Mabel au temps où elle préparait sa vengeance contre Marguerite de Bourgogne contenait une dizaine de feuilles.

Ces feuilles, Tristan les lut d'abord avec indifférence, puis avec une curiosité de plus en plus vive, à mesure qu'il avançait dans sa lecture, puis enfin avec un intérêt passionné. Ces feuilles, il les relut une troisième fois, comme s'il n'eût pu en croire ses yeux, et, enfin, le visage illuminé d'un rayon d'espoir, il murmura :

« Là peut se trouver le salut. »

La première idée de Tristan fut de se rendre au Louvre et de demander à parler au roi. Mais il réfléchit qu'il ne ferait pas dix pas dans la rue sans être arrêté, que même s'il arrivait au Louvre il avait toutes les chances possibles d'être saisi avant d'avoir pu parvenir jusqu'au roi, et qu'enfin, même s'il arrivait à son but qui était de remettre ces papiers à Louis Hutin, il n'aurait fait que perdre Marguerite sans sauver Marigny.

Alors, Tristan se dit que, s'il y avait une personne au monde capable de sauver le premier ministre, cette personne ne pouvait être que la reine elle-même.

« Oui, murmura-t-il. Mais comment parler à la reine ? Et n'est-il pas évident que, si je parviens jusqu'à elle, dès que j'aurai parlé, elle me fera jeter dans quelque cachot si profond que jamais nul ne pourra entendre ma voix ? Qui donc est assez fort, assez audacieux, assez entouré de compagnons d'armes pour risquer sa tête dans une pareille entreprise ? Qui donc, sinon celui qu'Enguerrand de Marigny a tant haï, mais qui aime assez la fille de Marigny pour vouloir à tout prix lui éviter la douleur de voir son père monter à l'échafaud ? Qui donc enfin, sinon Buridan lui-même ? »

Une fois qu'il eut pris cette résolution d'aller trouver Buridan, le digne serviteur se calma peu à peu et il en vint à considérer comme assurée la délivrance de son maître.

Tristan passa donc la journée à rouler force projets dans sa tête et, lorsque la nuit fut venue, il se dirigea vers la Cour des Miracles, où il était sûr de trouver Buridan.

En s'approchant de la Cour des Miracles, Tristan put constater la présence de nombreux postes d'archers échelonnés dans les rues. Comment il parvint à passer à travers ces postes, lui-même ne put jamais s'en souvenir.

Toujours est-il que, vers onze heures du soir, il se trouvait entre deux truands qui venaient de lui mettre la main au collet et lui demandaient, non sans force bourrades, ce qu'il venait faire si près de la Cour des Miracles.

« Messeigneurs, je suis venu ici pour parler à votre chef, l'illustre capitaine Buridan. »

XXIV

QUI EST LA SUITE DU PRÉCÉDENT

Cette même journée avait été terrible pour Buridan. La défaite qu'il avait essuyée au Temple avait violemment frappé cet esprit sensible et prompt aux imaginations heureuses ou malheureuses, selon les événements.

Ainsi donc, non seulement il n'avait pu tirer Philippe des mains de Valois, mais encore Gautier était resté dans la bagarre !

Buridan, ayant perdu Philippe et Gautier, se sentit seul et désespéré.

Il passa donc cette journée enfermé dans sa chambre, allant et venant, tantôt à pas précipités, tantôt avec découragement, quelquefois combinant un nouveau plan d'attaque et d'autres fois se disant que ses malheureux amis étaient bien perdus.

La nuit vint sans qu'il s'en aperçût.

Et, comme il était dans cet état de marasme qui suit de près les catastrophes, il vit tout à coup sa chambre s'éclairer.

« Qui vient là ? gronda-t-il.

– Moi, seigneur Buridan », fit la voix de Bigorne.

Et Lancelot entra et déposa deux flambeaux sur la table.

« Que veux-tu ? demanda rudement le jeune homme.

– Venez toujours et vous verrez. »

Buridan se décida à suivre Bigorne jusque dans la salle basse où, peut-être, il espérait vaguement revoir un de ceux qu'il regrettait, Lancelot l'ayant habitué à ces surprises.

Mais, en fait de spectacle – et nous devons avouer que c'en était un des plus intéressants, – il ne vit qu'une table bien éclairée de deux flambeaux et qui semblait attendre des convives. Ces convives, pour le moment, c'étaient Guillaume Bourrasque et Riquet Haudryot.

À l'entrée de Buridan, les deux compères poussèrent un cri de joie et eurent la même exclamation :

« À table ! »

Buridan secoua la tête. Guillaume le prit par la main et le conduisit devant un buffet chargé de victuailles.

« Buridan, s'il est dans ton intention de nous faire mourir de faim, dis-le-nous pour que nous puissions nous confesser et passer de vie à trépas selon la bonne règle. »

Déjà, Guillaume et Riquet étaient à table et Buridan, malgré sa douleur sincère, n'avait pu renifler le parfum de ces bonnes victuailles sans se sentir attendri.

« Après tout, je ne peux pas affamer les compagnons qui me restent sous le prétexte que j'en ai perdu deux. »

Tout en mangeant, buvant et prononçant l'éloge des deux gentilshommes, le temps s'écoulait. Tout à coup, la porte s'ouvrit et un homme, un truand, entra en disant :

« Capitaine Buridan, nous vous amenons une prise.

– Fais entrer ta prise », dit Buridan d'une voix sombre.

À ce moment, un homme entrait entre deux truands qui, sur un geste du capitaine, se retirèrent, non sans avoir jeté un coup d'œil émerveillé sur la table.

« Qui es-tu ? demanda Buridan à l'homme.

– Je m'appelle Tristan et je suis un serviteur fidèle de Mgr Enguerrand de Marigny. »

À ces mots, Buridan se leva, frémissant ; Guillaume et Riquet sautèrent sur leurs épées qu'ils avaient débouclées pour se mettre à table.

« Et tu viens sans doute de la part de ton maître ? Mgr de Marigny, n'osant plus venir lui-même me dicter ses volontés, envoie maintenant ses fidèles serviteurs : il court ainsi moins de risques. Eh bien, parle ! qu'as-tu à me dire ?

– Mon noble maître, Mgr Enguerrand de Marigny, a été arrêté et conduit au Temple.

– Arrêté ! s'écrièrent d'une voix les quatre compagnons.

– Oui, reprit Tristan, le sire de Marigny a été arrêté, c'est-à-dire qu'il succombe enfin à la haine du comte de Valois. Cet homme était trop grand pour notre époque. »

Buridan avait d'abord écouté avec stupeur ces paroles du fidèle serviteur d'Enguerrand de Marigny. Une sorte de colère bouillonnait en lui.

« Et pourquoi venir me raconter cela ?

– Parce que, répondit Tristan, vous êtes le fiancé de la fille de l'homme qu'on vient d'arrêter. Vous êtes presque de la famille, messire Buridan ; voulez-vous donc que j'aille trouver la noble demoiselle et que je lui dise : « Votre père est arrêté, votre père va être conduit aux Fourches ou traîné à l'échafaud ; j'ai voulu le dire à celui que vous appelez votre fiancé, mais Jean Buridan a refusé de m'écouter ? »

Un silence d'étonnement s'était fait dans la salle, tout à l'heure si joyeuse. Ni Bourrasque, ni Haudryot, ni Bigorne n'avaient envie de lancer une de leurs plaisanteries ordinaires ; ils sentaient que quelque chose de grand et de beau se passait sous leurs yeux. L'attitude du vieux serviteur n'était ni solennelle ni douloureuse.

« Jean Buridan, fit celui-ci, je suis venu ici chercher du secours. Dois-je m'en aller ? Dois-je rester ? »

Buridan hésita un instant, puis, redressant la tête, tout pâle, il répondit :

« Restez ! »

Tristan poussa un soupir de soulagement.

« Puisque je reste, c'est que je puis dire ce que j'ai à dire. Messire Buridan, il faut que je vous parle en secret. »

Buridan fit signe au vieillard de le suivre et tous deux montèrent au premier étage du logis. L'entretien fut très long, car ce fut seulement à l'aube que Tristan quitta la Cour des Miracles. Et alors Buridan, rassemblant ses compagnons, eut avec eux un conciliabule dont nous verrons les suites dans un prochain chapitre.

XXV

LE RENDEZ-VOUS

Ce matin-là, il y avait une grande animation au Louvre où les seigneurs, chevaliers, courtisans de toute espèce étaient accourus. La nouvelle de l'arrestation d'Enguerrand de Marigny avait retenti dans Paris comme un coup de tonnerre.

Au Louvre, Valois rayonnait, accueillait avec un sourire la foule des courtisans qui, la veille encore, n'eussent pas osé, devant Marigny, lui faire bonne figure. Valois ne se lassait pas de promettre. Il y eut des marchandages et des discussions. Tel seigneur, qui avait obtenu une abbaye et qui réfléchissait ensuite qu'elle ne lui conviendrait pas, cherchait à faire un marché avec tel autre seigneur dont il convoitait la prébende. Il y eut des cris, des disputes, des jurons. Le royaume était mis au pillage. On se partageait les postes, les honneurs, surtout l'argent, on se partageait la France.

« Place au roi ! » annonça la voix d'un huissier.

Un grand silence tomba sur cette cohue, qui s'ouvrit, se fendit en deux groupes entre lesquels Louis Hutin s'avança, tandis que Valois courait à sa rencontre.

Comme s'il eût été emporté par l'enthousiasme, le comte saisit le roi dans ses bras et l'embrassa en criant.

« Sire, vous voilà donc délivré !

– Vive le roi ! cria la foule des courtisans dans une clameur d'autant plus délirante que le roi seul pouvait sanctionner toutes les promesses faites par Valois.

– Oui, messieurs, vive le roi ! Désormais, il n'y a plus qu'un roi de France et, ce roi, c'est moi. Chacun à son rang, chacun à son poste ! Et malheur à qui oserait se dresser près du roi assez haut pour qu'on puisse le confondre avec le roi ! »

Ces paroles produisirent un terrible effet. Un silence de stupeur et d'inquiétude remplaça les acclamations de tout à l'heure. Valois, pâle et balbutiant, voulut dire quelques mots. Mais le roi, qui s'exaspérait lui-même au bruit de ses propres paroles, l'interrompit et lui demanda rudement :

« Ce prisonnier… ce Philippe d'Aulnay, l'a-t-on interrogé ? Et l'autre, ce Gautier, qu'en a-t-on fait ?

– Sire répondit Valois, les deux frères sont dans de bons cachots. On leur appliquera la question dès qu'il plaira à Votre Majesté. Mais ne serait-il pas bon d'abord de nous occuper de cet autre prisonnier, plus intéressant, qui s'appelle Enguerrand de Marigny ?

– Nous verrons, fit le roi. Rassemblez le conseil, mon cher comte, et nous discuterons ces graves questions. »

En même temps, il se dirigea rapidement vers la porte de l'oratoire et passa chez la reine.

Elle attendait la visite du roi à la fois avec une impatience fébrile et une sourde terreur.

Elle ne put donc s'empêcher de tressaillir et de pâlir lorsqu'elle vit tout à coup entrer Louis Hutin. Mais, rassemblant toutes ses forces d'esprit, tous ses moyens de séduction, elle renvoya d'un signe imperceptible ses deux sœurs, qui se trouvaient près d'elle, et s'avança vers le roi avec ce sourire de charme qui le rendait souple et soumis comme un amoureux passionné qu'il était d'ailleurs.

Louis la serra tendrement dans ses bras, puis, prenant la tête de Marguerite à deux mains, il la fixa longuement.

« Comme vous êtes pâlie ! murmura enfin le roi ; par Notre-Dame, il me semble que vous êtes maigrie, que vos traits sont tirés, qu'il y a je ne sais quelle morne tristesse dans vos beaux yeux.

– Quoi d'étonnant à cela, mon cher Sire bien-aimé, puisque depuis quelques jours je vous vois sombre, inquiet, agité. Croyez-vous que je ne sois pas tourmentée de vos tourments ? Cette affaire de la Cour des Miracles m'a causé un chagrin qui m'a tenu les yeux ouverts. »

Le roi souriait, égoïstement heureux de ce chagrin qu'il voyait à Marguerite.

« Chère âme, dit-il, je voudrais tous les jours essuyer une défaite comme celle de la Cour des Miracles, pour avoir le bonheur d'être ainsi plaint et caressé par vous. »

Il s'était assis près d'elle, lui tenant la main, la contemplant avec une tendresse et un bonheur indicibles.

« Mais vous pouvez vous rassurer, reprit-il. Ce Buridan du diable ne tardera pas à tomber entre nos mains. »

Marguerite tressaillit et sa pâleur s'accentua.

« En êtes-vous sûr. Sire ! fit-elle d'une voix étrange.

– Sans aucun doute. J'ai bien juré de respecter le privilège qui fait de la Cour des Miracles un refuge et je tiendrai ma parole. Mais le royaume d'Argot est cerné de toutes parts, et, à moins de consentir à vivre toute sa vie comme en prison, Buridan ne saurait tarder à être pris. Ainsi, non seulement Buridan, mais toute la bande des rebelles sera bientôt conduite aux Fourches de Montfaucon, ce qui vous fera une belle matinée de plaisir et d'amusement. »

Marguerite devint si pâle que le roi s'en aperçut :

« Par Dieu, chère Marguerite, je crois que vous vous affaiblissez ! Holà, Jeanne ! Holà, Blanche ! la reine se meurt !

– Non, non, balbutia Marguerite, ce n'est rien, Sire ! Mais l'idée que mon roi est entouré de tant d'ennemis me fait un mal affreux ! »

À demi rassuré, le roi la consolait à sa manière, lui assurait que bientôt il serait débarrassé de tous ses ennemis et que, déjà, le principal d'entre eux, Enguerrand de Marigny, était arrêté.

« Quant aux rebelles, terminait à ce moment le roi en se levant, ne vous inquiétez plus ; déjà, nous en tenons deux, Philippe et Gautier d'Aulnay.

– Et quel châtiment leur réservez-vous, Sire ? »

Placé ainsi tout à coup en présence d'une question précise, Louis Hutin hésita un instant. Mais peut-être était-il tout à la tendresse, yeux un de ces actes de courage terribles qui inspirent l'épouvante et l'admiration.

– Qu'a-t-il donc fait, Sire ? balbutia Marguerite, qui savait d'ailleurs parfaitement à quel acte le roi faisait allusion.

– Pour ne pas parler, pour ne pas dénoncer sa maîtresse, il a… »

Louis Hutin s'arrêta tout à coup, se frappa le front et sourdement murmura :

« Pour ne pas dénoncer sa maîtresse !… sa maîtresse !… cette femme qui me trahit, cette femme qui vit dans mon entourage, près de moi, qui est peut-être de ma famille et que je ne puis découvrir.

– Calmez-vous, mon bien-aimé Louis, bégaya la reine, frissonnante de terreur.

– Que je me calme ? gronda-t-il, en cherchant à contenir la fureur et la douleur qui bouillonnaient en lui. Mais ne voyez-vous pas, Marguerite, que c'est cela qui me tue ! La Cour des Miracles, ce n'est rien ! Les rebelles, ce n'est rien ! Marigny, ce n'est rien ! Mais ne pas savoir, vois-tu, ne pas savoir le nom de l'infâme et passer mes nuits à écarter les spectres de mon imagination et à me dire : « Dieu puissant ! si c'était…

– Qui ?… Ose donc, Louis ! ose donc encore ! » cria Marguerite de Bourgogne, en se redressant, tragique, superbe.

Le roi la contempla un instant, ses yeux se gonflèrent, puis il éclata en larmes et murmura :

« Rien, ma Marguerite adorée, je n'ai rien à avouer, car il n'y a dans mon cœur que de l'amour, de la vénération pour toi. »

Sans rien dire, le gardien des fauves s'inclina et tendit à la reine un papier plié en quatre. Marguerite le lut. Alors, son visage s'empourpra. Pendant quelques secondes, elle grelotta comme si elle eût été saisie de fièvre, son regard jeta des flammes, ses lèvres devinrent livides. Puis, avec la même instantanéité, tout s'éteignit sur cette physionomie. Elle se pencha sur Stragildo et lui donna quelques ordres. Stragildo disparut.

Alors, Marguerite rentra dans sa chambre, jeta autour d'elle un regard pour s'assurer qu'elle était bien seule et elle relut le papier.

Il contenait ces seuls mots :

« Jean Buridan attendra ce soir Marguerite de Bourgogne à la Tour de Nesle. »

Pendant le reste de cette journée, la reine ne bougea pas de son grand fauteuil. Les mains sur les genoux, la tête appuyée au dossier, les yeux à demi fermés, la tête appuyée au dossier, les yeux à demi fermés, le sein à peine soulevé par un mouvement rythmique et lent, elle ressemblait ainsi, pâle, souriante et recueillie, à une sainte de vitrail. Si Louis était entré à ce moment, il l'eût trouvée plus belle qu'il ne l'avait jamais vue.

Marguerite songeait à Buridan. Marguerite songeait que Buridan vaincu enfin, se rendait à elle. Marguerite aimait. Marguerite attendait l'heure où Buridan allait lui dire : « Je t'aime... » Ce fut sans doute dans cette vie tourmentée, toute faite de tempête et de passions, la seule heure d'amour pur...

La nuit s'étendit sur Paris.

Marguerite, alors, s'habilla, se couvrit d'un vaste manteau, donna à Juana quelques indications brèves et précises, afin que sa suivante sût où la trouver en cas d'événement imprévu.

Puis elle sortit.

Elle était seule...

Par les chemins détournés, tant de fois parcourus, elle gagna la poterne par où elle quittait le Louvre et elle se trouva sur les berges de la Seine...

Elle ne tremblait pas, elle n'avait pas peur dans cette nuit profonde, dans ce recoin désert où peut-être rôdaient des malfaiteurs.

À pas lents, elle descendit jusqu'au bord de l'eau, à l'endroit où se trouvait attachée sa barque. Stragildo était là. Elle s'assit. Stragildo commença à ramer vigoureusement. Bientôt, la barque toucha l'autre bord. La reine sauta à terre et marcha droit à la porte de la Tour de Nesle, qu'elle franchit sans s'occuper de savoir si Stragildo la suivait.

Elle monta jusqu'en haut et pénétra dans la salle où, au début de ce récit, nous avons vu entrer Philippe et Gautier d'Aulnay. Et, sur le seuil, elle s'arrêta palpitante.

Buridan était là qui, profondément, s'inclinait devant elle !

Stragildo n'était pas entré dans la Tour de Nesle.

Lorsque Marguerite eut sauté sur le sable, un singulier sourire crispa les lèvres du bandit. Il laissa la reine s'éloigner, puis, sautant à son tour, il amarra soigneusement la barque et se dirigea vers un recoin d'ombre plus épaisse où plusieurs hommes se trouvaient dissimulés, immobiles et silencieux. Et simplement, Stragildo murmura :

« Maintenant, Sire, vous pouvez entrer à la Tour de Nesle !… »

XXVI

STRAGILDO

Il nous faut maintenant revenir à la Cour des Miracles où après le départ de Tristan, nous avons vu que Buridan avait eu un conciliabule avec Lancelot Bigorne, Guillaume Bourrasque et Riquet Haudryot.

« Par saint Barnabé ! s'écria Bigorne, de cette façon-là, nous allons maintenant risquer notre peau pour sauver celle du sire de Marigny ?

– Tu es libre de ne pas me suivre, fit froidement Buridan.

– Merci. Je suis bien obligé de vous suivre pour vous empêcher de faire de nouvelles sottises, autant du moins qu'on peut empêcher un docteur en logique de faire des âneries, hi han ! Mais, enfin, mourir pour mourir, j'eusse mieux aimé donner ma carcasse au service du diable plutôt qu'à celui de Marigny. »

Pendant ces palabres et autres, les quatre compagnons s'apprêtaient activement. Ils recouvraient leurs poitrines de cuirasses de buffle, solides, légères et souples. Ils ceignaient leurs grandes rapières et choisissaient des poignards bien trempés.

Vers cette heure matinale où le sommeil est plus profond, où le jour n'est pas venu encore, mais où la nuit semble moins profonde, Buridan appela un truand qui veillait à la porte du logis et lui ordonna d'aller chercher le duc d'Égypte, lequel apparut bientôt.

« Je vais quitter la Cour des Miracles, dit Buridan. Demain, tu rassembleras tes hommes et tu leur diras que le capitaine Buridan s'en est allé vers d'autres destinées. Il le faut, d'ailleurs. Car dès que je serai parti avec mes compagnons, le siège de la Cour des Miracles sera levé... vous serez libres.

– Que ta volonté soit faite, sire roi d'Argot, dit, simplement le duc d'Égypte.

– Royauté éphémère, fit Buridan. Sceptre qui n'était pas fait pour mes mains. Couronne qui n'allait pas à ma tête.

– Pourtant, tu es brave, tu as un cœur de lion. Sous ta direction, la Cour des Miracles fût devenue la forteresse inexpugnable du larcin ! »

Déjà le duc d'Égypte était sorti. Respectueux de la volonté de Buridan, il n'avait rien tenté pour le faire revenir sur sa décision. Au moment de franchir la porte, il s'était retourné et avait seulement ajouté :

« Quoi que tu entreprennes, souviens-toi que tu trouveras toujours ici un refuge assuré. »

Dix minutes plus tard, les quatre compagnons quittaient à leur tour le logis.

Entrés dans la rue des Francs-Archers et parvenus à cette zone dangereuse où ils risquaient de se heurter aux postes qui cernaient la Cour des Miracles, les quatre compagnons se placèrent en ordre de bataille : Buridan en tête, Bourrasque et Haudryot à quelques pas derrière lui, et Lancelot en arrière-garde.

Il s'agissait de passer coûte que coûte.

Buridan, tout à coup, se retourna vers Guillaume et murmura :

« Attention !… »

À trente pas devant eux, à un détour de la rue, il y avait un feu dont les dernières lueurs se mouraient. Autour de ce feu, une dizaine d'archers dormaient, enveloppés dans leurs manteaux. Mais quatre autres, debout, la pique à la main, veillaient.

Buridan fit signe à ses amis de se rapprocher de lui et leur exposa son plan qui était des plus simples.

Alors, rasant les maisons, ils s'avancèrent dans l'ombre comme des loups.

« En avant ! cria soudain Buridan.

– Alerte ! » rugit la voix d'une sentinelle.

Ce fut foudroyant comme le passage d'une trombe. Aux lueurs du foyer, les soldats perçurent comme dans une vision aussitôt dissipée qu'apparue quatre démons qui bondissaient ; ils virent deux des sentinelles tomber puis, dans la même seconde, la course effrénée des quatre qui disparaissaient vers le fond de la rue. Des hurlements s'élevèrent ; de poste en poste, les soldats réveillés se précipitèrent... mais les fugitifs demeurèrent introuvables.

« Malheur à moi ! dit l'officier qui commandait le poste de la rue des Francs-Archers. C'est Buridan qui vient de se sauver !... »

Un quart d'heure plus tard, Buridan et ses amis s'arrêtaient dans la rue Froidmantel. Aucun d'eux n'était blessé.

Ceci constaté, ils reprirent leur marche et atteignirent l'enclos aux lions.

Buridan heurta au marteau de la porte.

Quelques minutes après, un judas s'entrebâilla et un falot demanda :

« Qui va là ?

– Va, dit Buridan, va dire à Stragildo que Buridan veut lui parler. Il s'agit de la reine. »

Le judas se referma. Un certain temps s'écoula. Puis, à travers le judas, une voix goguenarde prononça :

« Salut, seigneur capitaine. Qu'y a-t-il pour votre service ?

– Est-ce toi, Stragildo ?

– Moi-même, seigneur. Tout à votre service. J'ai encore quelques sacs qui attendent et j'espère bien, par quelque nuit sans lune, avoir l'honneur d'en mettre un à votre disposition.

– Tais-toi, misérable, si tu tiens à la vie. Car si je n'avais besoin de toi cette nuit, cette porte ne m'empêcherait pas de venir jusqu'à toi et de t'infliger le châtiment que tu mérites. Mais assez là-dessus. Veux-tu remettre un message à la reine ?

– Un message ? Oui-da ! Je suis là pour cela. Un message d'amour peut-être ?

– Tu l'as dit !...

– Un rendez-vous à la Tour de Nesle ? ricana Stragildo.

– Tu l'as dit !...

– Eh bien, passez-moi la chose à travers la grille du judas, et je vous promets que Mme Marguerite aura le poulet. »

Buridan fit comme Stragildo lui avait indiqué, il glissa à travers le judas un papier que le gardien des fauves saisit du bout des doigts.

Pendant ce colloque, Guillaume, Riquet et Lancelot s'étaient tenus à l'écart, de façon à ne pas être aperçus de Stragildo. Celui-ci ayant reçu le papier referma le judas sans plus de façons et Buridan l'entendit qui se retirait. À son tour, avec ses compagnons, il s'éloigna.

Stragildo ne s'était pas retiré : il avait simplement imité le bruit des pas qui va en décroissant. Il entrebâilla la porte juste assez pour passer la tête et put apercevoir plusieurs ombres qui s'évanouissaient dans la nuit.

« Bon, grogna-t-il. Ils sont quatre, savoir : maître Buridan, puis le damné Bigorne, puis l'empereur de Galilée et le roi de la Basoche. Quel coup de filet si on pouvait les prendre tous les quatre et les envoyer rejoindre les deux frères au Temple ! »

Stragildo remonta alors dans cette partie du logis qui lui servait d'appartement et d'où, par les diverses fenêtres, il pouvait surveiller tantôt les cages des fauves, tantôt la rue et tantôt le quartier des valets.

Sans la moindre hésitation, il déplia le papier que lui avait remis Buridan et se mit à le déchiffrer péniblement.

Ayant déchiffré le message, il tomba dans une profonde rêverie.

L'aventure lui paraissait étrange et l'inquiétait profondément.

Stragildo, ayant convenablement réfléchi, se dit que le meilleur, le seul moyen de sortir à son honneur d'une pareille aventure, c'était une bonne trahison générale.

Trahir à la fois le roi, la reine, Buridan, tous ! Les mettre tous dans quelque horrible situation et puis s'en aller tranquillement.

« Voyons si j'ai de quoi m'en aller », fit Stragildo, souriant.

Il passa dans une pièce reculée dont il ferma la porte à double tour ; de là, il pénétra dans un cabinet sans fenêtre. Il souleva les dalles qui composaient le plancher de ce cabinet et alors apparut un coffre qu'il retira d'un trou au moyen d'un levier passé dans un anneau de fer qui était frappé sur le couvercle.

Le coffre étant ouvert, il se mit à compter sa fortune, tout entière composée de pièces d'or, car, au fur et à mesure Stragildo échangeait en or ce qu'il avait pu amasser d'argent ou de monnaie ; l'or tient moins de place et est plus facile à transporter.

Stragildo vida entièrement le coffre et empila les pièces d'or dans quatre sacoches de cuir assez semblables à des outres à vin. Il les mêlait de son, de sorte que ces outres ne pussent rendre au choc aucun bruit révélateur. Le son était dans un grand sac qui attendait là depuis longtemps sans doute, en prévision de cette opération.

Les quatre sacs bien et dûment ficelés, Stragildo, sifflotant un air, ouvrit une armoire contenant plusieurs costumes et en choisit un qu'il porta dans sa chambre.

Le jour était venu.

Ces divers préparatifs étant achevés, Stragildo, tranquille et satisfait de lui-même, attendit le moment favorable pour se rendre chez la reine.

On a vu comment il a remis à Marguerite le message de Buridan. On a vu que la reine, se penchant sur Stragildo, lui avait donné quelques explications.

« Il n'y aura personne dans la Tour, avait-elle dit. Toi-même, après m'avoir conduite, tu m'attendras dehors. Ceci n'est pas une aventure comme les autres. Dès cet instant, cet homme t'est sacré, tu m'entends ? Malheur à toi si tu touches à Buridan ! »

Stragildo s'était incliné et était parti en murmurant à part lui :

« Décidément, il était temps... Si le Buridan du diable devenait maître tout-puissant à la cour de France, mon affaire serait vite réglée. Qu'est-ce que je disais ? Les choses se passent bien comme je l'avais prévu, et, si je n'étais là, demain, Buridan serait aussi puissant... plus puissant que le roi. Mais je suis là... »

Stragildo rentra dans l'enclos aux lions.

Il attendit le soir et il fit ses derniers préparatifs.

Dans un bahut de sa chambre, il prit deux ordres signés du roi et à lui remis dès longtemps par Marguerite pour lui servir à toute occasion.

Le premier était un ordre à tout agent du guet ou sergent d'avoir à se mettre au service du porteur, sur sa première réquisition.

La deuxième était un ordre à tout chef de poste de l'une quelconque des portes de Paris d'avoir à ouvrir au porteur et le laisser passer quelle que fût l'heure.

Stragildo plia soigneusement les deux parchemins et les cacha dans sa poitrine.

Puis il descendit aux écuries.

Car il y avait des écuries à l'enclos aux lions et l'on y entretenait une douzaine de forts chevaux, soit pour le service du roi ou de la reine, soit même pour le service de Stragildo et des valets.

Il brida le plus vigoureux de ses chevaux.

Puis, remontant chercher le costume qu'il avait choisi et les quatre sacs pleins d'or, il descendit le tout. Il plaça les sacs sur le cheval et les arrima soigneusement. Quant au costume, c'était un vêtement de manant, la souquenille, le bonnet, les jambières de cuir. Il le laissa dans l'écurie d'où il sortit en refermant la porte et en emportant la clef.

Toutes ces dispositions prises, Stragildo se rendit au Louvre, gagna directement l'appartement du roi, s'approcha du capitaine des gardes et lui dit simplement :

« Il faut que je parle au roi seul à seul et cela ne souffre aucun retard. »

Hugues de Trencavel toisa le gardien des fauves avec un mépris non dissimulé, mais sachant très bien la faveur spéciale dont il jouissait et supposant qu'il s'agissait d'annoncer au roi quelque accident arrivé à un lion favori, le capitaine entra chez le roi. Quelques instants plus tard, Stragildo était en présence de Louis X.

« Est-ce qu'un de mes lions serait malade ? demanda tout de suite le Hutin avec une inquiétude non dissimulée.

– Sire, reprit-il, aucun de vos lions n'est malade. Les nobles bêtes, le Ciel en soit loué, ont mangé d'un merveilleux appétit et dorment paisiblement.

– Alors ? » interrogea Louis, en fronçant le sourcil.

Stragildo se courba davantage. Sa voix se fit humble. Il murmura :

« Sire, c'est sans doute une grande audace à un pauvre valet de fauves comme moi, de lever les yeux et de regarder ce qui se passe. Mais le fait est que j'ai regardé, que j'ai vu, et que je viens prévenir le roi.

– De quoi te mêles-tu, drôle ?

– C'est bien ce que je me suis dit, par la Vierge ! de quoi diable vais-je me mêler ? Est-ce que ces affaires te regardent, imbécile ? Ne peux-tu témoigner au roi le grand dévouement que tu as pour lui autrement qu'en allant lui parler d'histoire de trahison ? Est-ce que…

– Trahison ! fit Louis en pâlissant.

– Ai-je dit trahison, Sire ? Le fait est que je n'en sais rien au fond, et après tout cette femme qui doit être tout à l'heure à la Tour de Nesle ne vous trahit pas peut-être !… »

Le roi marcha sur Stragildo.

« Tu dis qu'une femme doit se rendre à la Tour de Nesle ?

– Oui, Sire. Je le dis. Mais c'est tout ce que je puis dire, et, ajouta-t-il avec un sourire sinistre, il me semble que c'est assez.

– Qui est cette femme ?

– Le roi la verra. Moi, je ne l'ai pas vue.

– Est-ce celle qui me trahit ?

– Le roi l'entendra. Moi, je ne sais pas si elle trahit.

– Que sais-tu, alors ? dit Louis en respirant avec effort.

– Seulement ceci : cette femme sera ce soir à la Tour de Nesle. Si le roi veut aller à la tour, il verra et entendra. Le roi devra se faire accompagner d'une bonne douzaine d'hommes d'armes solides et bien armés. Cela est indispensable, Sire ! Le roi et ses hommes se tiendraient, dans une heure, je suppose, à l'angle de l'hôtel de Nesle. Il y a là un renfoncement suffisant pour cacher une quinzaine d'hommes. Et, à la minute voulue, moi-même, je viendrais prévenir le roi. Une minute avant, ce serait trop tôt et le roi ne verrait rien. Une minute après, ce serait trop tard. Voilà ce que je voulais dire. Maintenant, si j'ai mal fait d'être fidèle et dévoué, le roi peut me faire mourir, c'est son droit. »

Longtemps Louis demeura pensif.

Enfin un profond soupir gonfla sa poitrine, et doucement il dit :

« Va-t'en. À l'heure que tu dis, à l'endroit que tu dis, vient me prévenir. »

XXVII

LA TOUR DE NESLE

En sortant de la rue Froidmantel, Buridan s'était remis en route à pas rapides, suivi de ses compagnons. Guillaume, Riquet et Lancelot ne laissaient pas d'être fort inquiets. Certes, ces dignes compagnons ne redoutaient aucune aventure qui pouvait survenir. Où les entraînait Buridan ? Vers quelles batailles ? Vers quelle lutte suprême où ils laisseraient leurs os ? Tout cela ne faisait pas question pour eux. Ils avaient dans le jeune homme une confiance illimitée.

Buridan n'allait pas au Temple, mais près du Temple. Ce fut, en effet, devant la Courtille-aux-Roses qu'il s'arrêta.

« Allons, murmura Bigorne, l'idée n'est pas mauvaise, et je m'étonne qu'elle ne me soit pas venue. Pour un âne bachelier, le sire Buridan ne raisonne pas trop mal, vu qu'il raisonne presque aussi bien que moi. Du diable si jamais personne songera à venir nous dénicher ici ! »

Buridan avait essayé de pousser la porte, mais elle était fermée.

Il franchit donc lestement le mur de clôture et ses compagnons l'imitèrent.

La porte de la maison n'était que fermée au loquet. Ils purent donc entrer aisément sans avoir recours à l'effraction.

Le cœur de Buridan lui battit bien fort lorsqu'il pénétra dans cette pièce si gaie, si jolie, où il avait fait de si beaux rêves.

Sa pensée, à ce moment, fut toute pour Myrtille. Mais la jeune fille était en sûreté dans le village de Montmartre, sous la garde et la protection de la mère du jeune homme. Ce fut donc sans inquiétude et seulement avec de l'amour qu'il reporta vers elle sa pensée.

Le jour, à ce moment, commençait à poindre.

Buridan ne connaissait bien de ce logis que cette pièce où il se trouvait et où si souvent Gillonne l'avait introduit. Mais aux lueurs de l'aube, Bigorne, sans perdre de temps, avait commencé à explorer la maison. Non seulement elle était complètement inhabitée, mais encore il était évident que nul n'y était venu depuis longtemps.

Bigorne monta jusqu'en haut et força la dernière porte à laquelle il aboutit.

Elle ouvrait sur un grenier.

Le grenier avait deux ouvertures : une lucarne sur la route et une autre sur le jardin de derrière. C'était un admirable poste d'observation et Bigorne, d'autorité, décida qu'on s'installerait dans ce grenier, où, en cas d'alerte, on pouvait, au besoin, se défendre et soutenir un siège. Il descendit donc dans les chambres du premier, retira quatre matelas des lits qu'il y trouva, les monta et les disposa dans le grenier.

Puis il monta des sièges, puis enfin une petite table, et le grenier se trouva ainsi transformé en une pièce habitable.

Quant à Buridan, il avait tiré de dessous son vêtement les papiers que Tristan lui avait remis et les lisait avidement.

Il songeait à cette tentative qu'il allait faire pour sauver le père de Myrtille.

Il songeait à ce rendez-vous qu'il avait donné à la reine et se demandait :

« Viendra-t-elle ?… Si elle vient, armé de ces parchemins, je puis tout sur elle, et le sire de Marigny est sauvé. Mais viendra-t-elle ? »

Le jour s'était tout à fait levé.

À ce moment, Guillaume et Riquet revenaient de leur exploration. Bigorne, de son côté, apparaissait en disant :

« J'ai préparé un superbe logement pour nous quatre : des matelas dans le grenier.

– Bah ! fit Guillaume, pourquoi coucher sur des matelas, alors qu'il y a des lits ? »

Bigorne haussa les épaules et s'apprêtait à démontrer la nécessité de s'installer dans le grenier refuge et poste d'observation, lorsque Riquet poussa un cri.

Il venait d'ouvrir un bahut et d'y découvrir un grand pâté, du pain et quelques flacons, enfin des provisions qui, de toute évidence, étaient là depuis peu de temps, depuis quelques heures à peine.

« Ah ! ah ! fit Guillaume, les yeux écarquillés.

– Oui ! dit Buridan, mais cela prouve que de temps à autre il vient ici quelqu'un. Nous devons donc nous tenir sur nos gardes. Au grenier, au grenier !

– Soit ! fit Riquet, mais non sans emporter ces provisions. Nous sommes tout au moins assurés de ne pas mourir aujourd'hui. »

Quelques instants plus tard, les quatre compagnons étaient installés dans le grenier, et la marche leur ayant aiguisé l'appétit, les provisions que Bigorne traita de miraculeuses ne tardèrent pas à disparaître. Puis, comme ils venaient de passer une nuit blanche, comme le soir de cette journée leur ménageait sans doute des fatigues, ils s'étendirent chacun sur un matelas et s'endormirent.

Ces provisions que Riquet venait de trouver dans le bahut n'étaient nullement miraculeuses.

Quelqu'un venait à la Courtille-aux-Roses. Et qui était ce quelqu'un, nos lecteurs le sauront bientôt.

Vers le soir, les quatre compagnons se réveillèrent l'un après l'autre, bien reposés, bien dispos.

L'heure du départ arriva enfin.

Il fut convenu, malgré toutes les objections qu'on pût faire à ce plan émis par Buridan, il fut entendu, disons-nous, que Buridan pénétrerait seul dans la Tour de Nesle.

Guillaume, Riquet et Bigorne devaient attendre au-dehors, sur les bords du fleuve, et n'intervenir qu'en cas d'appel.

On se mit en route par une nuit noire. On franchit la Seine. On aborda au pied de la Tour de Nesle. Buridan entra. Bourrasque, Riquet et Lancelot s'étaient dissimulés dans un renfoncement.

Bientôt, du haut de la plate-forme, un signe convenu leur annonça que tout allait bien et que Buridan n'avait trouvé personne dans la tour.

Les trois compères se mirent donc à surveiller le fleuve.

« Si elle vient seule, dit Bigorne, tout va bien.

– Elle ne viendra pas », grogna Guillaume.

Leur attention était donc tout entière concentrée sur le fleuve, et près d'une heure passa ainsi. À ce moment, une dizaine d'hommes à pied et marchant sans bruit débouchaient du pont, longeaient l'hôtel de Nesle et venaient se ranger dans une profonde encoignure qui était invisible pour les trois compagnons postés au bord du fleuve, non seulement à cause de la nuit profonde, mais aussi parce que la tour était placée entre eux et cette encoignure.

L'un de ces hommes se plaça un peu en avant des autres, qui demeurèrent cachés.

Celui qui s'était mis en avant, c'était le roi.

Lui aussi regardait et guettait. Son cœur palpitait. Ses yeux ardents demeuraient fixés sur le point où il entrevoyait vaguement la porte de la tour. Lui aussi se demandait :

« Viendra-t-elle ? »

Et lui aussi, peut-être, en se posant cette question, songeait à la reine !…

« La voici ! » murmura tout à coup Bigorne.

Ils ne voyaient rien encore, mais ils entendaient le bruit des rames plongeant dans l'eau. Bientôt la barque leur apparut comme un mystérieux oiseau de nuit rasant les eaux ; le silence était profond ; les trois hommes éprouvèrent une impression de crainte indéfinissable…

La barque toucha au sable.

Marguerite sauta… Un instant plus tard, elle entrait dans la tour.

À ce moment, un homme sauta à son tour de la barque et se mit à marcher vivement.

« Stragildo ! murmura Bigorne à l'oreille de Bourrasque. Restez là. Je vais surveiller ce sacripant… »

Et Bigorne se glissa à la suite de Stragildo.

Il le vit s'approcher de l'encoignure. Et lui-même, glissant, souple et léger, s'approcha assez près pour entendre Stragildo prononcer ces mots :

« Maintenant, Sire, vous pouvez entrer à la Tour de Nesle !… »

« Le roi ! pensa Bigorne en frémissant. Il a prévenu le roi !… Oh ! le misérable ! »

Un instant plus tard, une ombre passa près de Bigorne. C'était Louis.

Le roi avait donné l'ordre à ses hommes de l'attendre et seul il pénétrait dans la Tour.

Stragildo avait disparu dans la direction du pont.

« Bon ! songea Bigorne. Le roi est seul. Buridan est de taille à lui tenir tête. Et puis, il y a Bourrasque et Haudryot. Tâchons de rejoindre ce scélérat. Il faut que d'un seul coup il paie tous ses crimes. »

Et à son tour, passant près de l'encoignure sans y voir les gens du roi, il se prit à courir vers le pont...

Marguerite de Bourgogne était montée lentement, comprimant d'une main son sein violemment soulevé par l'émotion. La passion la transportait. Elle avait cette conviction indéracinable que Buridan l'attendait pour se jeter à ses pieds... Elle frissonnait et avec la rapidité de l'imagination elle se voyait présentant Buridan à la cour, après avoir persuadé à Louis que le capitaine Buridan, redoutable chef de rebelles, pouvait et devait devenir le plus ferme soutien de son trône...

Comme elle songeait ainsi, échafaudant des rêves impossibles, elle entra et vit Buridan qui, profondément, s'inclinait devant elle.

Une seconde, Marguerite s'arrêta.

Puis un soupir gonfla son sein, elle repoussa légèrement la porte derrière elle et s'avança. Elle s'arrêta à un pas de Buridan qui, s'étant redressé, la regardait fixement avec une sorte de tristesse.

« Eh bien, Buridan, dit-elle d'une voix basse qui tremblait légèrement, mais qui était douce comme la plus douce des mélodies, tu peux maintenant mesurer ta puissance, le magique pouvoir que tu exerces sur Marguerite. Toi, qui m'as bafouée, insultée, toi qui as croisé le fer contre le roi, toi rebelle, condamné à mort, la tête mise à prix, toi !... oui, il a suffi que tu écrives à la reine que tu l'attendais, et la reine est venue... La reine ?... Non, Buridan !... Marguerite ! La femme qui a pu te dire ce qu'elle t'a dit ici un soir, et qui est prête à le répéter... Et toi, Buridan, qu'as-tu à me dire ?... Tu te tais ?... »

Oui, Buridan se taisait, déconcerté, affolé presque par cette attitude de la reine. Il était venu pour se battre et vaincre.

« Madame, dit-il enfin avec effort, c'est sans doute un grand malheur dans ma vie que la reine ait pu concevoir les pensées que, pour la deuxième fois, elle m'exprime. Il est vrai que je vous ai écrit sur un ton qui pouvait laisser supposer que, revenu à d'autres idées, j'acceptais enfin les éblouissantes propositions dont vous m'avez honoré. C'était un subterfuge, madame, indigne de moi. Mais il s'agissait de la vie d'un homme, et pour sauver cet homme, j'étais décidé à tout… »

Un sourire amer crispa les lèvres de Marguerite.

Dévorant sa rage, elle demanda :

« Et que puis-je donc pour cet homme auquel vous vous intéressez ?

– Un condamné, madame, ou plutôt un accusé ! Vous pouvez obtenir sa grâce du roi. Il suffira que votre générosité fasse appel à la justice de votre royal époux, et cet homme sera sauvé.

– Qui est cet homme ? demanda Marguerite.

– Le père de Myrtille, répondit simplement Buridan.

– Enguerrand de Marigny ! Quoi, c'est pour me demander la grâce de Marigny que vous avez voulu me voir ! Quoi ! c'est vous qui voulez sauver Marigny, qui vous a poursuivi de sa haine, que vous avez insulté, frappé ! Voilà du nouveau ! Buridan travaillant au salut de Marigny ! »

Quelque chose comme un soupir d'atroce amertume et de désespoir se fit entendre à quelques pas des acteurs qui jouaient cette scène terrible.

Mais ni Buridan ni Marguerite ne recueillirent le faible bruit de ce gémissement.

« Misérable ! éclata la reine livide. Ah ! le misérable, qui me reproche ma première faute et s'en fait une arme contre moi ! Je ne sais comment tu me tueras, démon, mais je prévois que je mourrai par toi ! Déjà, mes pressentiments me le disent !… Je suis la mère de Myrtille ? Eh bien, oui, j'ai aimé Marigny ! Eh bien, oui. Mais cette fille, je la déteste et c'est mon droit ! Est-ce que je la connais, moi ?…

– C'est affreux, ce que vous dites là, murmura Buridan, qui recula. Je vous en supplie, reprenez vos esprits…

– Je ne la connais pas, te dis-je ! Elle est ma rivale, voilà tout ! Rivale heureuse, mais que je saurai atteindre, n'en doute pas !... Tu as tort, Buridan, de me rappeler qu'Enguerrand de Marigny est le père de ma fille. Car cela seul suffirait à me forcer de le haïr, de demander au roi, non pas sa grâce, mais sa mort plus prompte ! Et c'est ce que je vais faire. Adieu, Buridan ! Cette fois, pour toujours, adieu... jusqu'à ce que je te tienne en mon pouvoir et que je te fasse expier d'un coup tes dédains et tes insultes ! »

Buridan se redressa. Il saisit la reine par le poignet, se pencha sur elle.

« Vous m'y forcez ! dit-il d'une voix sourde. Vous me forcez à menacer alors que je voulais prier, supplier. Oh ! vous êtes bien la mère sans cœur, l'amante sans amour, la femme capable de tous les crimes et de toutes les trahisons, qui est dépeinte dans ces parchemins que voici !... »

En même temps, il tira de son vêtement le rouleau de parchemins que lui avait remis Tristan.

« Ces papiers ?... » bégaya Marguerite, qui se sentit mordue au cœur par l'épouvante.

Buridan lâcha la reine.

Son attitude prit on ne sait quelle solennité.

Sa voix devint grave, lente et triste.

« Ces papiers, madame, racontent l'histoire de mon enfance. Ils disent comment, par un caprice de jalousie, vous avez poignardé ma mère et comment vous avez voulu me faire jeter moi-même dans la Saône par Lancelot Bigorne. Ces papiers, madame, ont été écrits par ma mère elle-même, alors que désespérée, le cœur ulcéré de vengeance, elle s'était faite votre confidente et la servante de vos orgies pour arriver à se venger de vous...

– Mabel ! prononça Marguerite dans un souffle.

– Anne de Dramans, madame !... Toute l'histoire de la Tour de Nesle est là ! Et si cette histoire parvient à la postérité, ce qui est raconté là est si terrible qu'on refusera de le croire ! Et qui voudrait croire que Marguerite de Bourgogne, faisant métier de ribaude, attirait en cette tour ses amants d'une nuit, qu'au matin elle faisait jeter à la Seine cousus dans un sac !... Mais je le crois, moi qui ai vu !... Moi qui ai sauvé Philippe et Gautier d'Aulnay attirés ici par vous, jetés à la Seine par le hideux Stragildo, je crois, moi ! D'autres pourront croire, madame !...

– D'autres ?... bégaya la reine, ivre de terreur.

– Le roi, par exemple. Car cette histoire a été écrite pour lui et chacun des récits qu'elle contient est accompagné de preuves ! Le roi pourra retrouver la trace et la preuve de chacune de vos orgies, de chacun de vos meurtres... Un mot, madame, un seul ! Si, dans deux jours, Enguerrand de Marigny n'est pas libre, je vous jure, sur mon âme, que je me rends au Louvre et que moi-même je remets ces parchemins au roi !... »

Marguerite couvrit son visage de ses mains crispées.

« Malheureuse ! oh ! malheureuse ! »

Dans le même instant, Buridan laissa échapper une sorte de cri de détresse.

La reine se découvrit le visage et le regarda.

Elle le vit pâle, pétrifié, les yeux fixes sur quelque chose qui devait être sans doute formidable.

Et elle vit le roi !...

Louis venait d'entrer.

Son regard était infiniment triste, son teint était plombé, il souffrait atrocement.

Il marcha sur Buridan à petits pas vacillants, sans regarder la reine.

Et, comme il passait près d'elle, il fit un détour pour ne pas la frôler. Il marchait les yeux hagards, le bras allongé, la main agitée d'un tremblement convulsif, désignant le rouleau de parchemins.

Il voulait parler.

Il faisait un incroyable effort pour parler et ne parvenait à proférer que quelques sons rauques.

Au moment où il atteignit Buridan, au moment où il touchait les papiers, il tomba tout à coup sur les genoux, puis s'abattit sur le flanc, comme foudroyé.

Buridan était demeuré immobile, frappé d'horreur.

D'un geste machinal, il remit dans son vêtement le rouleau de parchemins puis, son regard se reportant sur la reine pétrifiée, il murmura :

« Fatalité !... »

La reine était effrayante à voir. C'était une morte demeurée debout par quelque phénomène d'équilibre nerveux. Rien ne bougeait en elle. Sur son visage de cire, pas un frisson. Seulement ses yeux agrandis vivaient...

Ils vivaient de la terreur et de l'horreur...

Buridan ramena son regard sur le roi et un frisson de pitié l'agita.

À ce moment, cette effrayante statue qu'était la reine commença à s'animer. Son visage crispé se détendit. Marguerite recula lentement... elle recula jusqu'à la porte...

Cette porte, elle la franchit.

Et elle commença à descendre l'escalier.

Un vague espoir la maintenait debout. Si le roi était mort !... Mort foudroyé par ces révélations qu'il avait surprises !... Elle pouvait vivre alors, vivre aussi puissante, plus heureuse, débarrassée du souci de dissimuler !

Marguerite descendait l'escalier en se disant ces choses. Ses dents claquaient. D'instant en instant, un frisson la secouait tout entière. Elle eût voulu courir, se hâter, et il lui semblait que ses jambes étaient de plomb. Une force terrible l'arrêtait à chaque marche. Elle portait sur les épaules le poids énorme de la catastrophe inouïe sous laquelle il fallait succomber, si le roi ne mourait pas !

Le roi était-il mort ?...

Buridan s'était agenouillé près de lui et avait posé la main sur son cœur.

Le cœur battait !

Faiblement, mais il battait !

« Pauvre roi, murmura Buridan qui ne put retenir quelques larmes. Pauvre jeune homme ! Dieu m'est témoin que cette menace faite à Marguerite, je n'eusse pu l'exécuter. Dieu m'est témoin que, si j'avais su le roi posté ici, je n'eusse pas parlé. Le mal est fait. Le roi sait tout. Il en mourra peut-être… L'aventure est affreuse… non pour Marguerite qui mérite la mort mais pour ce malheureux sire. »

Il se releva et chercha autour de lui s'il trouverait de l'eau.

Il en trouva dans une grande aiguière et se mit à humecter le front du roi qui bientôt poussa un soupir et bientôt ouvrit les yeux.

Buridan, agenouillé près de lui, doucement, mouillait ses tempes.

Le roi leva ses yeux désespérés vers ce jeune homme qui le soignait en pleurant :

« Courage, Sire, courage ! murmura Buridan. Je vous ai fait un mal atroce en parlant comme je l'ai fait, je le sais ! J'en suis désespéré, Sire ! Je donnerais dix ans de ma propre vie pour que vous n'ayez pas assisté à cette horrible conversation que j'ai eue avec… avec celle… que vous aimez… Allons, courage, mon cher Sire ! Cette femme, voyez-vous, n'était pas digne de vous. Jeune, beau, noble comme vous êtes, quelque belle et sage princesse vous consolera… À défaut, l'affection de tant d'hommes qui sont vos sujets… votre peuple, Sire !… Songez moins à celle qui sort d'ici et un peu plus à votre peuple… L'amour, l'amour, Sire, ce n'est pas tout dans la vie d'un homme. Et lorsque cet homme est un puissant roi, comme vous, peut-être a-t-il le devoir d'oublier ses souffrances pour songer à celles des autres. L'amour, Sire ! Nous en souffrons tous… Mais comment un fier chevalier comme vous, qui mérite d'être aimé par les plus belles, ne trouverait-il pas une consolation dans le monde ?… »

Le roi soupirait. Les sanglots s'amassaient dans sa poitrine, il s'abandonnait aux soins de Buridan. Il le regardait avec un étonnement qui déjà peut-être était un commencement de consolation.

Brusquement ses larmes jaillirent.

Ses sanglots éclatèrent, déchirants, terribles à entendre et Buridan murmura :

« Il pleure… Il est sauvé !… »

À ce moment, sept ou huit hommes entrèrent précipitamment.

« Arrêtez le rebelle qui ose porter les mains sur le roi ! » cria Hugues de Trencavel.

En un instant, Buridan fut entouré, saisi, poussé vers l'escalier…

Pendant ce temps, le capitaine des gardes relevait le roi et le faisait asseoir sur un fauteuil.

Le premier mot de Louis fut :

« Marguerite ?…

– Arrêtée, Sire selon vos ordres. Conduite au Louvre où on l'enfermera dans sa chambre pour y être gardée à vue. »

Le roi hocha la tête en signe que c'était bien.

Puis il retomba dans une sorte de stupeur morbide. Cet homme qui menaçait de tout démolir pour la moindre contrariété, qui avait des accès de fureur folle pour des riens, cet homme demeurait faible comme un enfant devant le malheur qui le frappait.

Il n'y avait plus de colère en lui, mais une infinie tristesse.

Lorsque Louis revint à lui, il demanda à Trencavel :

« Ce jeune homme ?…

– Buridan, Sire ?

– Oui. Qu'est-il devenu ?… Je veux qu'on le conduise au Temple… ou plutôt, non… qu'on me l'amène tout à l'heure au Louvre… mais qu'on ait bien soin de ne lui faire subir aucun mauvais traitement. Je veux lui parler. Allez… Trencavel… »

Le capitaine se précipita pour exécuter les ordres du roi.

XXVIII

SPLENDEUR ET MISÈRE DE BIGORNE

Buridan, tout étourdi par la soudaine irruption des hommes de Trencavel, s'était laissé emmener sans résistance. D'ailleurs l'événement terrible qui venait de se passer paralysa pendant quelques minutes son énergie et sa volonté.

Mais, lorsqu'on fut presque au bas de la Tour, il regarda rapidement autour de lui et vit que six hommes seulement l'entouraient.

Le reste de la troupe avait été placé autour de la reine par Hugues de Trencavel.

« Bon ! se dit Buridan. Ils sont six. Nous sommes quatre, ou du moins, dans un instant, nous allons être quatre. Les chances sont égales. »

« Où me conduisez-vous, messieurs ?

– Au Temple, répondit l'un des gardes.

– Très bien ! Autant cette prison-là qu'une autre ! » fit gaiement Buridan.

Tous ensemble ils sortirent de la Tour, Buridan au milieu des gardes. À ce moment, il tira son poignard et, d'un geste foudroyant, en frappa l'archer qui se trouvait à sa droite. En même temps, il cria :

« À moi, Lancelot ! À moi ! Guillaume et Riquet…

– On y va ! répondit la voix de basse-taille de Bourrasque.

– Nous voici ! glapit Riquet. À nous ! À nous, compagnons ! Sus ! Sus au guet qui entraîne notre capitaine !… »

Et il est de fait que Bourrasque et Haudryot faisaient à eux deux un tel tintamarre qu'on pouvait croire à la présence de toute une compagnie de truands.

Les gardes de Buridan reculèrent en désordre, croyant à cette présence, et hurlant :

« Holà ! messire de Trencavel, à nous ! rébellion, rébellion ! »

Il y eut un choc. Dans la nuit, il était impossible de distinguer si les assaillants n'étaient pas en nombre. Dans le même instant, Buridan frappa un deuxième garde… un troisième tomba sous les coups de Bourrasque, et les gens du roi, se ruant dans l'intérieur de la tour, se barricadèrent.

Seulement, Buridan n'était plus parmi eux.

« En route », fit-il rapidement.

Tous les trois s'élancèrent vers la barque qui avait amené Marguerite de Bourgogne. En quelques instants, la barque vigoureusement poussée, commença à fendre les eaux du fleuve.

« Où est Bigorne ? demanda Buridan.

– Il nous rejoindra toujours à la Courtille-aux-Roses : il court après Stragildo.

– Stragildo ? fit Buridan qui tressaillit.

– Oui, dit Guillaume. C'est lui qui a prévenu le roi.

– Misérable ! gronda Buridan, s'il me tombe sous la main, son affaire sera réglée cette fois.

– Tu juges de nos transes, maître bachelier, reprit Riquet. Nous avons vu entrer le roi, puis une douzaine de mauvais bougres tout armés. Nous ne savions pas s'il fallait entrer ou attendre ! Entrer, c'était peut-être précipiter ton arrestation. Attendre, c'était peut-être te laisser tuer. Enfin, nous étions comme l'âne dont tu nous as parlé, excepté qu'il ne s'agissait ni de boire ni de manger, et nous allions tout de même entrer dans la tour lorsque tu es sorti escorté par les gardes comme un roi.

– Oui, reprit à son tour Guillaume. Nous étions comme ton âne, Buridan. Mais, comme dit Riquet, il ne s'agissait ni de boire ni de manger. J'ai faim, moi !

– J'ai soif », ajouta Riquet.

Buridan ne disait rien, en proie à un trouble inexprimable.

Quoi qu'il advînt de cette aventure, le père de Myrtille était perdu sans ressources. D'autre part, il songeait à Philippe et à Gautier et se rongeait les poings à se sentir aussi impuissant. Lorsqu'ils eurent abordé la rive droite, il prit lentement le chemin de la Courtille-aux-Roses, absorbé dans ses pensées.

Pendant que ces événements divers se passaient de la Tour de Nesle à la Courtille-aux-Roses, Lancelot Bigorne, comme on l'a vu, s'était jeté à la poursuite de Stragildo.

Lancelot Bigorne, ayant marché assez vite pour apercevoir Stragildo qui parlementait avec un garde à la lueur d'un falot, et l'avait très bien vu s'engager entre la double rangée des maisons du pont, redescendit sur la berge, choisit tranquillement une embarcation, brisa à coups de pavés le cadenas de la chaîne et passa le fleuve. Nous devons dire à sa décharge que, parvenu sur l'autre rive et bien qu'il fût fort pressé, il eût soin d'attacher l'esquif de façon que son propriétaire pût le retrouver le lendemain matin.

Puis il s'élança vers la rue Froidmantel, ne doutant nullement que Stragildo ne fût revenu à l'enclos aux lions et décidé à y pénétrer pour étrangler le gardien des fauves.

« Entrer, c'est bien. Et, saint Barnabé aidant, j'en trouverai le moyen. Mais ils sont là-dedans une quinzaine de valets obéissant à Stragildo aussi aveuglément qu'il obéit ou plutôt qu'il obéissait à la reine. Il faut donc que je puisse me trouver seul avec mon homme. Il faut donc que je me fasse un plan. Trouvons un plan… »

Et Bigorne, qui avait quelques heures devant lui, se mit à chercher un plan qui eût sans doute été une fort belle combinaison, mais il en était à peine à en tracer les premières lignes, que la porte de l'enclos s'ouvrit.

Un homme parut, qui portait une lanterne.

À la lueur de cette lanterne, Bigorne put voir que l'homme était vêtu comme un paysan des environs de Paris. Mais aussitôt il tressaillit.

Le paysan, c'était Stragildo !

« Je m'étais trompé, se dit Bigorne, ce n'est pas demain qu'il fuira, c'est tout de suite. Reste à savoir s'il s'en va avec une escorte. Mais que fait-il ?… Ah ! Ah ! Il va monter à cheval !… Diable !… »

Stragildo venait d'ouvrir entièrement un battant de la porte et de faire sortir, en effet, un cheval qui était sellé et bridé. De chaque côté de la selle étaient disposés deux sacs de moyenne taille.

Stragildo referma la porte.

Alors il éteignit la lanterne, et Bigorne, tirant son poignard s'apprêta à se ruer sur lui.

Mais il s'arrêta tout à coup.

« Tiens, tiens, pensa-t-il, il s'en va à pied, tirant le cheval par la bride. Bon ! Cela me permettra de l'occire un peu plus loin de la valetaille qui pourrait accourir au bruit de la lutte, si lutte il y a. »

Stragildo s'était mis en marche, un poignard au poing, tournant le dos au Louvre et se dirigeant vers la Halle et la friperie. Bigorne suivait à distance et ruminait en réprimant des tressaillements :

« Que peut-il y avoir dans ses outres ?… Hum !… Des légumes. Oui, puisque Stragildo est devenu un honnête manant. Mais ces légumes doivent avoir, lorsqu'on les choque, un son qui doit ressembler à celui de l'argent, ou je ne connais plus Stragildo !… Et si pourtant ce n'était pas de l'argent ?… Stragildo fuit ! Stragildo doit avoir quelque part un trésor. Non, il n'y a pas d'argent dans ces sacs, Stragildo les a pris pour aller les remplir… Il ne faut pas que je le tue tout de suite ! »

En même temps, Bigorne bondit en avant.

Stragildo entendit le bruit et se retourna en grondant :

« Qui va là ? »

Dans le même instant, il reçut sur le crâne un formidable coup de poing qui le fit chanceler. Stragildo leva son poignard en poussant un rugissement. Mais, presque aussitôt, il tomba sur les genoux. Le coup qu'il avait reçu l'avait à demi assommé. Le misérable, râlant, la rage et l'épouvante au cœur, ses yeux hagards cherchant dans l'ombre à quels ennemis il avait affaire, fit un suprême effort pour se relever. Un deuxième coup sur la tête l'étendit évanoui sur la chaussée.

Bigorne, sans perdre de temps, souleva Stragildo dans ses bras et parvint à le placer sur la selle entre les sacs ; il l'y cala, l'y attacha au moyen de sa ceinture de cuir, jeta sur lui son manteau et, saisissant la bride du cheval, se mit en route vers la Courtille-aux-Roses.

Il y arriva enfin, pénétra dans l'enclos, détacha Stragildo et l'étendit sur le sol.

« L'aurais-je tué ? pensa-t-il. Diable, comment savoir alors où est son trésor ? »

« Ohé, Guillaume ! Ohé, Riquet !… »

À la voix de Bigorne, les deux compères descendirent précipitamment.

« Oh ! grogna Guillaume, mais tu veux donc attirer le guet par ici, avec tes hurlements ?

– Tiens, c'est vrai ! fit Bigorne. Je n'y pensais plus. Mais c'est qu'aussi j'ai fait une bonne prise, qui va, je pense, dérider maître Buridan… »

Buridan, appelé, descendit avec le flambeau. Tout de suite, il vit Stragildo étendu sur le parquet et son regard flamboya.

« Mort ? demanda-t-il.

– Non, il râle, fit Bigorne. Il en reviendra.

– Tant mieux ! dit Buridan d'une voix sombre. Le misérable mérite une autre fin. Il eût été dommage qu'il mourût simplement d'un coup de poignard.

– Coup de poing, rectifia Bigorne. Mais où allons-nous le mettre ?…

– Je sais qu'il y a deux caveaux à ce logis. Les clefs doivent être là, quelque part.

– Les voici ! fit Bigorne qui furetait partout et décrochait un trousseau de clés accroché à un clou par son anneau.

– Bon. Qu'on le descende dans l'un des caveaux, fit Buridan. Qu'on mette près de lui un pain et une cruche d'eau. Nous verrons ensuite ce que nous ferons de lui. »

Guillaume, Riquet et Bigorne soulevèrent Stragildo, et Buridan, frôlé, s'écarta en frissonnant comme au contact d'un reptile. Une furieuse colère grondait en lui et il tourmentait le manche de son poignard. Mais déjà les trois hommes, emportant le quatrième, avaient disparu.

Lorsqu'ils remontèrent. Bigorne raconta son expédition.

« Bonne prise, mort Dieu ! fit Buridan avec un rire terrible qui n'annonçait rien de bon pour Stragildo. Pourquoi Philippe et Gautier ne sont-ils pas là pour… ? »

Il s'arrêta tout à coup comme frappé d'une idée soudaine.

Et peut-être cette idée avait-elle quelque chose d'effrayant car il pâlit un peu et, allant s'asseoir à l'écart, se plongea dans une méditation d'où il fut tiré quelques minutes plus tard par des exclamations, des hi han ! féroces et des chants de jubilation extraordinaires.

Il regarda autour de lui et vit que Guillaume, Riquet et Bigorne avaient disparu.

« Que se passe-t-il donc ? » murmura-t-il en se dirigeant vers la porte.

À ce moment, Bigorne apparut, la bouche fendue jusqu'aux oreilles, le visage bouleversé d'émotion et de joie délirante. Il portait deux sacs dans ses bras. Guillaume et Riquet qui venaient derrière lui, en portaient chacun un.

Les sacs furent déposés sur une table.

Les trois compères y plongeaient leurs mains, ils riaient, ils se racontaient des facéties terribles, ils étaient fous de joie.

Buridan comprit tout.

Ces sacs contenaient le trésor de Stragildo.

Il s'approcha de la table, les sourcils froncés, les lèvres serrées, il était pâle.

« Riches ! Riches à jamais ! hurlait Bigorne.

– De l'or pour jusqu'à la fin de nos jours », ajoutaient Guillaume et Riquet.

Buridan prit une des pièces d'or et parut l'examiner.

Puis il la laissa retomber dans le sac d'un geste de dégoût, et, d'une voix sourde, prononça :

« Il y a du sang sur cet or !... »

Bigorne, Bourrasque et Haudryot s'arrêtèrent instantanément de crier et de rire ; ils se regardèrent d'un air étrange.

« Du sang ! continua Buridan. Le sang de tant de malheureuses victimes attirées à la Tour de Nesle et assassinées par Stragildo. Ceci, c'est le paiement des meurtres ! Ceci a payé le sang de Philippe et de Gautier... »

Les trois compères eurent un même mouvement de recul instinctif et, tout pâles, frissonnèrent.

« Ceci, continua Buridan, c'est l'or d'un homme que nous allons tuer ! Si nous prenons cet or, nous ne sommes plus des juges, des hommes venant au nom de la justice humaine, mais des bourreaux que l'on solde. »

« Moi je ne puis même pas tolérer de demeurer dans le logis où se trouve l'or taché de sang. Et vous ?…

– Fais ce que tu voudras, dit Guillaume, d'une voix rauque.

– Fais ce que tu voudras, répéta Riquet, en essuyant la sueur qui coulait de son front.

– Maître, dit Bigorne, faites ce que vous voudrez ! »

Sacrifice sublime ! Car, selon les idées du temps, Buridan était un fou de ne pas prendre simplement ce trésor. Et de tout temps d'ailleurs on a dit que l'or n'a pas d'odeur. Ou, si on ne l'a pas dit, on l'a pensé.

Guillaume, Riquet et Lancelot, en abandonnant ce trésor sans comprendre peut-être les répugnances de Buridan, lui donnaient donc une preuve extraordinaire de leur amitié.

Les quatre sacs furent replacés sur le cheval par Bigorne qui, chose remarquable, s'abstint de maugréer.

« Mes bons compagnons, dit alors Buridan, je pars. Je pars seul. Je serai absent un jour, ou peut-être deux jours. De l'or ? je vous en apporterai, moi. Pendant mon absence, ne bougez pas d'ici et veillez sur notre prisonnier. »

Quelques minutes plus tard, Buridan, monté sur le cheval de Stragildo, s'éloignait de la Courtille-aux-Roses.

Buridan, monté sur le cheval de Stragildo, s'était rendu tout droit à la Cour des Miracles. Les postes, inutiles désormais, avaient été retirés, les passages étaient libres.

Parvenu dans la cour où il demeura à cheval, Buridan fit appeler le duc d'Égypte par un boiteux qui veillait au coin de la rue et lui demandait ce qu'il voulait. Sans doute le boiteux reconnut Buridan, car, quelques minutes plus tard, le duc d'Égypte apparut, escorté de quelques hommes dont quelques-uns portaient des torches.

Buridan détacha le premier sac et le laissa tomber à terre.

Puis le deuxième, le troisième et le quatrième.

Les sacs, en tombant, rendaient un son d'or. Les truands ouvraient des yeux terribles. Le duc d'Égypte demeurait calme. Alors Buridan prononça :

« Je t'ai promis que, si je devenais riche, je t'apporterais, pour toi et tes compagnons, la moitié de ma fortune. Je tiendrai parole plus tard, car ceci n'est pas ma fortune. C'est de l'or que je ne puis garder. Et j'ai pensé qu'il te conviendrait de l'accepter afin de le répartir entre les veuves et les enfants de ceux qui sont morts pendant l'attaque des troupes royales. »

Le duc d'Égypte inclina la tête en signe d'assentiment et fit un geste.

En un clin d'œil, les quatre sacs disparurent, emportés.

Buridan eut un sourire, puis, saluant le duc d'Égypte, il s'éloigna au pas de son cheval et sortit de la Cour des Miracles.

XXIX

C'ÉTAIT ÉCRIT

Nous revenons dans le grenier de la Courtille-aux-Roses.

La nuit était venue ; l'ombre et le silence y régnaient souverainement au moment où nous prions le lecteur d'y pénétrer avec nous.

Ce grenier n'était point inhabité, cependant.

Trois êtres, trois fantômes, mornes et lugubres, l'occupaient en ce moment et gisaient, çà et là, en des poses variées, mais qui dénotaient un accablement intense et un détachement des choses d'ici-bas d'une profondeur insondable.

Ces trois fantômes étaient : Lancelot Bigorne, Guillaume Bourrasque et Riquet Haudryot, lesquels paraissaient plongés dans des réflexions profondes, il est vrai, mais dénuées de toute gaieté, à en juger par les soupirs lamentables et les grognements larmoyants qui s'échappaient de temps en temps de l'une ou l'autre poitrine des trois tristes compères.

« Lancelot, dit Bourrasque, qui commençait à connaître son compagnon, Lancelot, tu as une idée.

– Des idées, on en a toujours.

– Oui, mais j'entends une bonne idée.

– Ma foi, compère, je n'en sais encore rien. Mais ce que je sais, par exemple, c'est que j'ai faim…

– Et soif, ajouta Guillaume.

– Faim et soif, parfaitement, et que ce n'est pas en restant ici à gémir que je trouverai quelque chose à nous mettre sous la dent. En conséquence, je vais sortir à mon tour, ne serait-ce que pour voir si je serai plus heureux que mon maître Buridan.

– Bien déduit ! fit Riquet. Ce Lancelot aurait pu faire un logicien d'assez bonne force. Qu'en dis-tu, compère Guillaume ?

– Par les poils de la sainte barbe du Christ, je dis comme toi, compère Riquet. Mais il ne faudrait cependant pas oublier que nos têtes sont mises à prix.

– C'est vrai… Insigne honneur… dont nous nous serions bien passés.

– Cornes du diable ! messire Buridan, mon maître, s'est bien exposé en plein jour ; je puis bien, moi, Lancelot, son écuyer, me risquer la nuit !

– C'est juste !… car ainsi, tu ne manqueras en rien à la déférence qu'un bon serviteur doit à son maître. Va donc, Lancelot.

– Mais surtout, sois prudent !

– Fiez-vous à moi. Mais, vous autres, ne bougez pas d'ici, ne dormez que d'un œil et tenez-vous prêts au premier appel.

– Va, Lancelot, va ! et sois sans inquiétude, nous veillerons. »

Sur ces mots, Lancelot Bigorne se glissa doucement et à tâtons dans l'escalier, certain qu'il était que ses deux compagnons resteraient, comme ils l'avaient promis, l'œil et l'oreille aux aguets.

À vrai dire, Lancelot Bigorne n'avait aucun plan d'arrêté ; il allait tout simplement à l'aventure, se fiant à son instinct et à sa bonne étoile.

Il parvint au rez-de-chaussée et s'apprêtait à sortir lorsqu'il lui sembla voir une lueur du côté de la fenêtre donnant sur le jardin.

« Ouais ! se dit Lancelot, serait-ce un éclair ? Pourtant nous ne sommes point en saison où les orages sont communs. Serait-ce la faiblesse qui me donne des hallucinations ?… Mais non !… Par saint Barnabé, voici la même lueur ! Oh ! oh ! voyons qu'est ceci ! »

Sur ce monologue, au lieu de se diriger vers la porte qu'il s'apprêtait à franchir, il s'approcha de la fenêtre et se mit à observer le jardin. Or, voici ce qu'il vit :

Dans le jardin, avec d'infinies précautions, une ombre allait et venait.

Cette ombre paraissait se livrer à ce jeu bien connu qu'on appelle colin-maillard, car elle marchait à tâtons, les bras étendu en avant.

Seulement, la main placée au bout d'un de ces bras tenait une lanterne. Cette lanterne était recouverte d'un manteau et l'autre main soulevait, de temps en temps, un coin de ce manteau et éclairait ainsi, par intermittences, la route à suivre.

C'était en découvrant ainsi sa lanterne que cette ombre avait produit des lueurs qui trahirent sa présence aux yeux exercés et sans cesse en arrêt de Lancelot Bigorne.

Cependant, un jet de lumière, mal dirigé sans doute, vint éclairer l'ombre mystérieuse en plein visage et une exclamation faillit s'échapper des lèvres de Bigorne :

« Simon !… Simon Malingre !… Tête et tripes ! que vient faire ici ce fruit de potence ? »

Cependant Simon Malingre avait déposé à terre sa lanterne et, accroupi dans un coin du jardin, au pied d'un arbre, il creusait le sol avec une courte dague dont il paraissait s'être muni à cette intention et qu'il maniait avec une assurance et une agilité qui dénotait une certaine habitude.

Il s'était agenouillé et retirait avec ses mains la terre qu'il déposait méthodiquement au bord du trou, qui devenait plus profond.

Enfin ses doigts rencontrèrent un corps dur, un coffre, sans doute ce qu'il cherchait, car il eut un de ces minces et pâles sourires qui le rendaient plus hideux, et tandis que sa poitrine se soulevait en un vaste soupir de soulagement, il murmura sur un ton de jubilation profonde :

« Il est là ! »

Et soudain, ne pouvant plus maîtriser l'angoisse terrible qui l'étreignait, il s'écroula sur le coffret qu'il ouvrit avec une précipitation rageuse.

Alors, certain que son trésor était au complet, et à l'abri de toute visite indiscrète, il ferma le coffre joyeusement et remit proprement, méthodiquement, la terre dans son trou jusqu'à ce que le trou fût comblé : puis il piétina soigneusement la terre à cet endroit, et tranquille désormais, mais non sans force soupirs de regret, il s'éloigna.

Lancelot Bigorne le vit partir sans faire un geste ; il se contenta de murmurer ironiquement :

« Tu peux partir, ça m'est égal, je sais bien où te trouver à présent ! »

Puis il attendit un bon moment pour être bien sûr que Simon ne reviendrait pas sur ses pas, et, quand il jugea avoir suffisamment attendu, il sortit de sa cachette et se dirigea tranquillement vers l'endroit que venait de quitter Simon et non moins tranquillement, à son tour, il se mit à creuser la terre, ce qui fut vite fait, Simon lui ayant facilité la besogne.

Lorsqu'il eut déterré le coffre, Lancelot le mit sous son bras, non sans une grimace de satisfaction, et réintégra l'intérieur de la maison en disant :

« Décidément, c'était écrit ! Je suis né pour trouver des trésors !... »

XXX

GILLONNE PARLE

En quittant la Courtille-aux-Roses, Simon Malingre se dirigea tout droit vers le Temple, situé à côté, comme nous l'avons indiqué, dans l'intention de rejoindre son maître, le comte de Valois.

L'affreux petit homme débordait d'une joie délirante.

Il se frottait les mains frénétiquement et murmurait :

« Allons ! allons ! c'est dit… je suis encore plus riche que je ne pensais moi-même. Demain j'enlève mon or, j'enfourche un bon cheval, il n'en manque pas dans les écuries de mon maître, et… bonsoir, monseigneur ! débarbouillez-vous comme vous pourrez. »

Par des chemins détournés qui lui étaient familiers, il gagna les appartements du gouverneur et se disposait à entrer dans la chambre de son maître lorsque son propre nom prononcé par une voix connue vint l'arrêter net.

Il ouvrit sans bruit la porte, et, dans l'entrebâillement caché par une tenture qui pendait de l'autre côté, il écouta, retenant sa respiration, la sueur de l'angoisse au front.

Gillonne parlait à Valois de son air doucereux.

« Oui, monseigneur, Simon Malingre est indigne de vos bontés, c'est un traître qui mérite d'être pendu… que dis-je, d'être écartelé et brûlé à petit feu.

– Dis-moi ce que tu as à me dire, mais prends garde… n'essaie pas de mentir… sinon je te ferai arracher la langue et c'est toi que je ferai brûler à petit feu. Parle, maintenant. »

La féroce et vindicative mégère fit alors, en l'amplifiant à sa manière et en chargeant à outrance son ex-fiancé, le récit des événements à la suite desquels Myrtille put enfin être réunie à Buridan.

Simon Malingre, derrière sa porte, était atterré.

Machinalement poussé par l'instinct de la conservation, plus fort que par le raisonnement, il avait fermé doucement la porte et s'était retiré à pas de loup vers un étroit réduit où il savait que nul ne pénétrerait… nul que lui.

Là, se sentant momentanément en sûreté, il se laissa choir lourdement sur un escabeau, ses jambes se dérobant littéralement sous lui, et hébété, hagard, ruisselant de sueur, versant de grosses larmes qui se mêlaient aux gouttes de sueur, sans qu'il parût s'en apercevoir, il se prit la tête à deux mains, geignant sans cesse.

Peu à peu le calme lui revint. Il prit minutieusement toutes les dispositions nécessaires pour ne pas être surpris au cas invraisemblable où on serait venu le relancer jusque-là, s'arrangea dans un coin une sorte de couche et s'étendit voluptueusement en murmurant :

« Je tombe de fatigue… dormons… Nous verrons le reste demain… mais, ma douce Gillonne, tenez-vous bien, je ne suis pas encore écorché vif… Rira bien qui rira le dernier. »

XXXI

LE GÉNIE DE SIMON MALINGRE

Le lendemain dans la matinée, Simon, aussi calme, aussi tranquille que si rien ne l'eût menacé, pénétrait de lui-même dans la chambre du comte de Valois, avec la belle assurance de la plus parfaite innocence, et cette quiétude absolue que donne, dit-on, une conscience sans reproches.

« Victoire, monseigneur, victoire !… j'apporte une heureuse nouvelle ! »

Simon Malingre comprit parfaitement ce qui se passait dans l'esprit de Valois et jouant le tout pour le tout :

« Allons ! dit-il avec un soupir, le moment fatal et douloureux est venu… je vois que mon maître doute de moi… je dois tout dire. »

Sur ces mots, il se mit humblement à genoux et baissant la tête avec une contrition admirablement jouée :

« Monseigneur, j'implore votre pardon ! »

Le comte tressaillit violemment et se penchant vers lui, le dévorant du regard :

« Mon pardon ? dit-il. Et de quoi ?

– Monseigneur, larmoya Simon en s'écrasant sur le parquet, je vous ai trompé…

– Ah ! misérable traître ! hurla le comte qui bondit en envoyant rouler derrière lui le fauteuil sur lequel il était assis, tu avoues enfin ?…

– J'ai dit, monseigneur, que je vous avais trompé. Je n'ai pas dit que je vous avais trahi. »

Alors Simon Malingre, à son tour, et en arrangeant à sa manière, mais en prenant un par un tous les faits que la vieille Gillonne avait présentés à sa charge et en les retournant à son profit, fit le récit complet de la manière dont il avait livré Myrtille à Buridan.

Cette fois, le comte était parfaitement convaincu de l'innocence de Simon. Il saisit une bourse pleine de pièces d'or et la lui donna en disant :

« Tiens ! prends ceci... c'est pour te faire oublier ma brusquerie de tout à l'heure, ajouta-t-il en souriant... mais si tu réussis, c'est dix bourses pareilles que je te donnerai. »

Avec une dextérité qui dénotait une grande habitude, Simon fit prestement disparaître la bourse, non sans l'avoir préalablement soupesée, ce qui amena chez lui une grimace de satisfaction.

« Maintenant, monseigneur, je vais repartir tout de suite en campagne ; comme je vous l'ai expliqué, je dois agir seul ; cependant, j'aurais besoin d'un aide ; je vous prierai de m'accorder votre femme de charge, Gillonne. »

Le comte fit appeler Gillonne.

On doit juger de sa stupeur en apercevant Malingre dans la chambre du comte et paraissant être plus en faveur que jamais.

« Dame Gillonne, je vous confie à Malingre pour quelques jours... obéissez-lui en tout ce qu'il vous commandera comme vous m'obéiriez à moi-même et songez que, suivant votre conduite en cette affaire, j'oublierai ou je châtierai la faute que vous avez commise hier soir.

– Là, fit Malingre gravement, j'avais bien dit qu'elle avait dû mécontenter monseigneur. Vous ne serez donc jamais sérieuse, Gillonne ? Vous pouvez lui pardonner, monseigneur, car je vous réponds qu'elle obéira et marchera au doigt et à l'œil. N'est-ce pas, Gillonne ?

– Sans doute, répondit Gillonne, mon devoir est d'obéir à monseigneur... Quant à ma faute, je tâcherai de la réparer. »

Sur ces mots, Valois les congédia tous deux après avoir conféré un instant à voix basse avec Malingre, ce dont Gillonne se montra très inquiète.

XXXII

DEUX DÉMONS AUX PRISES

Lorsqu'ils furent installés tous deux dans le réduit qui lui avait été assigné au Temple, Gillonne fit signe à Malingre de s'asseoir et s'assit elle-même près d'une fenêtre donnant sur une cour intérieure et, prête à ameuter toutes les garnisons à la moindre velléité de violence, elle attendit que Malingre s'expliquât.

« C'est bien simple, dit Malingre, qui jouissait délicieusement de son trouble et de ses terreurs, monseigneur sait tout, je te l'ai dit ; me voyant perdu, j'ai songé tout d'abord à toi – tu vois, ingrate, s'il faut que je t'aime –, et j'ai pris mes dispositions pour te faire partager mon sort et, tu sais, de bonnes, de solides dispositions…

– Mais alors… il faut fuir… nous avons quarante-huit heures devant nous… nous avons le temps… Nous serons loin avant qu'on ait songé à se lancer à notre poursuite. »

Le petit œil sournois de Malingre eut une lueur sitôt éteinte.

« J'ai trouvé ! Voilà : nous allons abandonner les quelques nippes et hardes que nous possédons, tant ici qu'à l'hôtel, nous allons sortir d'ici les mains vides, chacun de notre côté. Toi, Gillonne, tu iras à l'hôtel et tu y prendras et emporteras tout l'or et les quelques bijoux que tu possèdes, et à sept heures, à sept, tu m'entends ?… tu viendras me retrouver à la Courtille-aux-Roses, où se trouve caché mon trésor à moi et où je t'attendrai dans la salle basse, au rez-de-chaussée.

– Là, que ferons-nous ? dit Gillonne, qui suivait attentivement ces explications, mais qui, néanmoins, n'avait pu réprimer un léger froncement de sourcils en entendant qu'elle devait emporter son or et ses bijoux.

– Donc, reprit Malingre, à la Courtille-aux-Roses nous ferons notre liquidation en honnêtes associés, et cette liquidation terminée, je te laisse à choisir entre : ou t'en venir avec moi en Flandre, où nous pourrons nous marier et vivre tranquilles, à l'abri de tout, grâce à nos deux fortunes réunies ; ou, une fois le partage fait, tirer chacun de son côté, et nous arranger chacun comme bon nous semblera. »

Gillonne paraissait réfléchir profondément et sans doute avait-elle trouvé quelque bon moyen d'échapper aux conditions imposées par Malingre, car elle répondit d'assez bonne grâce et en souriant :

« Je dis que ton plan m'agrée en tout point, que je ferai comme tu viens de l'indiquer et qu'à sept heures, je serai à la Courtille-aux-Roses avec toute ma fortune ; quant à ta proposition de nous unir… »

La mégère avait déjà ouvert la porte et se disposait à sortir, lorsque Simon la rappela.

« À propos, dit-il, j'ai oublié de te dire qu'à partir du moment où tu mettras les pieds dehors, deux hommes à moi, deux hommes sûrs, ne te quitteront pas plus que ton ombre.

– Ah ! » fit la vieille toute saisie.

Elle voulut protester de sa bonne foi et de son intention d'agir loyalement, mais les expirèrent dans sa gorge contractée ; elle ne put qu'ébaucher un geste de soumission et sortit enfin, raide, avec quelque chose de hagard au fond des yeux.

Malingre la suivit des yeux, puis resté seul, une flamme de triomphe dans ses petits yeux perçants, il se livra de nouveau à un accès de rire effrayant, bégayant dans ses hoquets :

« Ah ! ah ! ah ! comme je l'ai bien jouée… ah ! ah ! ah ! maintenant, je tiens la guenon dans mes filets… elle ne m'échappera pas. »

XXXIII

OÙ IL EST QUESTION D'UNE CASSETTE ET D'UN RIDEAU

Le soir même, à l'heure dite, Malingre dans la salle basse de la Courtille-aux-Roses, attendait Gillonne avec une impatience mélangée d'assurance et de doute.

« Oh ! elle viendra, murmura-t-il, elle viendra, j'en suis sûr… Elle sent qu'elle a besoin de moi pour fuir et puis je lui ai fait trop peur… elle ne peut pas ne pas venir. Hé ! mais, n'est-ce pas elle que j'aperçois là-bas ?… Oui, ma foi… Enfin !… Nous allons régler nos comptes !… »

En effet, c'était Gillonne qui arrivait, exacte au rendez-vous.

Elle était enveloppée dans une vaste mante noire et marchait lentement, avec précaution.

Malingre courut à sa rencontre et, derrière elle, poussa soigneusement les verrous intérieurs de la porte d'entrée.

« Tu vois, Simon, dit Gillonne, je suis exacte.

– Je savais que tu serais exacte, répondit Malingre en riant. Attends que je te décharge… ça doit être lourd à porter, une cassette pareille… surtout pour une femme faible comme toi, ma douce Gillonne.

– Non, non, je la porterai bien toute seule. »

Il n'insista pas et dit :

« Comme tu voudras, ma mignonne, c'était pour te rendre service. Mais ne restons pas dans ce jardin, entrons dans la maison, veux-tu ? »

Il s'était assis assez loin d'elle, en face, et soit hasard, soit préméditation, il était placé devant la porte, les deux mains sur le pommeau de son épée – car il s'était muni d'une arme – le menton appuyé sur les mains, la regardant en riant.

« Voyons donc cette jolie cassette…

– Voici !… Tu vas l'ouvrir… nous compterons ce qu'elle contient… bien que je sache à un denier près… nous ferons deux parts égales (Seigneur ! que je suis donc malade !) tu prendras…

(j'étouffe) et tu prendras… la moitié qui te revient (Vierge sainte !… je suis morte).

– Bah ! fit Malingre, vraiment ébahi de cette concession à laquelle il était loin de s'attendre. Tout de suite.

– Nous étions de bons amis, Simon… nous devions nous marier… ne t'en souviens-tu pas ?

– Oui, oui, en effet, tu m'aimais beaucoup ! C'est sans doute pour cela que… tiens, pas plus lard qu'hier soir, je t'ai entendue, quand tu me dénonçais à monseigneur… en sorte que, ce matin, si je n'avais su diriger ma barque, je serais à l'heure actuelle dans quelque cachot… et toi, occupée, sans doute, à retourner dans ce jardin pour découvrir mon trésor et t'en emparer.

– Saints anges du paradis ! il sait tout !… Je suis perdue ! »

Malingre, sa dague toujours au poing, s'était approché en chantonnant d'un rideau tendu devant l'embrasure d'une fenêtre et il avait tiré ce rideau.

« Regarde, Gillonne, si je suis homme de précaution. Vois-tu la belle corde neuve que je te destine… Eh ! eh ! eh ! elle m'a bien coûté trois sols, cette corde-là… et ce nœud coulant ? Le bourreau juré n'en fait pas de meilleur… Et cette poulie là-haut, au plafond, que j'ai plantée moi-même… crois-tu que c'est solide ?… et ce piton ici, là, près de la fenêtre, pour accrocher la corde, quand tu te balanceras au bout !… Oh ! je n'ai rien ménagé, va, et je n'ai pas regardé à la dépense.

– Grâce ! Simon, grâce !

– Marche ! » dit Simon.

Sous la piqûre, Gillonne poussa un hurlement, mais néanmoins ne bougea pas.

« Marche ! » répéta Malingre, en enfonçant plus profondément la pointe dans la gorge.

Alors, l'infortunée Gillonne se redressa d'un bond et, échevelée, hagarde, à moitié folle, se dirigea à reculons vers la corde, poussée par la pointe de la dague qui la piquait au visage, chaque fois qu'elle faisait mine de s'arrêter.

Et Malingre, maintenant, chantait à pleine voix une chanson macabre, dans laquelle il était question précisément de gibet, de bourreau et de corde bien graissée. Gillonne se trouva enfin acculée à un escabeau.

« Monte », commanda la voix impérieuse de Malingre, qui avait tiré le rideau derrière lui comme s'il eût craint qu'un œil indiscret pût jouir du terrible spectacle auquel il se délectait.

Idée bien malencontreuse qu'il avait eue là, Malingre, car, s'il n'avait pas tiré ce rideau, il aurait pu voir un des énormes bahuts qui garnissaient la pièce s'ouvrir sans bruit, une ombre sortir prestement de ce bahut, le refermer vivement, bondir sur la cassette restée sur la table, s'en saisir, gagner en deux bonds la deuxième fenêtre, l'ouvrir sans bruit, l'enjamber et la tirer à lui du dehors.

Mais Malingre était trop joyeusement occupé derrière son rideau pour voir ce que nous venons de montrer au lecteur.

Malingre, devant l'hésitation compréhensible de Gillonne, répéta, en l'appuyant de la pointe de sa dague, son impérieux :

« Monte ! »

Et la misérable, en effet, monta sur l'escabeau, et levant machinalement les yeux au ciel, peut-être en une suprême imploration, vit le nœud coulant qui se balançait mollement au-dessus d'elle, poussa un gémissement affreux et baissa vivement la tête pour échapper au nœud fatal.

Malingre, appelant à lui toute sa force, se précipita sur le piton autour duquel il enroula solidement la corde qui lui coupait les mains.

Puis il se campa devant le corps de sa victime et la contempla avec une joie féroce.

La pendue se débattait dans le vide ; ses doigts, instinctivement, cherchaient à se raccrocher au nœud qui l'étranglait, les veines se gonflaient, les yeux exorbitaient, la langue pendait, lamentable, hors de la bouche édentée ; elle était hideuse à contempler et ce fut bien là l'impression qu'elle produisit à Malingre, car il hocha la tête en disant à haute voix, comme si elle eût pu l'entendre :

« J'avais pourtant bien des choses à te dire encore… jusqu'à ton dernier souffle, tu auras donc trouvé le moyen de me jouer des tours de ta façon ? Mais enfin celui-là sera le dernier… Hou !… tu n'étais pas bien jolie de ton vivant, mais maintenant tu es hideuse… tiens, je ne peux pas supporter ta vue… tu me tournes le cœur. »

Et Malingre, effectivement, passa de l'autre côté du rideau.

XXXIV

OÙ SIMON MALINGRE MARCHE DE STUPEUR EN STUPEUR

Malingre avait déposé son épée et sa dague sur un bahut et tiré de son sein un poignard à lame courte, mais très large.

Tout en se livrant à ses occupations avec une parfaite quiétude, il marmottait :

« Cette enragée guenon qui me joue le méchant tour de trépasser avant que j'ai pu lui dire tout ce que j'avais sur le cœur !... Hé ! hé ! me voilà tout à fait riche maintenant ; le magot de la défunte Gillonne était bien garni, hé ! hé ! »

Cette pensée du magot l'amena tout naturellement à se tourner vers l'endroit où il avait posé la cassette.

Il resta bouchée bée, les yeux arrondis par la stupeur : la cassette qu'il avait laissée là, sur la table, quelques minutes avant, la cassette n'y était plus !...

Il se frotta les yeux comme pour s'assurer qu'il était bien éveillé et dit à haute voix :

« Voyons, voyons, je ne dors pas... j'avais bien laissé la cassette là ! »

Et il se mit à fureter partout, revenant toujours et malgré lui à la table, parlant tout haut, sans s'en apercevoir, répétant sans cesse :

« Pourtant, je l'ai laissée là... j'en suis sûr... je ne dors pas... je ne suis pas devenu fou. »

Il se mit à trembler de tous ses membres, ses cheveux se hérissèrent et il se sentit positivement devenir fou de terreur.

En effet, là, de derrière ce rideau auquel il tournait le dos, n'osant plus le regarder, de derrière ce rideau, une voix, la voix de Gillonne, Gillonne qu'il avait pendue de ses propres mains, il n'y avait pas un quart d'heure, la voix de Gillonne s'était fait distinctement entendre :

« Tu l'as dit, Simon... C'est moi qui t'ai repris mon bien ! Ah ! ah ! ah ! même la mort ne peut me séparer de mon or chéri, mon or que j'aimais au-dessus de tout... Tu peux chercher, tu ne trouveras rien !... j'ai repris mon bien, ah ! ah ! ah ! »

Alors, éperdu, stupide d'étonnement, à moitié fou de terreur superstitieuse, il clama désespérément :

« Arrière, fantôme… si tu as repris ton bien, je ne te dois plus rien… Laisse-moi… Je vais prendre mon bien à moi et si ce sont des prières que tu veux, eh bien, je consacrerai une partie de mon trésor en messes pour le salut de ton âme… mais laisse-moi.

– Ton trésor ?… Va, cours, cherche !… Si tu le trouves… »

Et il courut, en effet, comme la morte venait de le lui ordonner.

Et telle était, chez lui, la puissance de l'avarice, que l'idée ne lui vint même pas de fuir ces lieux qu'il croyait hantés.

Non ! la morte avait dit : « Cherche si tu trouves. »

Et la seule crainte qui le tenaillait maintenant était d'arriver trop tard.

Et, tout en courant vers le coin où, la veille, il avait enfoui son coffre, il grognait :

« Pourvu que je n'arrive pas trop tard !… Pourvu que la gueuse ne m'ait pas volé !… »

Et, en creusant le sol avec l'arme qu'il n'avait pas lâchée, poursuivi par cette crainte, cette hantise, il répétait toujours les mêmes phrases.

Cependant il avait creusé déjà un trou assez profond. Il lui semblait qu'il aurait dû déjà rencontrer le bois du coffret.

Il s'arrêta, s'assit les jambes pendantes en dedans du trou qu'il avait creusé et larmoya :

« Elle m'a volé !… la gueuse m'a tout pris. »

Or, comme il répétait pour la centième fois peut-être : « Trop tard !… La gueuse m'a volé ! » une main se posa sur son épaule et une voix railleuse lui cria :

« Eh ! mais c'est mon camarade Simon Malingre !… Çà ! que fais-tu donc là à pareille heure ? »

Il ne fut même pas étonné de voir là Lancelot Bigorne. Tout à son désespoir et à son idée fixe, il désigna le trou et dit de son ton larmoyant :

« La gueuse m'a volé.

– On t'a volé, compère ?… Mais, cornes du diable ! ce n'est pas une raison pour brailler comme un veau à l'abattoir… On ne réveille pas ainsi les gens, que diable !… Allons, lève-toi et suis-moi. »

Ces mots, dits d'une voix rude, commencèrent à tirer quelque peu Malingre de son engourdissement cérébral.

Il reconnut enfin Bigorne, la mémoire lui revint et, avec la mémoire, la conscience de la passe critique en laquelle il se trouvait.

« Maintenant, marche de bonne grâce, si tu ne veux pas que je te pousse avec la pointe de ma rapière. »

Malingre dut donc se résigner à marcher.

Mais, lorsqu'il vit que Lancelot Bigorne se disposait à le faire entrer dans la salle même où il avait pendu Gillonne, la crainte du fantôme vint assaillir son esprit déjà fortement ébranlé par des secousses successives et il se raidit nerveusement en disant d'une voix suppliante :

« Non, pas là… pas là… »

Malingre ne pensait qu'au fantôme qui lui avait parlé là, derrière ce rideau, au fantôme qui l'avait dépouillé.'

« Puisque tu as juré de nous perdre, ce que tu ferais indubitablement si je te laissais aller, ne voulant pas être tué par toi, je vais, puisque je te tiens, te tordre le cou comme à un poulet… ou plutôt non, je vais te pendre ici même.

– Me pendre ici ? dit Malingre qui avait entendu vaguement.

– Oui, scélérat, ici même… derrière ce rideau !… »

Malingre se mit à rire.

« Ouais ! tu ris de cela, toi ?… Serais-tu brave, par hasard ?

– Me pendre ici, reprit Malingre qui riait toujours, que non… la place est prise… elle y est déjà, *elle !*…

– Bien ! bien ! Je vois où le bât te blesse », dit Lancelot, qui crut comprendre.

Et, se levant, il alla tirer le rideau.

Mais Malingre se boucha les yeux de ses poings fermés et s'aplatit à terre en gémissant.

« Regarde s'il n'y a pas de quoi te pendre proprement. »

Malingre regarda, en effet, et resta béant de stupeur.

La corde était toujours là, se balançant lentement au-dessus de l'escabeau qui avait été remis en place par une main mystérieuse ; seulement Gillonne, qu'il avait laissée pendue au bout de cette corde, Gillonne n'y était plus !

Malingre se demandait de plus en plus s'il n'y avait pas là de la magie.

« Allons, fit rudement Bigorne, marche… »

Et la scène qui s'était passée entre Malingre et Gillonne recommença.

Seulement cette fois, c'était Malingre qui se trouvait dans la situation de Gillonne, et c'était Lancelot Bigorne qui le piquait, lui, Malingre, de la pointe de sa rapière et, lui désignant la corde, lui disait :

« Marche ! »

Arrivé là, le misérable perdit la notion des choses.

Il vit, il sentit vaguement que Lancelot, riant et grimaçant, poussant de formidables hi han ! lui passait le nœud fatal au cou ; il sentit, une seconde, une douleur atroce à la nuque et il se sentit balancé dans le vide et ce fut la fin…

Or, Malingre n'était pas mort et Gillonne n'était pas morte.

Lancelot Bigorne avait assisté, caché dans un des bahuts qui ornaient la salle, à l'entretien de Malingre et de Gillonne.

C'est lui qui, profitant de ce que Malingre se trouvait occupé à pendre Gillonne derrière le rideau, avait adroitement subtilisé la cassette.

C'est lui qui, sorti par une fenêtre, était allé à l'autre où il avait assisté à toute la scène de la pendaison.

Lui encore qui avait dépendu l'infortunée Gillonne à temps, lui avait donné des soins, l'avait rappelée à elle et lui avait soufflé les paroles qui jetèrent la terreur dans le cerveau de Malingre.

Lui toujours qui avait confié Gillonne à Bourrasque, lequel l'avait descendue dans le caveau voisin de celui où se trouvait déjà

Stragildo, pendant que Riquet transportait au grenier la cassette tant convoitée par Malingre.

Lui qui s'était élancé derrière Malingre et, après l'avoir laissé longtemps creuser le sol, l'avait enfin conduit là où il s'était livré à un simulacre de pendaison pour achever de le terrifier, ensuite de quoi il l'avait dépendu, descendu dans le caveau et jeté auprès de Gillonne qui, certes, se serait passée de ce voisinage.

Cependant, les secousses violentes qui avaient agité successivement et si rapidement son cerveau avaient fortement ébranlé la raison de l'infortuné Malingre.

Lorsque, sortant de l'évanouissement dans lequel il était tombé, il revint à lui, il se trouva dans l'obscurité d'une cave, sorte de cachot.

Lorsque, ses yeux s'habituant à l'obscurité du cachot, il vit Gillonne qui, terrifiée elle-même, s'était blottie en un coin et le regardait avec une crainte mêlée d'une satisfaction farouche, sa raison vacilla complètement et le malheureux devint fou tout à fait.

Il commença par montrer du doigt Gillonne en disant :

« Là !... Là !... Abomination !... le fantôme !... Que me veux-tu encore ? Tu m'as pris tout mon or... tout mon or chéri, tu me l'as pris... Tu as pris ma vie... Maintenant, c'est mon âme que tu veux ?... Hein ?... oui, pour la porter à messire Satan ?... Arrière !... Arrière !... Tu ne l'auras pas, mon âme... non, tu ne l'auras pas... »

À ces mots, Gillonne comprit et elle frémit :

« Fou ! murmura-t-elle, il est fou !... Doux Jésus !... Mais il va m'étrangler... Je ne veux pas rester ici... Non, c'est trop horrible ! Je deviendrais folle moi-même. »

Et comme, à ce moment précis, Gillonne, au paroxysme de la terreur, frappait à la porte à tour de bras en hurlant, le fou crut que le fantôme se ruait sur lui ; il se dressa tout d'une pièce et saisit l'infortunée au cou par-derrière, en criant :

« Ah ! je te tiens... je te tiens bien !... Voyons qui sera le plus fort de nous deux... Ah ! ah ! Mon or ?... où est mon or ?... Tu dis qu'il est là... Où ça ?... Ici ?... Oui ?... Bon, bon, attends que je finisse de t'étrangler, car je te connais, moi... tu serais capable de me prendre par-derrière quand je creuserai là pour retrouver mon or !... Ah ! ah ! ah ! je savais bien que je te ferais rendre gorge... Je savais bien que je serais le plus fort. »

Et le fou lâcha Gillonne.

Mais Gillonne était bien morte, cette fois-ci, morte étranglée par Malingre, le fou, qui lui avait incrusté ses doigts, véritables griffes, dans le cou.

Sans plus s'occuper du cadavre, le fou se rua à plat ventre dans un coin de la cave et se mit à gratter le sol avec ses ongles, et tout en grattant, il grognait :

« Il est ici, mon or... c'est ici qu'elle me l'a caché... Ah ! ah ! ah ! comme je l'ai bien forcée à parler... mais il faut creuser... creuser encore... C'est dur !... très dur !... mais n'importe, c'est pour mon or que je vais retrouver. »

Et il creusait toujours, en effet.

Ses doigts étaient en sang, mais il ne s'en apercevait pas, il ne sentait rien.

Longtemps encore il creusa le sol en grognant :

« Je le retrouverai, mon or... je le retrouverai... »

Soudain il s'arrêta et resta étendu de tout son long, la face contre terre, dans la fosse que lui-même avait creusée.

Il était mort !

XXXV

L'IDÉE DE BURIDAN

Jean Buridan, après avoir jeté aux pieds du duc d'Égypte les quatre sacs de Stragildo, avait fait demi-tour et quitté la Cour des Miracles.

Alors, tout joyeux, dans la lumière du soleil levant, il s'enfonça dans la campagne, laissant sur sa droite le mont Faucon où se dressait le gibet et se dirigeant d'un bon trot vers l'autre mont qui dressait là-bas sa butte couverte de frondaison : Montmartre !…

C'était bien à Montmartre que se rendait Buridan.

Comme il montait tout haletant, une forme blanche et légère bondit du fond d'un taillis, et Myrtille, jetant ses deux bras autour de son cou, s'écria joyeusement :

« Bonjour, seigneur Buridan, soyez le bienvenu sur cette montagne… »

Buridan demeura tout saisi et serra sa fiancée sur sa poitrine, sans pouvoir prononcer un mot. Il vit alors combien il l'aimait. Presque aussitôt apparut Mabel, – Anne de Dramans, – rajeunie de vingt ans, et, après les premières effusions, tous trois montèrent jusqu'en haut.

Ils étaient tous trois aussi heureux que peuvent l'être des créatures humaines.

Buridan était venu à Montmartre pour se retremper.

Il écartait donc de son esprit toute pensée attristante, résolu à connaître au moins un jour de bonheur de vivre en paix, sous le double regard d'amour de sa mère et de sa fiancée.

Aussi, lorsque Mabel, au bout de deux heures, parla d'organiser le départ, il renvoya au lendemain toute résolution.

Le lendemain, Mabel parla encore de partir.

Mais Buridan éluda encore la question.

Le moment vint enfin où Buridan dut avouer qu'il ne pouvait encore songer à s'éloigner de Paris. Mabel lui en demanda les raisons.

« Je ne partirai pas avant d'avoir délivré Philippe et Gautier d'Aulnay. »

Mabel tressaillit. Buridan continua :

« Pardonnez-moi, ma mère, de vous rappeler de terribles souvenirs avec ces deux noms-là. Mais, si je m'en allais tandis que ces deux hommes vont mourir, si je partais sans avoir tenté l'impossible pour les sauver, il me semble que je ne pourrais plus vivre moi-même.

– Va donc, mon fils, fit Mabel avec un soupir.

– Ce n'est pas tout, reprit Buridan. J'ai à vous parler du père et de la mère de Myrtille…

– Enguerrand de Marigny ? interrogea Mabel.

– Arrêté !…

– Marguerite de Bourgogne ?…

– Arrêtée !…

Buridan raconta comment il avait voulu sauver Marigny, comment il était allé à la Tour de Nesle, comment le roi, prévenu par Stragildo, avait surpris ses paroles accusatrices et les aveux de Marguerite.

« Fatalité ! murmura Mabel, comme l'avait murmuré Buridan. Ainsi pendant quinze ans, j'ai rêvé, combiné des plans de vengeance dont chacun me semblait ensuite chimérique. Et le hasard, par des voies toutes naturelles, a atteint Marguerite.

« Elle a été frappée comme je voulais qu'elle le fût ! À l'endroit où je voulais qu'elle le fût ! Et frappée par qui !… »

Il fut convenu que Mabel et Myrtille continueraient à demeurer dans cette chaumière où il y avait, en effet, bien peu de chances qu'on s'avisât de venir les chercher.

Et d'ailleurs, il n'y avait plus maintenant qu'un homme qui pût avoir la pensée ou le désir de retrouver Myrtille.

C'était le comte de Valois.

« Et pour celui-là, dit Buridan d'un ton ferme, j'ai une idée ! »

Mabel, frémissante, chercha vainement à savoir quelle pouvait être cette idée.

Il s'agissait maintenant de faire accepter par Myrtille cette nouvelle séparation, et Mabel redoutait que la jeune fille, déjà ébranlée par tant de secousses, n'en reçût une atteinte, cette fois, profonde.

Buridan se contenta de sourire.

Il serra sa fiancée dans ses bras en jetant un regard de triomphe à sa mère.

Lorsque vint le moment de la séparation, ce fut Mabel qui se montra la moins courageuse et c'est tout simple : elle était la mère.

Enfin, après force promesses d'être prudent, après force baisers et larmes, Buridan, vers le moment du coucher du soleil, s'éloigna et commença à redescendre les pentes de Montmartre de façon à arriver avant la fermeture des portes.

Plus d'une fois, il se retourna pour apercevoir une fois encore les deux femmes qui, près de la roche que lui avait montrée Myrtille, lui disaient encore adieu par leurs signes.

Puis elles disparurent enfin à ses yeux, derrière les cimes des châtaigniers et des chênes.

Alors il se mit en selle et partit au trot.

À ce moment quelqu'un qui était dans un fourré, quelqu'un qui l'avait vu venir et avait étudié chacun de ses gestes, cet homme, donc, se redressa, puis sortit du taillis, s'avança jusque sur le sentier qu'avait suivi Buridan et le regarda s'éloigner.

Cet homme s'appuyait sur un bâton, une forte branche qu'il avait coupée à un arbre et qui devait lui servir de défense plutôt que de soutien, car il était alerte et vigoureux. Il était vêtu, comme la plupart des paysans, d'une souquenille serrée aux reins par une ceinture de cuir.

Son visage était sombre. Il suivait d'un ardent regard le jeune homme qui avait pris le trot et qui ne tarda pas à disparaître au loin.

Alors il se tourna vers le hameau et il éclata de rire, en murmurant :

« Je les tiens ! Tous ! tous ! »

L'arrivée de Buridan à la Courtille-aux-Roses fut saluée par les trois compères d'acclamations enthousiastes.

Guillaume Bourrasque faillit l'étouffer en le serrant dans ses bras. Puis, ce furent d'innombrables questions auxquelles Buridan se contenta de répondre qu'il n'avait pu résister au désir d'aller à Montmartre.

Bigorne, alors, raconta en quelques mots la macabre aventure arrivée à Gillonne, puis à Malingre et conclut en disant que les deux cadavres avaient été proprement enterrés dans un terrain vague auquel attenait le jardin de la Courtille-aux-Roses.

« Buridan, fit alors Guillaume avec inquiétude, tu ne vas pas dire que cet or-là, comme celui de Stragildo, est taché de sang ?...

– C'est un héritage ! s'écria Bigorne, Gillonne et Malingre m'ont fait leur héritier. Par saint Barnabé, c'est de l'argent honnêtement acquis ! Le curé de Saint-Eustache n'en aura pas miette ! »

Buridan se mit à rire.

« Voyons, reprit-il, il faut maintenant que je parle à Stragildo.

« Il m'est venu une idée qui peut-être nous aidera à sauver nos deux malheureux amis.

– Et tu espères, fit Guillaume, que Stragildo t'y aidera ?

– De gré ou de force, oui !...

– Voyons l'idée, dit Bigorne qui, cependant, rangeait l'or dans les cassettes.

– Elle est bien simple, dit Buridan. Je veux me servir de Stragildo pour arriver jusqu'au gouverneur du Temple... au comte de Valois, ajouta-t-il avec un soupir.

« Une fois que je serai en présence de Valois...

– Vous iriez donc au Temple ? fit Bigorne.

– Ou bien ce serait le comte qui viendrait ici, dit froidement Buridan. Une fois que je le tiendrai, donc, je sais ce qu'il faut lui dire pour le décider à favoriser la fuite de Philippe et de Gautier.

« Oui… maintenant que Marguerite de Bourgogne est perdue, on peut forcer Valois dans son dernier retranchement…

– Bon ! fit Bigorne, toujours méfiant. Pour un bachelier l'idée n'est pas mauvaise.

« Mais comment décider Stragildo ?

« Je prévois, en effet, que c'est lui qui va être envoyé en ambassade au Temple, car vous comptez sur la confiance que Valois doit avoir en cet homme ?

– Cet or me servira à le décider », fit Buridan en désignant les cassettes.

Guillaume, Riquet et Bigorne ne poussèrent qu'un même cri de protestation.

« Soyez tranquilles, fit Buridan, je ne vous ai dit que la moitié de mon idée… »

Cette assurance ne calma nullement les trois compères.

Mais, sans tenir compte de leurs lamentations, Buridan descendit dans la salle du rez-de-chaussée, prit les clefs du caveau, se munit d'une lanterne et s'enfonça dans l'escalier qui conduisait dans les sous-sols.

Il arriva à la porte du caveau où Stragildo avait été enfermé et écouta un instant.

Il n'entendit aucun bruit. Alors, tirant son poignard, il ouvrit…

Et un cri terrible lui échappa :

Le caveau était vide !

XXXVI

LE CAVEAU DE LA COURTILLE-AUX-ROSES

Qu'était devenu Stragildo ? Nous allons le dire en peu de mots.

Stragildo avait été enfermé dans le caveau voisin de celui où Simon Malingre et Gillonne devaient si tristement terminer leurs jours.

Deux journées, deux mortelles et longues journées se passèrent ainsi, sans qu'il eût pu même ébaucher un plan quelconque.

Le troisième jour, la porte du cachot voisin s'ouvrit. Il entendit comme le bruit sourd d'un corps posé à terre sans précaution, et la porte se referma.

Stragildo qui, toujours silencieux, écoutait, la face collée contre un trou de la cloison, put assister à la mort de Gillonne ainsi qu'à la longue et terrible agonie de Malingre, devenu fou.

Pas un instant, l'idée ne lui vint d'intervenir et d'essayer de sauver la femme qui râlait derrière cette cloison qu'il aurait pu facilement abattre.

Il ne songea pas davantage à intervenir lorsque le fou se mit à creuser le trou où il cherchait son trésor.

De temps en temps, il exprimait tout haut ses pensées.

« Oui, oui, creuse, creuse toujours… je n'ai pas besoin de me presser… tu travailles pour moi… Par l'enfer, c'est à croire que mon maître Satan lui-même m'a dépêché ce fou pour me prêter assistance… il me donne une idée et il fait ma besogne. »

D'où provenait donc la satisfaction de Stragildo ?

Tout simplement de ceci : ses yeux s'étaient habitués à l'obscurité et il avait remarqué que Malingre, dans sa folie, creusait le sol sous la porte de son cachot.

Cette action irraisonnée du fou avait été un trait de lumière pour Stragildo qui s'était dit :

« Laissons le fou préparer la besogne et cherchons si je ne pourrais trouver un ustensile qui puisse me permettre de pratiquer un trou dans cette cloison.

« Après quoi j'agrandirai ce trou commencé et passerai sous cette porte… Quant au fou, s'il me gêne… »

Un rire silencieux compléta sa pensée.

« Enfin, je crois que ceci fera mon affaire. »

Ceci, c'était tout simplement une tige de fer longue de quelques pouces et grosse comme un doigt.

Il s'en saisit et dit :

« Oui, ça ira avec ça… Mais je n'entends plus mon aide… Çà ! ce maître fainéant serait-il fatigué et se reposerait-il par hasard ?… »

Rapidement, Stragildo, doué d'une force peu commune, avait pratiqué une brèche suffisante et, sa tige de fer à la main, s'était faufilé dans le caveau voisin.

Il alla droit au fou qu'il secoua brutalement.

« Tiens ! fit-il avec la plus complète indifférence, il est mort !… »

Sans s'attarder en réflexions, il repoussa le corps qui le gênait et inspecta les travaux.

Malingre, sans savoir ce qu'il faisait, avait creusé comme une sorte de tranchée qui s'étendait sous la porte.

Stragildo continua ce travail, y apportant la méthode et le soin nécessaires.

Après quelques heures d'un labeur acharné, Stragildo se trouva de l'autre côté de la porte, dans le couloir des caves.

Là, il respira fortement et s'arrêta quelques secondes en épongeant son front ruisselant de sueur.

« Si la porte de là-haut est aussi barricadée, je suis perdu », murmura-t-il.

Néanmoins, il ne s'arrêta pas longtemps et s'aventura dans le couloir en tâtonnant.

Au bout de quelques pas, il heurta les dernières marches d'un escalier qu'il se mit à gravir avec précaution.

Au haut de l'escalier, il se trouva devant une porte qu'il essaya d'ouvrir.

La porte résista.

« Malédiction ! elle est fermée à clef », murmura-t-il sourdement.

Alors il se mit à inspecter minutieusement la serrure, et un sourire de satisfaction vint errer sur ses lèvres.

Il glissa la pointe de sa tige entre le bois et le mur et appuya de toutes ses forces décuplées.

La porte céda.

Il était libre.

Son premier mouvement fut de fuir immédiatement.

Mais une réflexion lui vint, il se retourna et poussa soigneusement la porte en la refermant de son mieux, puis il s'orienta.

Il y voyait clair maintenant et pouvait se diriger aisément.

Il pénétra dans une salle du rez-de-chaussée, elle était déserte ; mais, sur un meuble, il vit une épée et une dague.

Il prit la dague et, après avoir inspecté la lame avec un sourire farouche, il la passa à sa ceinture et continua ses recherches.

« Voyons plus haut », fit-il, après avoir constaté que le rez-de-chaussée était inhabité.

Et il monta au premier.

Sur le palier, un murmure de voix lui fit dresser la tête.

« Ils sont dans le grenier », fit-il avec un sourire de satisfaction.

Et, sa dague au poing, il monta au grenier.

Au fur et à mesure qu'il approchait, il entendait plus distinctement des voix.

Soudain, il s'arrêta net, cloué sur place.

Il venait d'entendre distinctement une phrase complète.

« Oh ! oh ! fit-il avec une joie délirante, inutile d'aller plus loin… je les tiens tous. »

Et il redescendit à pas de loup et se trouva en quelques instants dans le jardin qu'il franchit sans encombre.

Sur la route, avant de s'éloigner, il se tourna vers la maison ; le poing en l'air et les dents serrées, il répéta encore :

« Tous !… je les tiens tous !… ils sont à moi. »

Et il partit rapidement en grommelant :

« Montmartre !... Soit, allons à Montmartre, et je trouverai sûrement. »

XXXVII

STRAGILDO À L'ŒUVRE

C'était Stragildo, on l'a compris, qui avait vu passer Buridan, lorsque le jeune homme redescendait les rampes de Montmartre.

L'ex-gardien des lions du roi s'assit alors sur une pierre et se mit à réfléchir.

« À qui puis-je avoir recours maintenant ?... La reine ?... Oh ! je l'ai livrée. J'ai agi avec trop de précipitation. J'aurais dû attendre deux ou trois jours encore. La reine doit être morte à l'heure qu'il est ! Sûrement Louis a dû l'étrangler net en la trouvant à la Tour de Nesle. À qui m'adresser pour les faire prendre tous dans la Courtille-aux-Roses ? Le roi ?... Hum ! je le connais : il doit rêver les pires supplices contre celui qui, pourtant, lui a rendu un tel service ! Je suis sûr que la récompense de Stragildo sera pour le moins d'être écorché vif... Qui, alors ? Qui donc a intérêt de s'emparer de Buridan et de Myrtille tout à la fois ?... »

Stragildo éclata de sire.

Il avait trouvé.

Il se leva et jeta un dernier regard de menace vers la chaumière où habitaient Myrtille et Mabel. Puis il descendit rapidement.

La nuit était tout à fait venue.

Stragildo s'élança et, une fois dans Paris, se mit à courir.

Bientôt, il arriva au Temple.

C'était au comte de Valois que Stragildo avait pensé pour assurer sa vengeance !

Et il vit le roi qui sortait du Temple !

Il le vit si pâle, si triste... Ce jeune homme fougueux, plein de vigueur et d'impétuosité, était si courbé !... Il y avait un si sombre désespoir sur ce visage naguère si riant, si heureux ! Stragildo recula en grondant :

« Mon œuvre !... »

Le comte de Valois accompagnait son neveu, lui parlait à voix basse et paraissait lui donner de formelles assurances auxquelles Louis répondait par des hochements de tête.

Le roi parti, le comte de Valois demeura quelques minutes encore sur l'esplanade, entouré de quelques officiers.

Stragildo, franchissant le cercle des officiers qui l'entouraient, s'approcha de lui, et, avant que les mains qui se levaient déjà pour le saisir se fussent abattues sur lui, glissa ces mots à l'oreille de Valois :

« Buridan ! Myrtille ! Je sais où les trouver ! Je vous les livre !

– Stragildo ! fit Valois, stupéfait. Holà, messieurs, holà. C'est un bon serviteur !... »

Les gens de Valois s'écartèrent et Stragildo pénétra avec le gouverneur dans l'intérieur du Temple. Le comte se dirigea droit à son appartement, y fit entrer Stragildo, et, une fois qu'ils furent seuls :

« Qu'as-tu dit ?...

– Je dis, monseigneur, que Buridan, Bigorne, Bourrasque et Haudryot sont en ce moment à la Courtille-aux-Roses, je dis que Myrtille est au hameau de Montmartre et je m'offre de vous conduire près d'elle. »

À ces mots, Valois frappa violemment sur une table, du pommeau de l'épée. Un valet apparut.

« Mon capitaine des archers ! commanda le gouverneur du Temple.

– Monseigneur, dit Stragildo, qu'allez-vous faire ?... De grâce, écoutez-moi... je connais ces hommes, ils ne dorment que d'un œil, ils ont la ruse du renard... Vous allez leur donner l'éveil...

– Parle. Que faut-il faire ?

– Eh bien, monseigneur, fit vivement Stragildo, commencez par envoyer à toutes les portes de Paris l'ordre de demeurer fermées toute la journée. De plus, faites placer à chaque porte un écrit indiquant que chacun, par compensation, sera libre d'entrer et de sortir la nuit prochaine. Nous attendrons, patients et tranquilles, toute la journée. Le soir, à la nuit tombante, nous sortons, nous gagnons Montmartre, nous nous emparons de la gracieuse Myrtille, et dans la chaumière qu'elle habite, nous attendrons ce maudit Buridan. Voilà le plan.

– Admirable ! » répéta Valois.

Les choses se passèrent selon le plan de Stragildo, lequel plan, d'après l'évaluation du bandit, et l'estime de Valois, valait une outre gonflée d'or.

Cette journée se passa pour Valois dans une fièvre d'impatience.

Le soir vint enfin.

La consigne donnée avait été scrupuleusement observée : aucune porte ne s'était ouverte de toute la journée. Au moment où la nuit commençait à s'épaissir, Valois et Stragildo se dirigèrent vers la porte aux Peintres. Deux hommes les suivaient à distance.

Valois se fit ouvrir la porte et passa en laissant cet ordre :

« Dans une heure, mais pas avant, passage libre pour tout venant. »

Au pied de la butte, les quatre hommes attachèrent leurs chevaux à des arbres. Stragildo, levant la main, montra à Valois des lumières qui tremblotaient là-haut.

« Myrtille ! fit-il sourdement.

– En avant ! » dit Valois, qui frissonna jusqu'aux moelles d'une joie terrible.

Et ils commencèrent à monter…

XXXVIII

LES CACHOTS DU TEMPLE

Nous laisserons le comte de Valois, suivi de Stragildo et de ses hommes, achever l'ascension de la colline de Montmartre, où ils sont sûrs de s'emparer de Buridan et de ses compagnons, et le lecteur voudra bien, avec nous, descendre dans ces souterrains du Temple où nous avons eu l'occasion de pénétrer à la suite de la reine Marguerite de Bourgogne.

Pour cela, il nous faut revenir à la minute où Gautier d'Aulnay fut saisi, après l'avortement de l'audacieuse tentative imaginée par Lancelot Bigorne pour délivrer le malheureux Philippe.

Gautier, donc, avait été subitement entouré par une vingtaine d'hommes d'armes et geôliers, et, ramassé sur lui-même, le cou dans les épaules, pendant quelques secondes, il parvint à se couvrir par un moulinet de sa rapière.

En cette misérable circonstance, la rapière de Gautier se conduisit raisonnablement : témoins les six assaillants qui passèrent de vie à trépas.

« Tête et ventre ! rugissait ce bon Gautier pour toute oraison funèbre. En voilà un d'étripé ! Un autre de pourfendu ! Oh ! ce crâne qui s'ouvre ! Bon ! Et toi, mon brave ? Pan ! En plein dans la gorge ! Qui en veut ? Ah ! truands ! Ah ! garçons du diable ! Ah ! je…

Il n'eut pas le temps d'en dire plus…

La bande entière se ruant sur lui, il se trouva enveloppé de vingt étreintes qui ne faisaient qu'une formidable étreinte ; il tomba sous la masse, aveuglé par le sang, étourdi par les coups assenés comme grêle sur son crâne.

Ce fut ainsi que le brave Gautier succomba ; il fut alors soulevé, emporté tout pantelant, descendu dans les souterrains, et, sur l'ordre de Valois, jeté au fond d'un trou noir qui était un cachot.

Dans la première heure, Gautier n'y vit goutte, d'abord parce que la nuit était profonde dans ce réduit, et ensuite parce qu'il était évanoui.

Lorsqu'il revint à lui, au bout d'un temps qu'il n'eût su apprécier, il commença d'abord par se tâter sur tous les membres, et constata qu'il n'avait rien de brisé, qu'il n'était pas blessé, sauf quelques contusions à la tête.

Au fond du silence, il perçut un sifflement de respiration oppressée.

Il y avait sûrement quelqu'un ! Mais qui ? Mais quoi ? Gautier ne pouvait se faire aucune idée du compagnon qui se trouvait près de lui.

« Homme ou bête, réponds ! » fit-il non sans commencer à éprouver une terreur superstitieuse.

Un cri terrible lui échappa…

Ce qu'il voyait, c'était un homme si pâle, si amaigri, si pitoyable, que tout d'abord il ne le reconnut pas. La bouche de l'homme était tordue par une sorte de rictus effrayant. Ses yeux sans expression, ses yeux sans vie étaient deux abîmes de douleur. Ses vêtements étaient en lambeaux. Des blessures à peine cicatrisées couturaient son visage.

Cette malheureuse loque humaine, c'était tout ce qui restait du beau Philippe d'Aulnay.

« Philippe ! » rugit Gautier en reconnaissant son frère.

Les lèvres de Philippe se desserrèrent, et Gautier, avec la surhumaine horreur des cauchemars, vit que cette pauvre bouche n'était plus qu'un trou noir d'où la parole ne sortait plus, d'où ne fusaient que des bruits, des tronçons de bruits…

« Dieu du ciel ! râla Gautier, ils lui ont arraché la langue !… »

Une longue minute, il l'étudia, l'examina avec une intense attention… puis, brusquement, il le lâcha, et il eut un cri sourd d'épouvante…

Il avait compris ! Cet être de jeunesse, d'amour, de beauté, Philippe d'Aulnay n'était plus qu'un corps sans âme…

Philippe était fou !…

Ce furent des heures effrayantes pour Gautier, en tête-à-tête avec le fou, dans le sinistre cachot toujours éclairé par les lueurs du falot, comme si Valois eût voulu que le géant subît jusqu'au bout l'horreur de cette vision.

Philippe ne bougeait pas dans son coin.

Quel temps s'écoula ?

Des heures ? ou des jours ? ou des semaines ?

Gautier n'en eut aucune conscience.

Il vécut, si cela peut s'appeler vivre, près du fou, qui, lentement, descendait à l'agonie.

Un moment vint où Philippe ne se leva plus.

Gautier, à genoux près de lui, soutenait sa tête, et, hagard, éperdu, assistait à cette mort lente, avec la terreur de devenir fou lui-même.

Il y eut un bruit de pas derrière la porte. Mais Gautier ne l'entendit pas...

Bientôt la porte s'ouvrit. Une lumière plus vive inonda le cachot.

Mais cette lumière, Gautier ne la vit pas.

Dans le couloir, quelques hommes d'armes s'arrêtèrent, la dague au poing. Dans le cachot, un homme seul s'avança.

Puis cet homme frappa sur l'épaule de Gautier.

Gautier d'Aulnay redressa la tête, puis se releva, regarda l'étranger qui pénétrait dans cet enfer et le reconnut.

« Messire le roi, dit-il, voyez ce que vous avez fait de mon frère !... »

Louis X jeta sur le mourant un regard morne :

« Regarde ce qu'il a fait de moi !... »

Gautier examina le roi plus attentivement et, malgré lui, frissonna de pitié : le jeune monarque paraissait vieilli de trente ans. Ses cheveux avaient blanchi. Il était pâle, et, dans ses yeux, Gautier surprit la même expression de douleur étonnée qu'il avait vue dans les yeux de son frère.

Le pauvre Hutin se pencha sur Philippe agonisant.

« Sire, murmura Gautier, mon frère va mourir...

– Et moi ?... C'est la mort que je porte en moi. Il meurt au Temple. Moi, je mourrai dans la vieille forteresse qui est au bord de l'eau. Voilà toute la différence entre nous deux. Laisse donc, Gautier, car il faut que je sache ! »

La voix de Louis X avait-elle fait ce que n'avait pu faire la voix de Gautier ?...

Peut-être !...

Car, dans les yeux du mourant, une flamme d'intelligence s'avivait à cette suprême seconde. Et Philippe, réunissant ses dernières énergies, arriva à se soulever un peu, comme pour se rapprocher de celui qui lui parlait !...

« Me reconnais-tu ? demanda Louis, d'une voix qui tremblait. Reconnais-tu en moi ton sire ?

– Oui ! répondit le signe affirmatif de Philippe.

– Écoute donc, en ce cas ! Tu sais de quoi et de qui je veux parler ? Tu sais que je suis venu te parler de Marguerite de Bourgogne ?... »

Les yeux de Philippe rayonnèrent.

Mais, à ce moment, une voix sourde, avec un suprême accent de haine, derrière le roi, gronda :

« Marguerite de Bourgogne ! La ribaude de la Tour de Nesle !... »

Le roi se redressa d'un bond furieux, se retourna, rugit :

« Qui a dit cela ?...

– Moi, répondit Gautier d'Aulnay.

– Tu mens ! hurla le roi. Tu mens ! L'épouse du roi de France n'est pas ce que tu dis !...

– Écoute, Sire ! gronda Gautier, dont la tête s'égarait et qui serrait les poings. Je puis te le dire, moi ! car j'ai vu, j'ai entendu ! Je suis entré à la tour sanglante ! Je suis monté jusque dans la salle des orgies !... J'y suis monté avec Philippe, est-ce vrai, frère ?... »

Gautier se retourna vers Philippe et il demeura hébété de stupeur... Le mourant s'était mis debout !...

Sa main glacée s'abattit sur la bouche de Gautier.

Mais Gautier écarta la main.

Philippe tomba sur ses genoux ; il râlait.

« Un soir, continua Gautier, avec ce même rugissement de rage et de fureur, un soir, elle nous a fait venir à la Tour de Nesle ; entends-tu, Sire roi ? Marguerite, reine de France, Marguerite de Bourgogne nous a attirés dans ce repaire où elle en avait attiré bien d'autres avant nous… »

Louis X s'était appuyé au mur du cachot.

Il avait laissé tomber sa tête sur sa poitrine.

Il était immobile, comme s'il se fût pétrifié… il ne regardait ni Gautier, ni Philippe, il regardait en lui-même.

« Rappelle-toi, Philippe ! hurlait Gautier… Nous fûmes ensemble cousus dans un sac, entends-tu, Sire roi, ta Marguerite nous fit enfermer tout vivants dans un sac, et, du haut de la tour, nous fûmes jetés dans le fleuve. »

Un frisson d'horreur secoua le roi.

Il jeta un regard sur Philippe comme pour lui adresser une suprême interrogation.

Et il le vit qui levait le poing sur son frère…

Puis, tout à coup, Philippe s'affaissa : il était mort.

Alors le roi se baissa, toucha le front de ce cadavre, puis se releva en disant :

« Il est mort… »

Un furieux éclat de rire secoua Gautier qui vociféra :

« Un de plus, un de moins, qu'importe ! S'il te fallait compter tous les cadavres que Marguerite de Bourgogne a semés sur sa route, tu deviendrais fou, Sire roi ! Va demander son secret à la Seine, elle te répondra peut-être combien d'amants assassinés elle a charriés !… Mort ! Mon pauvre Philippe est mort ! ajouta le géant dans une explosion de sanglots. Aujourd'hui son tour, demain le mien ! Tue-moi ! Car j'ai été ce que Philippe n'a pas voulu être ! J'ai été l'amant de la ribaude de la Tour de Nesle !… »

Le roi, devant le cadavre de Philippe, devant les imprécations de Gautier, reculait.

Il atteignit la porte et s'enfonça dans le sombre couloir, poursuivi par les rugissements qui montaient du cachot.

XXXIX

LA TOUR DU LOUVRE

Louis remonta jusqu'à l'appartement du comte de Valois. Lorsque celui-ci vit entrer son neveu, il demeura un instant saisi d'une sorte de terreur au fond de laquelle il y avait peut-être un commencement de remords.

Louis Hutin était à peine reconnaissable. Ses traits tirés, le teint plombé de son visage, son attitude affaissée, ses mains agitées d'un tremblement, tout indiquait que le roi avait reçu une de ces blessures dont les tempéraments violents comme le sien ne se relèvent pas.

« Sire, vous ne pouvez oublier que nous avons dans les cachots du Temple un traître, rebelle, dilapideur des deniers royaux, prévaricateur et faux-monnayeur. Sire, c'est l'homme qui a voulu vous faire mourir…

– Que n'a-t-il réussi ! murmura le roi. Je serais mort sans savoir…

– C'est Marigny, Sire !… Ces papiers sont l'ordre de mise en accusation et en jugement ; il faut que la chose se fasse vite, il faut qu'un terrible exemple soit donné…

– Marigny ?… bégaya Louis en passant ses mains de cire sur son front. C'est vrai. Donne !… »

Et il signa…

Valois, d'un œil ardent, suivit cette main qui était en train d'assassiner Marigny, et, quand ce fut fini, il saisit les parchemins d'un geste farouche, et il sortit.

Louis Hutin demeura seul.

Longtemps, il demeura à cette place, immobile, sans un geste, presque sans pensée. Seulement, de loin en loin, une grosse larme roulait sur ses joues.

Vers le petit jour seulement il se leva, appela Valois, et, sans autre explication, sortit du Temple, et rejoignit son escorte, puis se mit en route vers le Louvre.

On a vu que ce fut à ce moment que Stragildo put rejoindre lui-même le comte de Valois.

Quant à Louis Hutin, il gagna son appartement sans prononcer une parole, s'enferma dans sa chambre, et, tout habillé, se jeta sur son lit où, presque aussitôt, il fut terrassé par un sommeil de plomb.

Quand il se réveilla, le soir descendait sur Paris.

Alors, il appela Hugues de Trencavel, et lui dit :

« Escortez-moi à la Tour du Louvre… »

C'est là que nous retrouvons la reine du pays de France.

Une voix cria :

« Place au roi !… »

La porte s'ouvrit. Louis Hutin parut. D'un bond, Marguerite se mit debout et, la tête baissée, pantelante, composa son visage avec cette rapidité et cette science consommée qui faisaient d'elle la maîtresse absolue de ce jeune homme.

Louis fit un geste : Juana sortit. Lui-même referma la porte. Il marcha vers la reine, s'arrêta à deux pas d'elle, et, doucement, murmura :

« Me voici, Marguerite. Regarde-moi… »

Louis hocha doucement la tête.

« Je suis changé, n'est-ce pas ? » fit-il avec un sourire d'une infinie tristesse.

Louis, à pas lents, marcha jusqu'à une table sur laquelle il déposa un flacon rempli d'un liquide clair comme de l'eau de roche.

Puis, il alla à la fenêtre et tira les rideaux.

Les rayons du soleil à son déclin inondèrent de lumière la chambre où se déroulait ce drame.

Marguerite, d'un mouvement brusque, se tourna vers la fenêtre…

Alors, une sorte de vertige s'empara d'elle. L'horreur de sa vie passée se déchaîna en rafales dans son esprit. Elle étendit le bras, agita la main comme pour conjurer un spectre et râla :

« La Tour de Nesle !… »

Un profond soupir gonfla la poitrine de Louis Hutin.

Elle tomba à genoux et balbutia :

« Fermez ces rideaux, Sire, je vous en supplie. Vous ne voyez donc pas ce que je souffre !... »

Louis Hutin, penché sur cette figuration visible du regret et du remords, hocha lentement la tête, et il dit :

« Voilà l'aveu. Oui, si j'avais besoin encore d'un aveu de ta bouche pour me convaincre, cet aveu, le voilà. La Tour de Nesle, Marguerite, c'est l'irrécusable témoin de mon malheur. Tu dis que tu souffres ? Moi, je ne souffre plus. Je crois que j'ai épuisé la souffrance... La Tour de Nesle !... C'est Gautier et Philippe d'Aulnay, cousus dans un sac et précipités dans la Seine... »

Elle se courba davantage, comme écrasée.

« Philippe est mort, Marguerite », continua le roi.

Elle poussa un cri déchirant.

Il continua, – peut-être sans avoir entendu :

« Gautier va mourir. Ils sont entrés à la Tour de Nesle, et la mort les a touchés au front, comme elle a touché tous ceux qui ont franchi le seuil maudit. Regarde, Marguerite, allons, il le faut ! Je regarde bien, moi !... »

Terrorisée, elle obéit, se releva, et ses yeux exorbités se fixèrent, là-bas, sur la tour.

« Que vois-tu, Marguerite ? Parle ! Si tu ne parles pas, je parlerai, moi !

– Grâce, râla Marguerite, grâce, Louis !... »

Louis Hutin, de nouveau, s'était dirigé vers la table où il avait déposé le flacon. Ce flacon, il le prit dans ses mains, et, pensif, l'examina un instant.

À ce moment, Marguerite, pantelante, échevelée, sublime, marcha sur lui, tomba à genoux, leva vers lui une tête splendide et tragique, et râla ceci :

« Louis, je t'aime !... Depuis quand ? Je ne sais pas ! Depuis toujours, peut-être ! Écoute ! Dans les tournois, quand tu t'avançais sur ton destrier, la lance au poing, j'étais furieuse, ou je croyais que je l'étais. Mais quelque chose criait au fond de moi-même : « Folle !

Insensée ! » Je ne voulais pas t'aimer !… Je t'aimais !… Écoute tout ! J'avoue tout ! J'ai été infâme, plus que les ribaudes. J'ai été criminelle. J'ai tué. Des spectres, il y en a quantité dans moi et autour de moi. Malheureuse ! oh ! l'effroyable malheur ! Louis, je t'aime ! Tue-moi, cravache-moi, fais-moi subir le supplice des femmes adultères, mais laisse-moi te crier que je t'aime… Ah ! la douceur de ce mot ! Pour la première fois, je le prononce avec mes lèvres et avec mon cœur. Pour la première fois, il m'inonde de pure clarté. Louis, je t'aime ! Ce mot, je l'ai répété à satiété, à d'autres, à d'autres encore ! Tue-moi ! Mais jamais une ivresse pareille à celle de cette minute, jamais une telle douceur, jamais un étonnement aussi profond dans mon âme… Âme de boue. Cœur de fange ! Ribaude ! Infâme ! Je suis la ribaude de la Tour de Nesle ! Affreux regret du bonheur perdu et que je vois en cette minute ! Oh ! Louis, mes yeux se dessillent, mon cœur renaît à une vie nouvelle et mon âme de boue se purifie… Louis, Louis, je t'aime ! »

Un éclat de rire strident, funèbre !…

Elle leva la tête vers lui, et aussitôt elle s'effondra : Louis ne la croyait pas ! Jamais plus Louis ne la croirait !…

Elle ne bougeait pas, rien ne remuait en elle…

« J'ai pensé à te faire une grâce suprême, Marguerite. Car je t'ai aimée… aimée… Enfin, voilà… tu trouveras dans le flacon de quoi échapper au procès et au châtiment… Adieu, Marguerite, adieu !… »

Le roi se retira. Lorsqu'il fut rentré dans ses appartements, il parut oublier qu'il existât une Marguerite au monde. Seulement, il donna l'ordre qu'on entrât d'heure en heure dans la prison de la reine et qu'on vînt lui dire si rien de nouveau ne s'y passait.

Lorsque Louis X fut rentré chez lui, il trouva le comte de Valois qui l'interrogea du regard. Louis répondit :

– Eh bien, je l'ai condamnée. La reine va mourir.

– On va donc lui faire son procès ? balbutia le comte, en frissonnant de terreur.

– La reine va mourir, te dis-je. Elle est peut-être morte à cette heure.

– Comment cela, Sire ?

– Je lui ai laissé du poison », dit simplement Louis.

Valois étouffa un cri de joie furieuse qui grondait dans sa poitrine. Sauvé ! Il était sauvé ! Il n'avait plus à redouter la dénonciation de Marguerite !

« Sire, dit-il, dans l'affreux malheur qui vous frappe et dont je trouverai bien le moyen de vous consoler…

– Je n'ai pas besoin de consolation, fit le roi, d'une voix si calme et si morne que Valois en fut saisi.

– Sire, il faut pourtant que quelqu'un s'occupe des affaires publiques. Prévoyant que le roi aurait aujourd'hui d'autres préoccupations, j'ai pris à ma charge les soins urgents qu'il ne convenait pas de renvoyer à demain…

– Merci, mon bon oncle, dit Louis. Ton dévouement m'est surtout précieux en ce moment.

– C'est ainsi, reprit Valois, que j'ai fait aujourd'hui tenir fermées toutes les portes de Paris ; elles seront d'ailleurs, par compensation, ouvertes toute la nuit prochaine. J'avais l'espoir de m'emparer de Buridan…

– Tout ce que tu fais est bien… Mais Buridan est-il pris ?

– Non, Sire !… Je m'étais trompé. »

Louis demeura quelques minutes pensif, puis il ajouta :

« Que s'il est pris bientôt, j'entends qu'on me l'amène ici, tu entends, et qu'on ne lui fasse pas de mal.

– Bien, Sire ! » dit Valois, étonné.

« Lui me consolera peut-être ! » songeait Louis.

Et Valois, de son côté, pensait :

« Sois tranquille, roi imbécile, on ne lui fera aucun mal ; le coup de poignard qui lui sera appliqué le tuera net et sans souffrance !… »

« Sire, reprit-il, si le roi le veut bien, il est temps maintenant que je regagne mon poste au Temple. Car nous y avons des prisonniers d'importance : le félon Marigny, sans compter ce Gautier d'Aulnay, et je tremble toujours qu'en mon absence…

– Va, mon bon Valois, va… »

Le comte s'inclina avec un sourire de haine satisfaite. Valois qui, après sa conversation avec Stragildo, était venu au Louvre pour voir ce qu'il adviendrait de Marguerite, Valois, rassuré, avait hâte maintenant de regagner le Temple, car l'heure approchait où il devait monter à Montmartre. Il salua donc Louis X et se dirigea vers la porte.

Il se retira en souriant. Louis X demeura seul avec ses pensées funèbres et son immense désespoir : il commençait à mourir…

XL

LES PARCHEMINS DE STRAGILDO

Nous ramènerons, à présent, le lecteur à la Courtille-aux-Roses où nous retrouvons Buridan, Lancelot Bigorne, Guillaume Bourrasque et Riquet Haudryot. On n'a peut-être pas oublié comment Bigorne était devenu, comme il disait, l'héritier de Malingre et de Gillonne, c'est-à-dire comment, en réalité, il s'était emparé du trésor de ces deux sacripants. On se souvient peut-être aussi que Buridan, à la vue de ce trésor, avait conçu le dessein d'employer cette masse d'or à séduire Stragildo, enfermé dans les caves de la Courtille ; et, qu'au grand désespoir de Bigorne, il s'était élancé vers lesdites caves.

Buridan n'avait plus trouvé Stragildo.

Stragildo s'était évadé !

Remettant donc au lendemain les décisions nouvelles qu'il y aurait à prendre, les quatre compagnons s'occupèrent aussitôt de la situation que leur créait la fuite de Stragildo.

Le plus urgent était de quitter séance tenante la Courtille-aux-Roses.

Bigorne montra une masure qui se dressait juste en face de la Courtille-aux-Roses :

« Nous irons là, pas plus loin. Vous ne savez rien voir, rien regarder. Moi, je regarde et je vois ! Et j'ai vu que ce logis n'est pas habité par âme qui vive et qu'il fera très bien notre affaire pour le moment. »

Ils se hissèrent dans ladite grange, s'y cherchèrent chacun un coin pour dormir, et, bientôt, roulés dans leurs manteaux, se mirent à ronfler, à l'exception de Bigorne qui ne dormait que d'un œil et s'était installé près d'une lucarne d'où il pourrait au besoin surveiller la route et la Courtille.

Vers le matin, Bigorne fut réveillé par un bruit étrange qui se faisait sur la route. Il allongea le nez à la lucarne, et, aux premières lueurs du jour, il vit une troupe nombreuse de cavaliers qui mettaient pied à terre devant la Courtille.

Bigorne rampa sans bruit jusqu'à Buridan, le réveilla, et lui montra la lucarne vers laquelle se dirigea aussitôt le jeune homme.

Les gens de Valois n'ayant rien trouvé dans la Courtille-aux-Roses s'en retournèrent et Stragildo conseilla au comte de faire immédiatement fermer les portes de Paris jusqu'au soir.

Lorsque le jour fut tout à fait venu, lorsque Buridan fut certain que les sbires de Valois étaient bien partis, il comprit que la Courtille-aux-Roses cesserait sans aucun doute d'être surveillée.

Il descendit donc de la grange et rentra dans l'ancien logis de Myrtille.

Sans faire d'observations, les compagnons de Buridan le suivirent dans la Courtille-aux-Roses, déclarant d'ailleurs que le grenier de ladite Courtille leur semblait un paradis en comparaison de la grange ouverte à tous les vents et dont le plancher menaçait de s'écrouler sous eux.

« Quelle heure peut-il être ? demanda Bigorne en remettant les pieds dans le grenier.

– L'heure de dîner, sans nul doute ! répondirent d'une seule voix Guillaume et Riquet.

– Lancelot ! dit à ce moment Buridan qui semblait réfléchir à on ne savait quoi.

– Monseigneur ? dit Bigorne, en s'avançant.

– Tu vas te rendre à Montmartre, tout de ce pas, tu verras à l'entrée du hameau une grosse roche qui le surplombe, et là, tu verras sans doute, soit Myrtille, soit… ma mère.

– À Montmartre ! Saint Barnabé me soit en aide. C'est une bonne heure pour y aller, une autre heure pour revenir.

– Eh bien ?…

– Et dîner ? fit Bigorne.

– Tu dîneras tout en marchant.

– Tiens, au fait, cela peut s'arranger ainsi !

– Et nous ! protesta Guillaume, en ouvrant des yeux terribles et en montrant les dents d'une double mâchoire qui eût fait honneur à un dogue.

– Nous dînerons, sois sans crainte, fit Buridan. Tu vas donc te rendre à Montmartre, Bigorne, et tu leur diras que tout va bien, que je suis rentré dans Paris sans encombre et que j'espère les rejoindre sous peu de jours.

– Je vais ! » répéta Bigorne qui, en effet, descendit aussitôt, et, s'étant assuré que nul ne guettait aux environs, s'élança dans la direction de la porte aux Peintres.

Puis ce fut au tour de Riquet de sortir ; mais lui allait simplement aux provisions, mission qu'il jugeait très grave et dont il s'acquitta avec l'intelligence qu'on peut supposer.

Les trois compagnons attaquèrent donc joyeusement les victuailles rapportées par Haudryot et se mirent à faire des projets d'avenir qui, le bon vin aidant, leur apparaissait nuancé des plus belles couleurs de l'arc-en-ciel.

Comme ils finissaient. Bigorne rentra.

« Déjà ! s'écria Buridan. Tu as été à Montmartre ?

– Mon digne maître, je n'ai pas été à Montmartre pour la raison bien simple que je ne suis pas sorti de Paris – et je ne suis pas sorti de Paris pour cette autre raison non moins simple que la porte aux Peintres est fermée !

« L'ordre ne vient pas du roi !

« Mon digne capitaine, l'ordre est signé Valois.

– Valois ! s'exclamèrent à la fois Buridan et les deux compères qui, cette fois, comprirent que la chose était grave.

– Charles, comte de Valois ! affirma de nouveau Bigorne. La chose est claire. Valois veut nous empêcher de sortir le jour, *mais il nous invite* à sortir ce soir, à la nuit close.

– Il nous invite ? glapit Riquet. Eh bien, nous n'avons qu'à refuser l'invitation ; nous sommes bien ici, je ne vois pas pourquoi nous franchirions les portes de Paris à l'heure où les honnêtes gens se dirigent vers les tavernes du Val d'Amour ou vers le tripot de maître Thibaut. »

Buridan frémissait. Sa pensée s'exaspérait à chercher les causes de cet ordre bizarre donné par Valois.

« Il nous invite, gronda-t-il, c'est évident, il nous invite à sortir… tout cela est arrangé pour nous, pour nous seuls !

– À sortir ce soir, à la nuit close ! ponctua Bigorne.

– Mes amis, dit Buridan, nous sortirons de Paris, non pas ce soir, à la nuit close, mais en plein jour, mais tout de suite, si nous pouvons. »

Il était si pâle que Guillaume et Riquet frissonnèrent.

« Voyons, dit Bourrasque, explique-nous ta logique. Tu me damnes avec tes airs de t'affaiblir de terreur.

– Voici, dit Buridan, je ne sais quel pressentiment me mord au cœur, mais il me semble que Valois veut nous attirer sur la route de Montmartre…

– Hi han ! approuva Bigorne.

– Or, reprit Buridan, les portes de Paris seront fermées tout le jour ! C'est donc que, pendant la journée, il ne faut pas que je puisse sortir de Paris ?… C'est donc que… »

Un geste terrible échappa à Buridan.

« Eh bien, s'écria Guillaume, qui avait compris, si tu crois que ta Myrtille est menacée, courons-y à l'instant !… »

Sans plus de paroles, les quatre compagnons s'apprêtèrent, s'armèrent et marchèrent droit aux remparts sans prendre la moindre précaution pour se cacher. Buridan était désespéré. Guillaume et Riquet étaient résolus. Bigorne était soucieux.

Il s'agissait de trouver un moyen de franchir les remparts, de descendre dans le fossé sans se rompre les os, sans qu'ils fussent aperçus des archers qui veillaient sur la plate-forme des tours élevées de distance en distance.

Quant à passer par une des portes de Paris, c'eût été une tentative folle : il eût fallu, pour cela, maîtriser tout un poste de gens d'armes, puis manœuvrer les chaînes du pont-levis, le tout en plein jour, c'est-à-dire que le premier cri poussé par un soldat du poste eût attiré une foule sur les fugitifs.

« Suivez-moi », dit Bigorne, tout à coup.

Sans observation, ils se mirent à marcher derrière lui.

Bigorne traversa rapidement Paris, s'écartant des remparts vers lesquels ils s'étaient d'abord dirigés ; puis, ces remparts, il s'en approcha et les atteignit entre la porte de Bahaigne et la porte Saint-Honoré. Il y avait là un recoin désert où ils s'arrêtèrent.

Ils remarquèrent alors que Bigorne les avait conduits non loin de l'un de ces escaliers disposés de distance en distance pour permettre aux archers de monter sur les murailles en cas d'attaque.

Buridan se pencha par-dessus le parapet et vit qu'il n'y avait pas d'eau dans le fossé, ou plutôt que cette partie du fossé, par suite sans doute de quelque éboulement, était à peu près comblée, tandis que partout ailleurs un homme eût eu de l'eau jusqu'aux épaules.

Pendant ce temps, Bigorne déroulait une corde ; il en attachait une extrémité à un gros bâton, il le plaçait en travers de l'embrasure du créneau.

Il n'y avait plus qu'à descendre.

Bigorne passa le premier, franchit le fossé sur cette sorte d'isthme boueux qui s'était formé, et, s'aidant des mains et des pieds, grimpa l'autre bord du fossé.

À ce moment, des deux tours voisines, les flèches commencèrent à pleuvoir : on venait d'apercevoir les fugitifs.

Guillaume, puis Riquet, descendirent à leur tour. Et enfin, Buridan, s'accrochant à la corde, descendit aussi, à la force du poignet tandis qu'autour de lui volaient les flèches.

Les quatre compagnons se retrouvèrent sur le haut du fossé, sains et saufs ; aussitôt, ils détalèrent ; en quelques bonds, ils se mirent à l'abri des flèches que l'on continuait à leur envoyer.

« À Montmartre ! » fit alors Buridan.

Ils s'élancèrent, contournèrent Paris, et bientôt se trouvèrent au pied de la montagne. Ils commencèrent à grimper. Bigorne, à haute voix, comptait l'argent qu'il avait déjà perdu par la faute de Buridan. Riquet, entre les dents, mais de façon à être entendu du jeune homme, grognait toutes les malédictions, toutes les imprécations que son fertile cerveau pouvait lui fournir. Guillaume sifflait une fanfare. Buridan ne disait rien. Il était pâle et le cœur lui battait fort.

Tout à coup, un sourire illumina son visage ruisselant de sueur.

Là-haut, près de la roche, deux silhouettes se détachaient en vigueur sur le fond du ciel... c'était Mabel, c'était Myrtille !...

Alors Buridan s'assit sur un tronc de châtaignier abattu par quelque ouragan, et il se mit à rire nerveusement, tandis qu'il s'essuyait le front.

« Hi han ! fit joyeusement Bigorne qui, de son côté, avait très bien reconnu les deux femmes.

– Mes enfants, dit Buridan, il est évident que nous nous sommes trompés. Toute cette histoire de portes fermées le jour et ouvertes ce soir, à la nuit, n'était pas pour nous, puisque voici là-haut, saines et sauves, celles que nous venions protéger. Nous profiterons donc du moment où on les ouvrira, ces portes, pour rentrer à Paris. Valois ne viendra pas ici. Et d'ailleurs, comment eût-il appris que Myrtille et ma mère sont à Montmartre ? »

Lancelot multipliait les signes de désapprobation.

« Explique-toi, fit Buridan assombri.

– C'est limpide, par saint Barnabé ! Valois a fait fermer les portes. Donc, il a tout le temps d'agir, puisqu'il est sûr que nous ne pouvons quitter Paris. Donc, il agira dans la journée. Son coup fait, il nous ouvre les portes et nous tombons dans le traquenard qu'il nous a tendu. Voilà son plan. En sorte que, cette nuit, le fiancé couche au Temple, et la fiancée...

– Eh bien, la fiancée...

– Eh bien, elle couche aussi au Temple ! Seulement, pas dans la même chambre que le fiancé.

– Mais qui aurait pu prévenir Valois ?

– Eh ! qui donc l'a prévenu que nous étions à la Courtille-aux-Roses où il nous a expédié assez d'hommes d'armes pour arrêter dix Buridan !

– Stragildo !... Comment aurait-il su lui-même ?

– Qu'importe ! Maître capitaine, si vous voulez sauver cette gentille demoiselle qui est assise là-haut, sur la roche, et sauver votre vie, à vous, je ne parle pas de la vie de Guillaume et de Riquet, ni même de la mienne, eh bien il nous faut passer la nuit à Montmartre et voir venir. Puis, demain matin, conduire les deux femmes en quelque autre retraite, et nous prendrons une décision.

– Ainsi soit-il, dit Guillaume.

– Mes amis, fit Buridan, adoptons le plan de Bigorne, et montons là-haut. Mais pas un mot aux femmes. »

Les quatre compagnons achevèrent donc l'ascension de la colline, rejoignirent Myrtille et Mabel et, après les premières effusions de joie, furent conduits à la chaumière où la jeune fille improvisa un dîner.

Le reste de la journée s'écoula sans incidents notables.

Seulement, Buridan mit sa mère et sa fiancée au courant des décisions prises : il y avait nécessité de se transporter plus loin. Le hameau du Roule fut choisi pour être la nouvelle demeure des deux femmes en attendant que Buridan pût les rejoindre pour toujours.

Ce point réglé, il y eut entre Buridan et Myrtille radieuse, et Mabel rajeunie de vingt ans, force projets d'avenir. Seulement, Buridan évita de parler de Marigny et ne répondit qu'évasivement aux questions que lui posa la jeune fille.

Pendant ce temps, Bigorne, Guillaume et Riquet organisaient le départ du lendemain.

Le soir vint.

Mabel et Myrtille s'enfermèrent dans leur chaumière.

Les quatre compagnons s'installèrent dans une mauvaise cassine qu'un paysan mit à leur disposition moyennant un écu que lui octroya généreusement Buridan.

Il fut entendu que chacun, à tour de rôle, monterait la faction aux abords de la roche ; on tira au sort l'ordre dans lequel cette faction devait être montée : le sort désigna Bigorne pour veiller jusqu'à dix heures du soir.

Buridan en sa qualité d'amoureux se tournait et se retournait sur sa botte de paille sans parvenir à fermer les yeux.

Au-dehors, le silence était profond.

Ces vagues rumeurs, que les vents du soir soulèvent parmi les arbres d'une forêt, ne faisaient qu'accentuer le silence et berçaient les rêveries du jeune homme, en même temps qu'elles accompagnaient en sourdine l'harmonieux ronflement de Guillaume et de Riquet.

Cela durait depuis quelque temps, lorsque la porte de la cassine s'ouvrit brusquement : une ombre parut et Bigorne prononça tranquillement :

« Les voilà qui montent !

– Alerte ! » fit Buridan, qui secoua les deux dormeurs.

En un clin d'œil, tous furent dehors.

« Venir nous interrompre au plus beau moment de notre somme, grogna Guillaume. Les sacripants me le paieront cher.

– Oui, fit Riquet, insouciant, il s'agit de les envoyer dormir, à leur tour, du bon sommeil qui dure toujours, c'est même de la clémence de notre part, car... »

Riquet n'eut pas le temps de développer sa démonstration. Un hurlement de douleur venait d'éclater dans la nuit : dans la même seconde, des ombres s'agitèrent, des cris éclatèrent, Riquet et Buridan étaient aux prises avec ceux qui montaient...

« Arrière, truands ! » vociféra la voix de Valois.

En même temps, Valois faisait cabrer son cheval. Buridan recula, en effet, la sueur de l'angoisse au front. Mais il se retournait contre un autre cavalier...

Il y eut dans les ténèbres une mêlée terrible de chevaux et d'hommes, les poignards jetèrent de brusques éclairs, puis tout s'apaisa brusquement.

Cela avait duré une dizaine de minutes.

On put voir alors une ombre qui descendait à toute vitesse les rampes de la montagne et s'évanouissait au fond de la nuit, tandis qu'un sanglot de rage et une imprécation de douleur montaient jusqu'à Buridan.

Cette ombre, c'était Valois qui fuyait.

Valois avait tout à coup senti son cheval fléchir sous lui ; le cheval avait reçu un coup de dague dans le poitrail et tombait. Le comte se dégagea, l'épée au poing, livide, tremblant de fureur, et il se vit entouré de quatre hommes. Il était seul ! Ses compagnons avaient fui ou étaient morts !...

Guillaume leva sa dague sur Valois qui, se voyant perdu, ne fit pas un geste pour défendre sa vie. Une main violente arrêta le bras de Guillaume et une voix gronda :

« Fuyez, monsieur, fuyez !… c'est tout ce que votre fils peut faire pour vous !… »

Valois reconnut la voix de Buridan !… Et, alors, avec une malédiction, il se jeta en arrière et se mit à fuir…

Buridan et les siens se comptèrent alors ; aucun ne manquait à l'appel ; seulement Guillaume Bourrasque avait à l'épaule une forte estafilade, il saignait comme un bœuf et s'épongeait en grognant ; Buridan avait reçu un coup de dague dans le bras gauche ; quant à Riquet, assis sur une grosse pierre, il demeurait à demi stupide et tout étourdi d'un coup de masse qu'il avait reçu sur le crâne. Et comme Guillaume s'approchait de lui, il vit que Riquet avait ses deux pieds posés tranquillement sur un homme d'armes qui portait dans le flanc, au-dessous de la cuirasse, une dague enfoncée jusqu'à la garde.

« C'est lui qui a voulu m'assommer », expliqua Riquet.

Quant à Bigorne, il s'occupait à ficeler un homme qui était sans doute évanoui, car il ne bougeait pas…

Buridan, sombre, la face ravagée, regardait au loin, dans la direction par où Valois avait disparu. Un soupir gonfla la poitrine du jeune homme ; il murmura :

« Je mourrai peut-être, mais je ne serai point parricide ! »

Chassant d'un effort ces funèbres pensées, il se retourna vers ses compagnons : il vit alors Guillaume qui, ayant bandé son épaule tant bien que mal, s'occupait à rassembler quatre chevaux dont les cavaliers gisaient à terre. Trois autres avaient fui, en y comprenant Valois.

« Là, mon brave, disait Lancelot Bigorne, de cette façon, tu ne remueras plus. Bonne prise, seigneur Buridan ! »

Buridan se pencha sur l'homme que Lancelot venait de garrotter et, à la faible lueur des étoiles, il le reconnut.

« Stragildo ! gronda-t-il, d'une voix qui eût fait frissonner le gardien des fauves si celui-ci avait pu entendre.

– En personne ! dit Bigorne.

– Est-il donc mort ?…

– Mort ? Non. Du moins je l'espère, par saint Barnabé !

Buridan examinait Stragildo avec une sorte d'inquiétude.

– Il vit, dit-il. Bon. Tout va bien ! »

« Hum ! songea Bigorne, il me paraît que maître Buridan réserve à notre ami Stragildo quelque agréable surprise !… Je ne voudrais pas être dans sa peau. »

« Que comptez-vous en faire ? ajouta-t-il à haute voix.

– Je t'ai dit que j'avais une idée, quand je suis descendu dans les caves de la Courtille-aux-Roses et que je me suis aperçu que cet homme avait fui.

– Une idée ? À quel sujet ?…

– Au sujet de Philippe et Gautier. Eh bien, cette idée, nous allons tâcher de la réaliser.

– Expliquez-la-moi, fit Bigorne inquiet.

– Plus tard. Il faut songer que Valois va rassembler tout ce qu'il a de cavaliers disponibles et que, dans une heure, nous aurons une armée sur les bras. En route ! »

Aidé de Guillaume et de Riquet, Bigorne souleva Stragildo et le jeta comme un sac en travers de l'un des chevaux capturés. Puis, Buridan en tête, Bigorne tirant le cheval de Stragildo, Guillaume conduisant les trois autres par les brides, Riquet tout geignant fermant la marche, ils remontèrent. Buridan pénétra dans la chaumière.

Mabel et Myrtille, prêtes à tout événement, ne s'étaient pas couchées.

« Nous partons, dit le jeune homme.

« Nous voici », répondirent les deux femmes.

Les quatre chevaux capturés et amenés par Guillaume furent ainsi distribués : un pour Mabel, un pour Myrtille, un pour la fortune de Mabel ; le quatrième portait Stragildo.

Devant deux ou trois paysans qui levaient les bras au ciel, la troupe se mit en marche et s'éloigna en bon ordre vers Montfaucon, c'est-à-dire vers le point opposé à celui où elle voulait se rendre.

Arrivés au pied de la montagne, les fugitifs la contournèrent par-derrière, c'est-à-dire à peu près par cette ligne que suit la rue Caulaincourt.

Il n'y avait pas une heure qu'ils s'étaient éloignés, que selon les prévisions de Buridan, deux cents cavaliers, conduits par Valois en personne, arrivèrent au hameau de Montmartre, réveillant les habitants et les menaçant de mort s'ils ne révélaient la route qu'avait prise Buridan.

Tout naturellement, les paysans désignèrent Montfaucon et Valois se lança dans cette direction. Au matin il rentra au Temple, n'ayant rien trouvé, bien entendu, persuadé que la bande avait dû chercher un refuge dans Paris même.

Buridan et ses compagnons étaient arrivés au hameau du Roule ; pourvu d'une auberge qui, toute misérable qu'elle était, suffit pourtant à hospitaliser les fugitifs. Une fois Mabel et Myrtille installées, Buridan se rendit dans la chambre où Stragildo avait été déposé.

Stragildo était revenu à lui.

Bigorne se mit à fouiller le prisonnier. Sous la jaquette, dans une poche de cuir cousue à l'intérieur du vêtement, il trouva deux papiers qu'il déplia.

Stragildo écumait de rage.

« Oh ! oh ! s'écria Bigorne, le sceau royal ! Voyez donc, seigneur capitaine. »

Buridan saisit avidement les deux parchemins, s'approcha de la torche qui éclairait cette scène, et le lut d'un regard.

Ces parchemins ne portaient pas de date.

Mais ils étaient ornés de la signature de Louis et du sceau royal.

Le premier était ainsi libellé :

« Mandons et ordonnons par les présentes à nos prévôts, chevaliers du guet et archers ou sergents de se mettre au service du porteur des présentes, et ce, sur sa réquisition, et de lui obéir exactement en ce qu'il leur ordonnera. »

Le deuxième était ainsi libellé :

« Mandons et ordonnons à tout chef de poste de l'une quelconque des portes de Paris d'avoir à laisser passer à toute heure, à tout guichetier ou gouverneur de l'une quelconque de nos forteresses et prisons d'avoir à laisser entrer à toute heure le porteur des présentes. »

Buridan avait tressailli de joie en lisant ces deux parchemins. Ce qu'il pouvait en faire, il l'ignorait encore, mais à coup sûr, avec ces deux armes redoutables, il lui était permis d'espérer bien des choses. Il les plia donc et les cacha sous son buffle.

Stragildo gardait une indifférence farouche.

Buridan lui posa la main sur l'épaule.

« Écoute bien ceci : si tu es chrétien, tâche de te réconcilier avec Dieu ; si tu as jamais su quelque prière, tâche de te la rappeler. Car je suis décidé à te tuer. Oh ! tu as le temps, ce n'est ici ni le lieu ni l'heure de ton exécution…

– Ouf ! murmura Riquet.

– Pourquoi pas tout de suite ? dit Bigorne.

– Parce que j'ai une idée… je te l'ai dit. »

Bigorne eut un geste qui signifiait clairement qu'il se méfiait des idées de Buridan. Stragildo, de son côté, en s'entendant dire qu'il ne mourrait pas tout de suite, eut un sourire qui en disait long sur ses intentions.

Buridan ne fit attention ni au geste de Bigorne, ni au sourire de Stragildo. Il sortit de la pièce occupée par le sacripant et s'occupa de la nouvelle installation de Mabel et de Myrtille ; il eut avec elles un entretien où ils convinrent de leurs faits et gestes.

Au point du jour, les quatre compagnons reprirent le chemin de Paris, Stragildo marchait au milieu d'eux. Il était solidement bâillonné. Ses mains étaient attachées. Pour qu'on ne vit pas que l'ex-gardien des fauves était bâillonné et garrotté, Buridan lui jeta sur le dos son ample manteau et ramena le capuchon jusque sur le visage.

On franchit sans encombre la porte Saint-Honoré dont les deux tours se teintaient de rose au ciel levant. On traversa Paris et on arriva enfin à la Courtille-aux-Roses où Buridan avait résolu qu'on s'installerait de nouveau.

XLI

AU TEMPLE

Le premier soin de Buridan fut d'enfermer son prisonnier en prenant cette fois toutes les précautions nécessaires pour qu'il ne pût s'évader. Par surcroît, le sacripant fut ligoté, aux poignets et aux chevilles, avec des chaînettes de fer que Bigorne arracha à une porte. On laissa pourtant assez de jeu à ces entraves pour que le prisonnier n'eût pas à souffrir et qu'il pût marcher. Enfin, il fut résolu que, d'heure en heure, on irait s'assurer que Stragildo ne se livrait à aucune tentative et que, la nuit, chacun monterait faction à tour de rôle devant la porte du caveau où il avait été jeté.

Sur le soir, Buridan se prépara à sortir de la Courtille. Mais, alors, les quatre compagnons s'aperçurent que les environs, toujours si déserts, étaient étrangement animés. Des groupes nombreux allaient et venaient, se dirigeant, semblait-il, vers le Temple.

Buridan remit sa sortie au lendemain.

Mais, le lendemain, dès le matin, la même foule se porta encore du côté du Temple. Bigorne, envoyé en éclaireur pour voir ce qui se passait, revint au bout d'une heure en disant que les Parisiens, campés autour du Temple, chantaient, riaient, buvaient et ne s'interrompaient de cette occupation que pour pousser des cris de mort contre un homme que l'on jugeait à l'intérieur de la vieille forteresse…

Cet homme, c'était le premier ministre de Louis X…

Le procès d'Enguerrand de Marigny avait commencé !…

Buridan se sentit pâlir…

Tant que durerait le procès, c'est-à-dire qu'il y aurait foule autour du Temple, son projet n'était pas exécutable.

Un jour se passa encore, puis un autre…

Enfin, le soir du cinquième jour, comme la nuit tombait, les quatre compagnons virent que la foule se dissipait. Les mêmes groupes animés qu'ils avaient vus arriver tous les matins s'en allaient en poussant force cris de joie. Et cette immense joie de Paris était quelque chose de terrible à voir et à entendre. C'était la revanche des longues années de terreur, c'était la haine accumulée pendant vingt ans qui faisait explosion.

Enguerrand de Marigny, convaincu de forfaiture et dilapidation, était condamné à mort ! La sentence portait qu'il serait exécuté dans le délai de trois jours pendant lesquels le condamné devait prier dans la chapelle du Temple et faire amende honorable. Après quoi, l'ancien favori de Philippe le Bel, le ministre tout-puissant de Louis X, devait être conduit aux fourches de Montfaucon pour y être pendu par maître Capeluche, exécuteur des hautes œuvres.

« Bon ! pensa Buridan, j'ai trois jours… je le sauverai ! »

Il attendit la nuit. Les abords de la Courtille-aux-Roses avaient repris leur aspect de lugubre solitude. Les Parisiens, sûrs désormais d'être vengés, étaient rentrés dans Paris où ils attendaient avec impatience le matin de fête où ils verraient enfin se balancer au bout d'une corde l'homme qui, si longtemps, les avait terrorisés.

Alors, Buridan expliqua à ses amis qu'il allait se rendre au Temple et parler à Valois.

Il embrassa ses compagnons l'un après l'autre et s'éloigna.

« C'est fini ! sanglota Guillaume, nous ne le verrons plus !…

– Qui sait ? » murmura Bigorne qui venait de réfléchir profondément à cette aventure et dont les réflexions avaient peut-être modifié la conviction.

Buridan s'avançait d'un pas ferme vers le Temple dont la sombre silhouette se voyait de la Courtille.

Arrivé à quelques pas de la grande porte, Buridan appela.

« Qui va là ? cria la sentinelle, de l'autre côté du pont-levis.

– De par le roi ! » répondit Buridan.

Le pont-levis s'abaissa. Le chef de poste vint, accompagné de plusieurs archers, reconnaître celui qui venait au nom du roi. Buridan, sans un mot, déplia l'un des deux parchemins qu'il avait enlevés à Stragildo. L'officier le lut à la lueur d'une torche que portait un soldat, et, le rendant à Buridan :

« C'est bien. Vous pouvez entrer. Où dois-je vous faire conduire ?

– Chez le gouverneur du Temple. »

Étant entré, Buridan se trouva en présence d'un homme d'armes tout bardé de fer et armé jusqu'aux dents. Comme il avait fait pour l'officier, Buridan exhiba son parchemin. Le soldat ne savait pas lire, mais le sceau royal suffisait.

« Il faut que je parle à ton maître sur-le-champ, de la part du roi », fit Buridan.

L'homme s'éloigna et alla dire quelques mots à un autre homme qui veillait dans la pièce voisine.

Au bout d'un quart d'heure, une sorte de valet de chambre, qui remplaçait Simon Malingre, vint le chercher, et, de pièce en pièce, le conduisit jusqu'à une salle où Buridan aperçut le comte de Valois assis dans un fauteuil, près d'une table, écrivant et souriant.

Ce que Valois écrivait à ce moment, c'était le détail de l'exécution de Marigny. Il n'avait pas voulu laisser à d'autres le soin de régler la cérémonie...

Buridan s'était arrêté à deux pas du fauteuil, silencieux et pâle. Il attendait. Son attitude, étrangement paisible, n'avait rien de menaçant...

« Qu'avez-vous à me dire ? » demanda Valois sans lever les yeux.

Et, continuant de sourire, il terminait à ce moment la phrase commencée :

« Après quoi, le maître des hautes œuvres, lui passera la hart au col, de manière que... »

Dans cet instant, Valois, étonné que l'envoyé du roi n'eût pas répondu à sa question, leva les yeux et vit Buridan.

Tout d'abord, la stupeur et l'épouvante le paralysèrent. Un flot de sang monta à son front, sa main trembla. Puis, grondant une sourde imprécation, il allongea le bras vers le marteau qui lui servait pour appeler.

« Monseigneur, dit Buridan d'une voix calme, vous pouvez appeler et me faire jeter dans un cachot, ou me faire tuer même ; cela vous sera facile ; mais je vous préviens que, si je meurs, vous êtes perdu, vous, sans que rien puisse vous sauver. Il vaut mieux pour vous que vous m'écoutiez tranquillement, d'autant que j'aurai vite fait... »

Valois n'appela pas.

« Soit ! dit-il, je vous entendrai. Vous dites que vous venez de la part du roi ?

– Je l'ai dit à vos gens, mais à vous, je vous dis que je viens de ma part…

– De votre part ! murmura-t-il sourdement. Mais comment avez-vous pu entrer ici ?

– Grâce à ce papier, dit Buridan, ou plutôt grâce au sceau royal dont la vue a suffi… »

En même temps, il jeta sur la table l'un des deux parchemins qu'il portait sur lui.

Mais ce n'était pas celui qu'il avait montré à l'officier du poste.

Valois saisit avidement le papier, le parcourut d'un air étonné, puis :

« C'est le roi qui vous a remis cet ordre ?…

– Non, répondit tranquillement le jeune homme. J'ai saisi ce parchemin sur votre serviteur Stragildo, et, comme vous voyez, je m'en suis servi. »

Valois respira… Son fils n'avait pas vu le roi ! Son fils ne venait pas de la part du roi !

« Et ce Stragildo ? reprit-il d'une voix en apparence indifférente, vous le détenez prisonnier ?…

– Non, dit Buridan avec la même tranquillité, Stragildo est mort ; je l'ai tué. »

Cette fois Valois frémit d'une joie puissante. L'un après l'autre, avec une sorte de folie, Buridan jetait tous ses moyens de défense comme il avait jeté sa dague.

Il s'approcha vivement d'un flambeau et présenta le papier à la flamme, tandis que, de sa main droite, il saisissait sa dague pour tenir Buridan en respect.

Mais Buridan ne fit pas un geste ; il laissa le comte brûler le parchemin…

« Je le tiens ! » gronda Valois en lui-même.

En effet, Buridan s'était ainsi dépouillé de toutes ses armes offensives et défensives.

« Parlez maintenant, dit Valois. Que me voulez-vous ?

– Monseigneur, dit Buridan, je suis venu pour vous demander la vie et la liberté de trois hommes que vous détenez prisonniers dans les cachots du Temple...

– Voyons... Quels sont ces trois hommes ?

– C'est d'abord Philippe d'Aulnay...

– Ah ! ah ! dit Valois, toujours souriant. Pour celui-là, mon maître, il me serait difficile de lui rendre vie et liberté, vu qu'il est trépassé !

– Mort !... Philippe est mort !... »

Une puissante douleur étreignit le cœur du jeune homme, et elle lui fut d'autant plus amère qu'il ne pouvait s'y livrer, qu'il devait garder toutes ses forces pour faire face à la situation...

« Philippe d'Aulnay étant mort, quels sont les deux autres ?

– D'abord le frère de Philippe : Gautier d'Aulnay. Est-il donc mort aussi ?...

– Non, Gautier d'Aulnay n'est pas mort ; pas encore ; celui-là est réservé au supplice qui attend les blasphémateurs... Voyons donc le troisième ?

– Enguerrand de Marigny. »

Valois eut un étrange regard pour Buridan.

« Comment, vous qui haïssez Marigny, qui l'avez provoqué, insulté publiquement et l'avez même poursuivi, l'épée au poing, sur le Pré-aux-Clercs, comment pouvez-vous demander la vie et la liberté de cet homme ?

– Je veux sauver Enguerrand de Marigny, parce que je ne veux pas que sa fille pleure ; je ne veux pas qu'il y ait dans la vie de Myrtille cette douleur de la mort de son père sous la hache du bourreau.

– Et si j'accepte ? Si je vais ouvrir le cachot de Gautier d'Aulnay, si je vais chercher Marigny dans la chapelle où il demande pardon à Dieu, au pied de l'autel, avant de demander pardon aux hommes, au pied du gibet, si je les conduis hors du Temple et que je leur dise : « Allez, vous êtes libres… », voyons, que ferez-vous pour moi ?

– Monseigneur, dit Buridan, j'oublierai alors que vous êtes mon père, et le père que vous avez été. Si vous faites grâce, je fais grâce…

– Et si je refuse ? rugit Valois.

– En ce cas, monseigneur, j'irai trouver le roi dans son Louvre. Le roi me fera saisir et livrer au bourreau, je le sais. Mais, avant de me livrer, il aura entendu ce que j'ai à lui dire. Et voici, monseigneur, ce que je dirai au roi : « Sire, vous avez appris par moi, bien que je ne l'aie pas voulu, les crimes de votre épouse, Marguerite de Bourgogne. Vous détenez la reine prisonnière. C'est par ma faute, bien que la faute ait été involontaire. Il est donc juste, Sire, que vous appreniez aussi par moi que peut-être madame la reine est moins coupable que vous ne pensez. Oui, il y a une explication à la conduite de la reine, sinon une excuse. C'est qu'un homme, quand elle était jeune fille, quand elle habitait à Dijon le palais du duc de Bourgogne, l'a poussée dans l'abîme ; cet homme, l'amant de Marguerite, Sire, c'était l'ambassadeur du roi votre père à la cour de Bourgogne ; il s'appelle Charles, comte de Valois. »

– C'est vrai ! Tu sais ce secret. Mais en admettant que tu sortes d'ici vivant et que le roi t'entende, insensé, le roi ne te croira pas !… »

Buridan répondit :

« Le roi ne me croira pas, moi, c'est sûr ! car il imaginera que c'est là une simple vengeance de ma part…

– Alors ?… rugit Valois.

– Mais il croira la reine !

– La reine !… bégaya Valois, frappé de vertige.

– La reine prisonnière dans le Louvre ! La reine que le roi pourra interroger dès que j'aurai parlé ! La reine qui confirmera tout ce que j'aurai dit en fournissant les preuves !… »

Valois se leva : l'effroyable évidence lui sautait aux yeux ; il était perdu, si Buridan pouvait rejoindre Louis X.

« Misérable, bégaya-t-il, tu ne sortiras pas d'ici, car…

– Un mot ! Un dernier mot ! cria Buridan, qui d'un geste arrêta Valois prêt à frapper. Si je sors d'ici, monseigneur, vous avez vingt-quatre heures pour réfléchir ; si je ne sors pas, vous n'avez même pas une heure ; car en ce moment même quelqu'un attend que je sorte ; si ce quelqu'un ne me voit pas à l'heure convenue, il court au Louvre... Et ce quelqu'un, monseigneur, sera aussitôt reçu, car le roi le connaît... il s'appelle Lancelot Bigorne !...

– Lancelot Bigorne !... râla Valois.

– Votre ancien serviteur !... »

Il y eut une minute d'effrayant silence. Valois, effondré, la tête pleine de bourdonnements, agonisait de terreur. Son regard vitreux était rivé sur Buridan qui, de son côté, le contemplait avec une sorte de sombre pitié... Et ce silence, ce fut Buridan qui le rompit.

« Monseigneur, dit-il, Enguerrand de Marigny doit être conduit à la mort sous trois jours. Un jour est écoulé déjà. Il est en ce moment dix heures du soir. Je vous donne toute la journée de demain pour exécuter mes volontés. Demain soir, si à cinq heures Gautier et Marigny ne sont pas hors du Temple, à six heures, je suis au Louvre... je parle... le roi interroge Marguerite... la nuit prochaine, monseigneur, vous coucherez dans les cachots du Temple... »

Un soupir souleva la poitrine de Valois. De la tête, il fit un signe d'acceptation, puis il se laissa aller en arrière, privé de sentiment, en apparence.

Buridan se rapprocha, se pencha sur lui, le contempla un instant d'un étrange regard et murmura :

« Adieu, mon père... ! »

À la Courtille-aux-Roses, il fut saisi, embrassé, étouffé dans les bras de ses amis, délirants de joie.

« Corbleu ! Ventre du pape ! Tripes du diable ! hurla Guillaume en manière de conclusion, mettons-nous à table !...

– Je savais bien qu'il reviendrait ! » murmura Bigorne.

XLII

SUPRÊMES TENTATIVES

La journée s'écoula lentement.

À mesure que l'heure fixée approchait, Buridan sentait son impatience et ses terreurs s'exaspérer. Pourtant, il était impossible que Valois ne tînt pas parole, puisqu'il y allait de sa propre vie !…

À quatre heures, il décida de sortir.

Guillaume devait rester en surveillance devant le caveau où était enfermé Stragildo. Riquet devait rester dans le grenier du logis, afin de surveiller les abords de la Courtille.

Bigorne seul devait accompagner le jeune homme qui, ne tenant plus en place, s'éloigna une heure avant celle qu'il avait fixée lui-même.

« Un instant, dit Bigorne en le rejoignant. Supposez qu'à cinq heures Marigny et Gautier franchissent le pont-levis du Temple, que ferez-vous ?

– Eh bien, je m'avancerai à leur rencontre…

– Bon, fit Bigorne. Maintenant, supposez qu'à cinq heures, les portes du Temple ne s'ouvrent pas pour vous rendre Gautier… je ne parle pas de Marigny. Que ferez-vous ?

– J'attendrai jusqu'à six heures, dit Buridan, d'une voix altérée. À six heures, j'irai au Louvre.

– Vous y êtes bien décidé ?

– Certes !…

– Eh bien, nous irons ensemble… »

Lorsque, après une affreuse attente, cinq heures sonnèrent enfin, son cœur se mit à battre violemment… Les dernières ondulations sonores du bronze s'évanouirent… les minutes s'écoulèrent… le pont ne s'abaissait pas !…

Buridan se rongeait les poings.

Six heures sonnèrent !… Buridan eut comme un rugissement de rage…

« Au Louvre ! dit-il.

– Au Louvre, soit ! » fit Bigorne.

Ils couraient dans la rue Saint-Martin, lorsque tout à coup, une église se mit à sonner le glas.

Une autre église, tout à coup, puis une autre sonnèrent le glas des morts, puis d'autres encore… toutes les églises de Paris sonnaient le glas !

« Oh ! murmura Buridan, que se passe-t-il donc ? Qu'importe, après tout ! reprit Buridan. Au Louvre ! Au Louvre !… »

Il allait s'élancer… À ce moment, du coin de la rue Saint-Martin déboucha un groupe pareil à une apparition de rêve dans la nuit qui s'épaississait.

Ce groupe comportait d'abord douze jeunes garçons vêtus comme des enfants de chœur qui eussent servi une messe des morts. L'un d'eux, qui marchait en tête, agitait sans cesse une sonnette au son grêle. Derrière, venait un moine colossal, la tête sous la cagoule noire et portant une croix énorme dont le christ était couvert de voiles noirs. Puis douze clercs en deuil, psalmodiant des prières. Puis un rang de six porteurs de torches. Puis douze hallebardiers, la pointe de la hallebarde tournée vers la terre. Enfin, le héraut-juré de la ville de Paris, monté sur un cheval noir que deux valets conduisaient en bride. Derrière, il y avait encore un rang de porteurs de torches, puis encore douze hallebardiers, et, enfin, la foule… La fantastique procession s'arrêta.

Le héraut, alors, un grand parchemin à la main, cria d'une voix forte, dans le silence :

« Nous, Louis, dixième du nom, comte de Champagne et de Brie, roi de Navarre, roi de France :

« Faisons savoir à tous et à toutes, à notre noblesse, à nos bourgeois et manants, à nos curés parisiens de notre bonne ville que des prières publiques seront dites à compter de ce jourd'hui et pendant un mois durant dans toutes les églises de notre royaume… »

Le héraut sonna de la trompe. Puis il prit un autre parchemin et cria :

« De par le roi ! »

« Nous, Jean-Baptiste Biron dit Bel-Air, crieur-juré de la ville de Paris, bachelier de l'Université, héraut prévôtal et royal ;

« Avec douleur et meurtri de cœur ;

« Faisons savoir à tous présents que lesdites prières ordonnées par notre sire le roi sont à l'effet d'obtenir la grâce et la miséricorde de Notre-Seigneur Dieu, de Notre-Dame la Vierge et de messieurs les saints du paradis ;

« Pour l'âme de très haute, très noble, très puissante princesse Marguerite de Bourgogne, reine de France, épouse très vertueuse et très aimée de notre Sire Louis dixième ;

« Laquelle est morte dans la fleur de son âge, dans le Louvre royal, le soir de ce jour, vingt-deuxième de septembre de l'an de grâce 1314. »

Le héraut sonna de la trompe. Et, comme si c'eût été un signal, les cris de douleur, les lamentations éclatèrent. L'enfant de chœur agita sa sonnette. Les clercs crièrent :

« Priez, mes frères ! Priez, mes sœurs ! Priez pour la reine !… »

Et la fantastique procession passa dans la lueur des torches, dans cette rumeur de pitié, de gémissements, de désespoir qui bruissait sur Paris.

Pitié véritable, car Marguerite de Bourgogne était très aimée du peuple.

Gémissements et clameurs exagérés, car il n'était pas bon de paraître témoigner une douleur tiède pour une aussi auguste mort. Buridan était atterré.

« Morte ! gronda-t-il. Marguerite est morte ! Valois triomphe !…

– Et notre voyage au Louvre est inutile, seigneur capitaine ! dit Bigorne, qui reprit instantanément cette expression d'insouciance qui faisait le fond de sa physionomie. Croyez-moi, maître, vous vous obstinez à une besogne impossible. Le sire de Marigny est condamné, – et c'est justice, par tous les diables. Songez au nombre de malheureux qu'il a fait pendre pour s'enrichir ; songez que vos amis, vos frères, les d'Aulnay, ont mené, grâce à lui, une misérable existence, alors qu'ils étaient nés pour être de riches seigneurs. Je vous jure, maître, que si vous aviez réussi à sauver cet homme, c'eût été un crime dans votre vie…

– C'est le père de Myrtille ! dit le jeune homme.

– Quoi qu'il en soit, c'est fini. Marguerite est morte. Valois n'a plus rien à redouter de vous. Donc, il est maintenant inutile de vous obstiner. »

Buridan, revenant sur ses pas, s'était remis en marche vers la Courtille-aux-Roses. Il était accablé. En même temps, une colère furieuse se déchaînait en lui contre ce qu'il appelait un coup du sort : Marguerite mourant juste à ce moment-là !…

« Il me reste un jour ! gronda Buridan. Je puis trouver encore le moyen de sauver le père de Myrtille… »

Il faisait nuit.

Buridan et Bigorne, l'un désespéré, l'autre tout joyeux, arrivaient dans la rue Vieille-Barbette. Au loin, ils entendaient la rumeur de Paris qui pleurait et priait pour l'âme de Marguerite.

« Je le sauverai ! » répéta Buridan qui triomphait de son abattement.

Comme il pensait ces mots avec une ardeur de farouche obstination, il vit à deux cents pas de lui, dans la direction du Temple, une grande lueur de torches.

Était-ce la procession funèbre qui passait par là ?… Non !… Buridan, à la lueur des torches, distingua une masse de cavaliers qui s'avançaient au pas vers lui.

Il frissonna. Le pressentiment d'une catastrophe s'abattit sur lui. De ses yeux hagards, il contemplait ces cavaliers qui venaient du Temple, formidables sous leurs armures.

Il sentit que Bigorne le saisissait par le bras et l'entraînait derrière une haie, en murmurant :

« Alerte ! Ce sont les gens d'armes de Valois !… »

Et comme Buridan, haletant d'une insurmontable horreur, se demandait ce que signifiait cette sortie des troupes de Valois, Bigorne gronda à son oreille :

« Vous avez demandé la vie de Marigny à Valois ? Regardez, maître. Voici la réponse de Valois qui passe ! »

En effet, derrière les cinquante premiers cavaliers, venaient deux prêtres ! Derrière les deux prêtres, marchait le bourreau Capeluche !

Et derrière Capeluche, venait un homme pieds nus, vêtu d'une chemise, la corde au cou, un cierge à la main !... Et cet homme, c'était Enguerrand de Marigny !...

Tout aussitôt, venait le comte de Valois, à cheval, couvant son ennemi d'un sourire de mort. Puis, cinquante autres gens d'armes fermaient la marche.

Ce fut une vision terrible qui passa en quelques minutes.

Buridan, l'âme pleine d'épouvante, la bouche ouverte, les yeux exorbités, regardait sans pouvoir faire un pas ni un geste ; il était rivé au sol.

« Venez ! » dit Bigorne, lorsque le cortège fut passé.

Autour du Châtelet, c'était un fouillis de ruelles noires d'où s'exhalaient de fétides émanations.

Ce fut dans une de ces ruelles que Lancelot Bigorne conduisit Buridan.

Ils s'arrêtèrent devant une maison basse. Il n'y avait aucune fenêtre sur la rue. La porte était peinte en rouge ; solide, puissante, elle eût défié les madriers d'attaque avec ses armatures de fer. Elle était munie d'un judas.

Bigorne frappa violemment du poing dans la porte. Au bout d'un instant, le judas s'ouvrit et une figure bestiale apparut à travers le treillis qui la protégeait, vaguement éclairée par une lumière que l'habitant de cette maison tenait à la main.

« Allons, ouvre ! dit Bigorne. C'est moi qui t'ai parlé tout à l'heure, quand tu es sorti de Notre-Dame où tu as remisé ton gibier de demain matin.

– Bon ! » fit tranquillement la figure.

Buridan entendit grincer les verrous. La porte s'ouvrit. L'homme apparut, une forte dague à la main.

Buridan se signa d'un geste rapide et entra, suivi de Bigorne. L'homme referma la porte. Nous disons que Buridan fit le signe de la croix, car il était bon chrétien, et cette maison, c'était le logis du maître des hautes œuvres, cet homme, c'était Capeluche...

Le maître des hautes œuvres n'avait pas lâché la dague qu'il tenait à la main. Il interrogea ses visiteurs d'un regard :

« Me connais-tu ? fit Bigorne.

– Non, répondit Capeluche.

– Je suis Lancelot Bigorne…

– C'est possible…

– Moi, je suis Jean Buridan, que tu pendras peut-être un jour, car ma tête est mise à prix.

– C'est possible… »

Il y eut un instant de silence. Bigorne frissonnait, Buridan était calme. Capeluche demanda :

« Qu'est-ce que vous me voulez ?

– Tu vas le savoir, dit Buridan. Mais, réponds d'abord. Qu'est-ce que tu reçois pour chaque pendaison ?

– Tantôt plus, tantôt moins. Cela dépend du condamné, je veux dire de sa qualité. Bref, je me fais, bon an mal an, mille livres tournois. Tous les bourgeois de Paris n'en peuvent pas dire autant. Sans compter ce que me donne la ville de Paris pour l'exercice annuel de mes fonctions, c'est-à-dire vingt-six livres parisis.

– Capeluche, dit Buridan, si je te demandais de ne pas tuer Enguerrand de Marigny, que dirais-tu ?

– C'est possible. Tout est possible.

– Tu consens à faire pour Marigny ce que tu as fait pour d'autres ?

– Oui, dit Capeluche, sans hésiter. Seulement, pour celui-là, c'est grave. C'est un puissant. Un ministre. J'aurai trois mois de cachot, au moins. La corde qui doit pendre un Marigny ne peut être une corde ordinaire, vous comprenez ? »

Buridan défaillait. Il lui semblait que Capeluche allait se rétracter.

« Alors, ajouta tout à coup Capeluche, écoutez bien : pour *préparer* la corde d'un bourgeois, je demande trois écus, pas moins ; pour la corde d'un noble homme, il me faut huit écus d'or ; pour Marigny, qui est ministre, et en mettant mes trois mois de cachot à dix écus, l'un dans l'autre, c'est trente écus d'or que vous me verserez. Sans quoi, bonsoir la compagnie !

– Vide tes poches ! rugit Buridan.

– Hein ! sursauta Bigorne.

– Oui ! le restant de la cassette de Malingre ! tu l'as sur toi, donne ! »

Il y avait vingt-sept ducats d'or, plus quelques écus, c'est-à-dire environ le triple de ce que demandait le maître des hautes œuvres. Capeluche eut le grognement furieux d'un avare qui découvre un trésor ; de ses larges mains, il fit un tas des pièces d'or, et, en un instant, elles eurent disparu.

Buridan s'approcha de lui, le regarda fixement dans les yeux et, d'une voix qui fit tressaillir le bourreau :

« Marigny ne mourra pas ?… »

Capeluche, pour toute réponse, se tourna vers une croix et, en signe de serment, leva la main.

« C'est bon », dit Buridan.

Et, faisant signe à Bigorne de le suivre, il se retira. Les deux hommes regagnèrent la Courtille-aux-Roses. Bigorne grondait :

« Qui m'eût dit qu'un jour ce serait moi, moi, Lancelot Bigorne, qui rachèterait la vie de Marigny ! Saint Barnabé me soit en aide, je crois que j'en aurai une fièvre malingre, ou même la peste. »

Dans le grenier de la Courtille, ils dormirent deux heures.

Au point du jour, les quatre compagnons étaient debout. Bigorne et Guillaume Bourrasque sortirent en toute hâte. Seul, Riquet Haudryot demeura pour surveiller Stragildo. Lorsque Buridan arriva à la porte aux Peintres, il vit que déjà le peuple sortait de Paris et se dirigeait vers le colossal gibet qui, sur les fonds pâles de l'aube, plaquait sa silhouette funèbre.

XLIII

LA DERNIÈRE VISION DE MARGUERITE DE BOURGOGNE

Le comte de Valois, après le départ de Buridan, était resté de longues heures dans une prostration d'esprit et de corps telle qu'on eût pu le tuer sans qu'il essayât un geste de défense. Ce ne fut qu'au matin, lorsque le plein jour entra dans la chambre qu'il parvint à surmonter cette stupeur.

Des résolutions multiples se présentèrent à son esprit. Il pensa à faire rechercher Buridan et Bigorne, mais le temps manquait. Il pensa à sortir de Paris et à prendre la fuite, mais c'était renoncer à une situation conquise par vingt ans de travail terrible, c'était peut-être proclamer l'innocence de Marigny ! Il pensa à rassembler ses gens d'armes, à marcher sur le Louvre, à braver le roi, à l'arrêter, à faire une révolution de palais dont il fût sorti roi. Mais c'était le risque suprême d'une bataille. Louis X était aimé. Il serait défendu… Il pensa aussi à obéir à Buridan, c'est-à-dire à relâcher au moment convenu Marigny et Gautier d'Aulnay… Mais il comprit qu'il préférait encore mourir plutôt que de mettre en liberté l'homme qu'il était arrivé à haïr plus qu'il n'aimait sa propre vie. Enfin, il pensa à aller supplier Marguerite de démentir Buridan, si Buridan mettait sa menace à exécution.

Et, comme il en était à envisager ce dernier projet, tout à coup, le seul projet possible et pratique, le seul qui pouvait tout sauver, se présenta à lui…

Une heure plus tard, Valois entrait dans le cabinet de Louis Hutin.

« Sire, dit-il, je viens vous rendre compte des mesures prises pour assurer l'exécution d'Enguerrand de Marigny, condamné pour dilapidation et forfaiture. S'il plaît au roi, nous avancerons d'un jour la cérémonie de la pendaison. L'âme du ministre y perdra peut-être quelques prières, mais nous y gagnerons en tranquillité. Je sais que des gens sans foi, stipendiés par les amis du ministre, ont projeté de s'assembler demain, pour essayer de l'enlever. Sire, nous devons déjouer ces projets. Sire, il faut que, demain matin, à l'aube, votre justice royale ait suivi son cours et que les mutins n'aient plus qu'un cadavre à délivrer. »

Louis approuva d'un geste indifférent.

Que lui importait que Marigny fût pendu tel jour plutôt que tel autre ! Que lui importait même qu'il fût délivré !

Un vague espoir lui restait, c'est qu'il pourrait peut-être arriver à oublier un peu, *une fois que Marguerite serait morte*. Seulement, il n'avait pas le courage de la tuer, – et elle ne prenait pas le poison qu'il lui avait laissé !

Valois étudiait Louis avec une scrupuleuse attention. Sans doute, il comprit cette effrayante indifférence du roi pour tout ce qui n'était pas sa douleur ; sans doute, il se rendit compte que cette douleur naïve, absolue, était réellement incurable ; et peut-être vit-il en cette douleur un moyen d'aboutir à l'acte qu'il avait résolu d'accomplir.

« Sire, reprit-il, quelque pénible que soit mon devoir de conseiller intime et de bon parent du roi, il faut que je l'accomplisse jusqu'au bout. »

Louis X murmura, dans une sorte de supplication :

« Va-t'en, Valois. Tu as Marigny. Que te faut-il de plus ?

– Ce qu'il me faut, Sire, c'est votre bonheur, c'est votre tranquillité, la paix de votre cœur reconquise. Tout cela est impossible tant que le crime habite sous le toit de votre Louvre, tant que vous respirez l'air que la coupable empeste de son haleine…

– Elle mourra ! fit sourdement le roi.

– Vous dites : « Elle mourra !… » Pas n'est besoin qu'elle meure, Sire ! Il faut seulement que votre honneur soit vengé et qu'un bon procès…

– Je lui ai laissé du poison… Peut-être est-elle morte à cette heure ? »

Valois se pencha vers lui, et, à voix basse, plus basse :

« Veux-tu que je m'en assure, moi ?… »

Louis hésita une minute, puis, enfouissant sa tête dans ses deux bras, comme un enfant qui a peur :

« Va ! » dit-il.

Valois s'élança, en étouffant un rugissement.

Marguerite de Bourgogne, pendant ces quelques jours, descendit lentement jusqu'au fond du désespoir. Cet esprit solide se détraqua. La folie, en peu d'heures, entra dans son cerveau et s'y installa victorieusement. Cette abolition de l'intelligence chez la reine ne fut pas seulement provoquée par la série des secousses cérébrales, mais aussi par un fait matériel.

La petite Juana avait vidé le flacon de poison apporté par le roi ; ce flacon, elle l'avait ensuite rempli d'eau. Juana ne voulait pas que la reine s'empoisonnât ; elle ne voulait pas être accusée d'avoir fait disparaître le flacon.

Lorsque Marguerite, après le départ de Louis et l'arrestation de Juana, put réfléchir, elle envisagea la situation avec un sang-froid stoïque.

En somme, elle avait à choisir entre la mort volontaire et la mort par les mains du bourreau.

Marguerite, douée d'une énergie extraordinaire, n'hésita pas : puisqu'elle était condamnée, elle voulut mourir à son heure, et de sa propre volonté. Elle choisit le point du jour pour l'heure de sa mort.

Au matin, lorsqu'elle vit que les premières lueurs du jour se glissaient dans sa chambre, elle se leva, marcha d'un pas ferme à la table, saisit le flacon, le déboucha et en but le contenu sans que sa main tremblât.

D'abord, elle fut stupéfaite de se voir encore debout. D'après l'idée qu'elle s'en était faite, le poison devait la foudroyer. Elle n'éprouvait aucun malaise.

Alors, elle tira les rideaux de sa fenêtre, et le joyeux panorama de la vieille cité lui apparut dans l'air léger du matin, dans la magie des couleurs qui vont du rose pâle à l'or rouge ; les toits serrés, dressant leurs pointes capricieuses, les girouettes, les murs de l'hôtel de Nesle et la Seine qui coulait, toute bleue, d'un bleu de saphir, et, enfin, devant elle, la Tour de Nesle.

Et, dans la joie de cette matinée, la tour perdait de son mystère sombre... On eût dit que ses fantômes l'avaient abandonnée, satisfaits de savoir que la sanglante ribaude allait recevoir son châtiment.

Marguerite pénétra dans la profonde embrasure, colla son visage aux barreaux et, longuement, contempla la tour. Elle la contempla sans terreur. Maintenant qu'elle allait mourir, elle n'avait plus peur de voir la plate-forme se peupler de spectres et la Seine rejeter des cadavres.

Voici exactement ce qu'elle pensait :

« Ce n'était pas du poison ! Louis a voulu faire une épreuve ! Louis ne veut pas que je meure ! Louis m'aime encore ! Je vais vivre ! Je vais être heureuse… »

Dans cet instant même, elle porta la main à son front brusquement. Il lui sembla que quelque chose, elle ne savait quoi, se brisait dans sa tête. Puis, cette brève souffrance disparut. Elle respira, souriante encore. Mais il y avait alors dans ses yeux hagards quelque chose qui n'y était pas tout à l'heure. Une deuxième fois, elle sentit à la nuque une violente douleur qui, presque aussitôt, disparut comme la première. Elle fixa la Tour de Nesle comme pour se convaincre qu'elle ne redoutait pas la tour, *maintenant qu'elle savait la vérité :* que le roi avait voulu faire une épreuve et que, par conséquent, il ne voulait pas qu'elle mourût !…

« C'est qu'il m'aime toujours ! Oh ! Je vais l'aimer, moi, comme je n'ai jamais aimé : Tour de Nesle, tour maudite, je te dis adieu. »

Dans cette seconde, elle demeura horrifiée, éperdue de terreur et recula en frissonnant, tremblante des pieds à la tête, d'un tremblement convulsif…

Là, sous ses yeux, en plein soleil, sur la plateforme de la Tour de Nesle, un spectre venait d'apparaître. Et c'était le spectre de Gautier d'Aulnay !…

Il y avait une cause à la vision de Marguerite. Marguerite avait bu le flacon que le Hutin avait apporté plein de poison et que Juana, après l'avoir vidé, avait rempli d'eau.

Ce poison eût foudroyé Marguerite. Les gouttes qui se mélangèrent à l'eau furent impuissantes à la tuer, mais gardèrent une force suffisante pour amener des troubles nerveux.

Ce trouble, en quelques secondes, devint général. La vue, l'odorat, le toucher, se pervertirent et ce fut une véritable crise de démence qui se déclara.

Sur la plate-forme de la Tour de Nesle, Marguerite vit donc un homme, et cet homme fut pour elle Gautier d'Aulnay. La malheureuse se mit à trembler et bégaya :

« Gautier ! L'homme qui m'a maudite ! Oh ! je le savais bien que je succomberais tôt ou tard sous cette malédiction !... Il m'implore... Stragildo, ne ferme pas le sac, je ne veux plus que ces infortunés soient précipités !... Assez de victimes ! Assez de meurtres ! Dieu puissant, assez !... Trop tard ! Il les a précipités !... »

Elle vit Gautier déchirer le sac avec son poignard. Alors, il apparut à la surface du fleuve et se mit à marcher sur l'eau.

Il regardait Marguerite. Il venait à elle...

La reine rassembla le peu de forces qui lui restaient, fit retomber le châssis, tira les rideaux et sortit en chancelant de l'embrasure.

« Il ne pourra pas entrer, puisque j'ai fermé la fenêtre », murmura-t-elle.

Brusquement, elle se redressa, porta les mains à ses tempes et rugit :

« Je l'entends qui monte ! Ne le laissez pas monter ! Louis, à moi ! Grâce !... »

Elle essaya de sauter du lit, mais elle demeura comme paralysée par l'excès de l'épouvante. Elle entendait distinctement Gautier qui, entré dans le Louvre, était venu tout droit à la Grosse Tour, et elle l'entendait monter.

Soudain la porte s'ouvrit...

Marguerite jeta les mains au-devant d'elle pour repousser l'affreuse vision ; mais la vision, après avoir soigneusement fermé la porte, marchait jusqu'à elle et se penchait...

Et cette fois, la vision irréelle devenait réalité.

Car la porte s'était vraiment ouverte ; un homme, cette fois, s'approchait vraiment de Marguerite et se penchait sur elle. Cet homme, c'était Valois.

Il tressaillit d'horreur.

Ce n'était plus Marguerite qui était sous ses yeux ; cette femme affreusement maigre, à demi morte de *faim,* presque un spectre elle-même, était-ce bien la belle, la souverainement belle Marguerite de Bourgogne ?...

Mais, tout aussitôt, cette pâle lueur de pitié qui venait de s'éveiller dans le cœur de cet homme s'éteignit. Marguerite était agonisante, oui ! Mais elle n'était pas morte encore ! Elle pouvait parler ! Elle pouvait le perdre !

Il essuya la sueur qui coulait sur son front et gronda :

« Marguerite, il faut boire le poison... »

Elle eut encore la force de crier :

« Grâce, Gautier, grâce ! Ne me tue pas ! Je... Oh ! oh ! Mais tu n'es pas Gautier !... Qui es-tu ?... Ah ! Je te reconnais ! Tu es Valois !... »

Elle eut un éclat de rire et hurla :

« Valois ! mon amant ! Ah ! il manquait à mon agonie !...

– Silence ! rugit Valois en jetant un regard vers la porte.

– Mon amant ! cria Marguerite. Venez tous ! Spectres de ceux que j'ai aimés, et toi aussi Buridan ! Et toi Philippe ! Gautier ! Entrez, je veux... »

La voix, soudain, s'étrangla dans sa gorge. Dans sa main tremblante, Valois, affolé, avait d'abord tiré sa dague. Mais il la jeta. Il ne fallait pas de sang !... Alors, les yeux hagards, il chercha comment il pourrait tuer Marguerite... et, brusquement, il trouva !...

Les cheveux, les splendides cheveux de Marguerite, à pleines mains, il les saisit, les tordit en corde et les enroula autour du cou... il serra... cela formait deux cordes qu'il noua... Il serra toujours plus fort... Puis, lentement, il défit le nœud, ramena les cheveux sur les épaules... Il se pencha plus bas, livide, effroyable à voir, il se pencha jusqu'à toucher presque la bouche de Marguerite et il eut un grondement furieux en voyant qu'elle respirait encore. Un faible son sortit des lèvres tuméfiées de la reine. Et Valois recueillit ce dernier souffle, les dernières paroles de Marguerite de Bourgogne :

« Myrtille, saints et anges... ayez pitié de Myrtille... protégez ma fille... »

Une petite secousse l'ébranla, puis elle se tint immobile pour jamais.

Valois recula lentement jusqu'à la porte et s'y adossa, les yeux fixés sur le cadavre. Il demeura là une heure, en proie à quelque formidable rêverie. Puis il sortit, gagna le cabinet du roi, livide, effroyable à voir ; il se pencha et, simplement, lui dit :

« Sire, la reine est morte !... »

Le roi se redressa tout droit, poussa un grand cri et tomba tout d'une masse, évanoui. Valois se pencha, l'examina avec une étrange curiosité, puis, se relevant, murmura :

« Avant six mois, je serai roi de France ! »

Et, tout raidi, les yeux fulgurants d'orgueil, il sembla, d'un farouche regard, jeter un défi à la destinée.

XLIV

LES FOURCHES PATIBULAIRES DU SIRE DE MARIGNY

Nous rejoindrons maintenant Lancelot Bigorne, Guillaume Bourrasque et Jean Buridan au moment où, parmi les flots du peuple, ils franchissaient la porte aux Peintres. Cette foule qui, de tous les points de Paris, affluait à la porte où elle s'endiguait pour se répandre ensuite dans la campagne comme un fleuve débordé qui cherche de la place pour ses eaux, cette foule joyeuse était hors des murs, en route pour Montfaucon.

Des compagnies d'archers et de hallebardiers vinrent se ranger au pied du gigantesque piédestal de pierre qui supportait l'ensemble des fourches patibulaires de Montfaucon ; ces soldats repoussèrent la foule déjà compacte autour du gibet, et chacun s'installa.

Tout à coup, tout le monde fut debout ; une clameur terrible monta de cent mille poitrines :

« Le voilà !... »

Il faisait plein jour. Le soleil se levait et ses rayons venaient se jouer parmi les énormes piliers et les grosses chaînes du funèbre monument.

Marigny marchait sans entraves, il était vêtu de la chemise des pénitents et portait un gros cierge à la main. Il était pieds nus.

Il s'avançait d'un pas ferme. Une indomptable fierté se lisait sur son visage ; il ne semblait entendre ni les cris de mort, ni les insultes ; il tenait ses yeux fixés sur Capeluche, qui marchait devant lui, sa corde enroulée au bras.

Comme on rapprochait du gibet, Marigny fit un pas plus vite, écarta rudement Capeluche et lui dit, à haute voix :

« Ôte-toi ; tu m'empêches de voir le gibet que j'ai offert à notre Sire !... »

Capeluche obéit et passa derrière lui.

Bientôt, le cortège s'arrêta au pied du soubassement ; deux hommes s'avancèrent qui voulurent saisir le condamné par les bras, mais il les écarta, et, ferme, monta les degrés qui conduisaient à la plate-forme.

Enguerrand de Marigny se tourna vers la foule immense sur laquelle, à ce moment, plana un silence de mort et, redressant sa haute taille, sa tête flamboyante d'orgueil, il domina, du haut du gibet, comme du haut d'un trône. Tout le monde comprit qu'il allait parler.

Mais, dans cette minute, un homme qui, d'un regard ardent, contemplait cette scène, fit un signe, et, aussitôt vingt-cinq hérauts, massés au pied du soubassement, commencèrent une stridente fanfare, leurs trompettes levées haut vers le ciel. Cet homme, c'était le comte de Valois.

Marigny l'aperçut et fixa sur lui ses yeux…

Et il y eut dans les yeux de celui qui allait mourir une telle flamme de mépris et d'insultante pitié que, même dans ce moment où il tenait enfin son rival abhorré, Valois frissonna de terreur et de rage : ce regard de mépris, il y avait vingt ans qu'il le connaissait !

Furieusement, Valois fit un autre signe.

Au même instant, et tandis que les trompettes sonnaient, tandis qu'un long et profond murmure montait de la foule, on vit un groupe se débattre trois ou quatre secondes sur la plate-forme : Capeluche et ses aides ligotèrent les mains du condamné !… et, brusquement, entre les deux piliers de droite, apparut un corps qui se balançait dans l'espace, et, accroché aux jambes de ce corps, Capeluche qui tirait de toutes ses forces !…

Alors, Valois tourna bride, et, suivi de ses gens d'armes, descendit la colline.

Alors, commença devant le cadavre du premier pendu du gibet de Montfaucon un défilé inouï ; un fleuve humain roula ses flots tumultueux : femmes, enfants, bourgeois, écoliers, moines, truands, jongleurs, artisans, manants, chacun passa en jetant une dernière insulte au cadavre d'Enguerrand de Marigny qui se balançait mollement au bout de sa corde.

Buridan avait tout vu.

Il avait vu arriver Marigny ; il l'avait vu monter l'escalier qui conduisait à la plate-forme ; il avait vu Capeluche lui passer la corde au cou ; il avait vu les aides tirer sur cette corde et le corps s'élever dans les airs. L'espoir, jusqu'à la dernière seconde, ne le quitta pas. La corde allait se rompre ! Capeluche avait juré ! Capeluche avait été payé au triple de ce qu'il demandait !...

La corde ne se rompit pas !...

Alors, Buridan fut agité d'un tremblement de pitié. Ses yeux pleins de larmes se fixèrent sur le cadavre et il balbutia :

« Ô Myrtille !... pauvre Myrtille !... »

Lorsqu'il commença à revenir au sentiment des choses, il vit que la foule s'était écoulée.

Alors Buridan vit un homme monter l'escalier, se hisser au pilier et, de près, examiner curieusement la corde qui soutenait le corps.

Buridan allait s'élancer, croyant à une profanation, lorsque l'homme, se laissant glisser et sautant à terre, vint à lui. Buridan reconnut Lancelot qui lui dit :

« J'ai voulu voir pourquoi la corde a résisté...

– Eh bien ? gronda Buridan.

– Eh bien, fit Bigorne en haussant les épaules, Capeluche n'a pas scié la corde ; elle est intacte ; je suis volé ! Allons, ajouta Bigorne, consolez-vous, que diable, compère Tristan ! Ce ne sont pas vos larmes qui rendront la vie à votre maître... Mourir de la corde ou d'une fièvre, cela se ressemble. Courage, par saint Barnabé !... »

Buridan vit alors que Bigorne parlait à un homme qui, assis sur une grosse pierre, la tête dans les mains, paraissait insensible à tout ce qui se passait autour de lui. Il le reconnut aussitôt : c'était maître Tristan, c'était le vieux et fidèle serviteur de Marigny. C'était l'homme qui s'était affaissé près de lui au moment où Marigny avait été pendu...

Buridan se pencha vers Tristan, le toucha à l'épaule et lui dit doucement :

« Venez-vous avec nous ?... »

Tristan secoua la tête.

« Je reste là, dit-il. J'ai un dernier devoir à remplir.

– Quel devoir ? Que prétendez-vous donc faire ?

– Attendre la nuit, et, alors, descendre le corps de mon maître et l'enterrer décemment. »

Enfin, comme Buridan, persuadé qu'il n'arracherait pas Tristan à sa douleur, faisait un pas pour s'éloigner, Lancelot se pencha vers le vieux serviteur et lui dit :

« Compère, pour la besogne que vous voulez faire, il faut être plusieurs : nous viendrons vous aider !

– Certes ! fit Buridan qui entendit.

– Bon ! À quelle heure avez-vous l'intention d'agir ? reprit Bigorne.

– Dès que la nuit sera assez obscure pour que je ne puisse être aperçu.

– C'est bon. Mais il faut attendre que nous soyons là, dit Bigorne d'une voix étrange. J'ai besoin que vous nous attendiez. Me le promettez-vous ?

– À minuit », dit Tristan.

Buridan et Bigorne reprirent le chemin de Paris.

« Maître Capeluche nous a bien volés, dit Lancelot.

– Oui, fit Buridan et, par le Dieu vivant, je jure de ne pas quitter Paris avant d'avoir puni le misérable…

– Hi han ! » fit Bigorne.

XLV

COMMENT MARIGNY FUT ENTERRÉ TOUT EN DEMEURANT PENDU ET COMMENT LANCELOT BIGORNE DEVINT RICHE UNE TROISIÈME FOIS

En regagnant la porte aux Peintres, Bigorne et Buridan passèrent devant ces quelques misérables chaumières plantées vers l'endroit où la colline redevenait plaine et parmi lesquelles se trouvait cette guinguette, à l'enseigne de La Bonne-Futaille qui coule, où Buridan, Guillaume et Riquet avaient attendu Valois au début de ce récit.

Bigorne arrêta Buridan et lui montra le misérable cabaret.

« Seigneur Buridan, reprit Bigorne, vous voyez bien ce digne cabaret qui déjà fut témoin de nos exploits ? Il me semble que nous pourrions venir ici attendre le moment de monter là-haut pour aider l'infortuné Tristan dans l'accomplissement de sa besogne. »

Buridan fit un signe affirmatif.

« Je vous retrouverai donc ici ? reprit Bigorne.

– Oui, mais toi ?

– Moi, j'ai une affaire à terminer dans la ville. Mais, soyez tranquille, je vous rejoindrai avant que les portes de Paris ne soient fermées. »

Là-dessus, Bigorne s'éloigna à grandes enjambées, et, se dirigeant tout droit vers le Châtelet, pénétra dans la ruelle où se trouvait le logis de maître Capeluche. Il se mit à frapper à grands coups dans la porte, qui était peinte en rouge, afin qu'elle put être reconnue des passants et qu'ils pussent s'en écarter, ou tout au moins dire une prière s'ils passaient devant ; car c'était un malheur ou une menace de malheur que de frôler le logis du bourreau.

Bientôt, le judas s'ouvrit et la figure bestiale de Capeluche apparut.

Il reconnut Bigorne, mais, le voyant seul, n'hésita pas à ouvrir.

« Eh bien, fit-il, goguenard, la chose a manqué ! J'avais pourtant bien scié la corde. Il faut que le diable s'en soit mêlé, c'est la première fois que cela m'arrive !

– Que voulez-vous, compère ? dit Bigorne. Il paraît que le drôle était condamné. Vous avez scié la corde (Bigorne savait le contraire, puisqu'il s'était hissé au pilier de Montfaucon pour s'en assurer), vous avez fait ce que vous avez pu, n'en parlons plus ; c'est un sacripant de moins sur la terre.

– Ainsi, reprit Capeluche, vous n'êtes pas fâché que la corde n'ait pas cassé ?

– Pourquoi ? Vous avez gagné la somme ! Ce n'est pas votre faute si le diable, qui était pressé d'emporter Marigny, a raccommodé la corde que vous aviez sciée. »

Cette fois, Capeluche se mit à rire et rengaina sa dague. Il n'avait aucun soupçon. Et puis, dès l'instant qu'on ne lui redemandait pas l'argent, c'était l'essentiel.

« Qu'êtes-vous donc venu me dire, en ce cas ? reprit-il.

– Il s'agit d'une grosse somme à gagner…

– Vous dites qu'il y a beaucoup d'or à gagner ? fit Capeluche, les yeux incandescents.

– Bon. Vous savez donc, compère, que le sire de Marigny possédait un trésor auprès duquel les trésors du roi ne sont que pauvres mailles et sous de cuivre… Vous savez que l'hôtel de Marigny a été bouleversé, démoli pierre par pierre et qu'on n'a pas trouvé le trésor. Eh bien, ce trésor, je l'ai trouvé, moi ! »

Capeluche devint livide. Un tremblement l'agita.

« Ou plutôt, mais cela revient au même, j'ai trouvé l'homme qui sait où est enfoui le trésor. C'est le vieux et le plus fidèle serviteur de Marigny, un certain Tristan.

– Je le connais ! dit Capeluche. Car, du temps où Marigny faisait pendre en attendant d'être pendu, c'est Tristan qui m'apportait les ordres.

– Bon ! Eh bien, ce Tristan était au gibet de Montfaucon tout à l'heure.

– Je l'ai vu. Il était blanc comme la mort…

– Eh bien, mon compère, reprit-il tout haut, vous comprenez, n'est-ce pas ? Nous allons tous deux à Montfaucon, nous trouvons Tristan, nous l'aidons à dépendre Marigny, et, la besogne achevée, nous lui demandons de nous conduire au trésor, et nous emplissons nos poches.

– Il refusera ! balbutia Capeluche.

– Alors, vous lui passez au cou le nœud coulant d'une bonne corde que vous aurez apportée ; je vous garantis que, quand il sentira le nœud se serrer sur sa gorge, il nous mènera partout où nous voudrons.

– Par le sang de Dieu ! grogna Capeluche.

– Hein ? qu'en dites-vous, compère ?

– Je dis… Ah ! tripes du diable !… Il faut que je vous embrasse ! »

Capeluche serra dans ses bras Bigorne, qui sentit ses cheveux se hérisser, mais demeura stoïque.

« Compère, ajouta Capeluche, si vous devez être pendu, comptez sur moi pour avoir une corde neuve et un prêtre, quand je devrais payer corde et prêtre de mes deniers !

– Bon ! fit Bigorne, tout frissonnant. Vous connaissez le cabaret de La Bonne-Futaille, au pied du mont Faucon ?

– J'y ai régalé mes aides, tout à l'heure.

– Eh bien, je vous attendrai là. Venez à la nuit tombante et n'oubliez pas d'apporter une corde.

– Soyez tranquille ! » fit Capeluche, en éclatant de rire.

Lorsque Bigorne se trouva dehors, lorsqu'il fut sorti du lacis de ruelles qui environnaient le Châtelet, il faillit se trouver mal. Mais, surmontant cette faiblesse, il entra dans une taverne où il se mit à boire et à manger pour se remettre, et, d'ailleurs, il avait grand-faim.

Au moment où approcha l'heure de la fermeture des portes, il gagna la porte aux Peintres, sortit de Paris et se dirigea vers le cabaret, où il trouva Guillaume Bourrasque et Buridan qui l'attendaient.

À voix basse, il leur expliqua minutieusement son plan.

Il paraît que ce plan amusa fort Guillaume, car il se mit à rire, d'un rire terrible.

« Allons ! » fit Buridan.

Il sortit, accompagné de Bourrasque, et tous deux regagnèrent les hauteurs. Quant à Bigorne, il était resté dans le misérable cabaret, et attendait.

La nuit vint…

Capeluche parut. Bigorne se leva aussitôt, alla à lui, le prit par le bras et l'entraîna en lui disant :

« Hâtons-nous. Vous avez la corde ? »

Capeluche écarta son manteau et montra une corde qu'il portait enroulée à son bras.

Les deux hommes se mirent en route. Capeluche regarda le ciel et dit :

« Une belle nuit, pour mourir !…

– Oui », répondit Bigorne.

Ils ne dirent plus rien et hâtèrent le pas vers le gibet, qui se dessinait en noir sur noir à mesure qu'ils approchaient ; Bigorne paraissait résolu. Capeluche frissonnait.

« Pourvu qu'il soit là ! murmura-t-il.

– Soyez tranquille, il y est ; le voici !… »

En effet, une ombre venait de surgir à quelques pas et s'avançait vers les deux hommes. C'était Tristan. Il dit :

« Soyez remerciés, chrétiens qui venez m'aider à une œuvre chrétienne.

– Le bon chrétien que j'ai amené avec moi s'y connaît, maître Tristan ; soyez tranquille ; à lui seul, il va dépendre le pauvre Marigny sans lui faire de mal.

– Je m'en charge ! » dit Capeluche.

Tous les trois marchèrent à l'escalier que Marigny avait gravi dans la matinée et atteignirent la plate-forme ; l'instant d'après, ils étaient sous le corps de Marigny qui se balançait dans le vide, au-dessus de leurs têtes.

« Passez-moi votre corde, elle vous gênerait », souffla Bigorne à Capeluche.

Il s'élança le long du pilier, s'accrochant aux chaînes, et disparut, en haut, dans les ténèbres. Un instant plus tard, on entendit sa voix. De la poutre où il était assis, il criait :

« Attention, soutenez le corps, je coupe la corde…

– *Hi han !* » fit Bigorne.

Aussitôt deux hommes surgirent d'entre les piliers et vinrent se placer près de Bigorne et de Tristan. C'étaient Buridan et Guillaume Bourrasque…

Dans le même instant, le corps de Marigny tomba et fut soutenu, puis déposé sur les dalles de la plate-forme. En haut, ils entendaient un bruit de chaînes. C'était Capeluche qui descendait. Bientôt il sauta en disant :

« Là ! portons-le maintenant à… holà ! holà !… »

Il eut un rugissement terrible et essaya de bondir : Bigorne venait de lui jeter autour du cou la corde que Capeluche avait apportée lui-même.

Une minute plus tard, Capeluche était hissé ; il eut quelques secousses nerveuses ; puis, doucement et mollement, son cadavre se balança à la place de celui de Marigny.

« Il nous a trahi, dit Buridan d'une voix sourde. Il nous avait juré sur la croix que Marigny ne serait pas pendu ; c'est pourquoi nous l'avons puni. »

Alors Bigorne enleva au cadavre de Marigny sa chemise et la cagoule qui couvrait sa tête ; puis, de nouveau, tandis que ses compagnons demeuraient absorbés dans une rêverie affreuse, il grimpa en chantant… Au bout d'une demi-heure, il descendit.

« C'est fait ! » dit-il simplement.

Qu'est-ce qui était fait ?… Bigorne avait complètement dépouillé le corps de Capeluche ; il lui avait arraché tous ses vêtements en les déchirant avec son poignard, puis lui avait passé la chemise et la cagoule !…

En sorte que le lendemain et les jours suivants pendant lesquels ce fut un but de promenade et de distraction pour les Parisiens que d'aller voir Enguerrand de Marigny pendu aux fourches de

Montfaucon, nul ne s'avisa d'imaginer que, si le pendu y était toujours, ce n'était plus le sire de Marigny.

Marigny avait été enterré dans la fosse que Tristan avait préparée. Le vieux serviteur avait proprement enveloppé le corps dans un linceul qu'il avait apporté, de façon qu'il ne fût pas souillé par la terre.

Ces derniers soins accomplis en bonne et due forme, Tristan s'éloigna, bien triste assurément, mais rassuré sur le sort qui attendait le défunt. La petite troupe descendit jusqu'aux chaumières et attendit dans le cabaret de La Bonne-Futaille que le jour leur permit de rentrer dans Paris. Lorsque les portes s'ouvrirent, Buridan se dirigea vers la Courtille, où l'on retrouva Riquet qui montait bonne garde.

« Venez avec nous, dit Buridan à Tristan ; sous peu de jours, nous quitterons Paris où vous n'avez plus rien à faire, où vous risquez vous-même d'être pendu ; plus tard, vous rentrerez dans Paris, comme j'espère y rentrer moi-même, car je veux être docteur. »

Tristan réfléchissait à la proposition que venait de lui faire Buridan.

« Eh bien, soit, dit-il, je vous suivrai hors Paris ! mais j'ai à rassembler quelques menus objets auxquels je tiens ; sous deux ou trois jours, je vous rejoindrai ici.

– Non, dit Buridan ; dès que vous serez en état de partir, rendez-vous au Roule, où vous trouverez la fille du malheureux Marigny, et attendez-nous là. Si vous le croyez utile, mettez-la au courant de la mort de son père, car, moi, je n'en aurais pas le courage…

– Je m'en charge », dit Tristan.

Et il quitta la Courtille-aux-Roses, en faisant signe à Bigorne de le suivre. Bigorne, d'ailleurs, s'apprêtait lui-même à sortir. Il suivit donc Tristan, mais, avant de s'en aller, il confia à ses compagnons qu'il ne rentrerait pas avant le lendemain ou peut-être le surlendemain.

Buridan demeura avec Guillaume et Riquet.

« Eh bien, fit Guillaume, partons-nous cette fois ? As-tu quelque autre Marigny à essayer de sauver ?

– Il y a Gautier, dit Buridan. Moi, je vous déclare que je ne m'en irai pas que je ne l'aie tiré de prison ou que je l'aie vu mort…

– Pauvre Philippe ! sanglota Guillaume Bourrasque.

– Oui, fit Riquet, c'était un joli gentilhomme, bien qu'il supportât le vin beaucoup moins que Gautier. Allons, Buridan, console-toi, nous ferons comme toi, nous ne nous en irons pas avant d'avoir vu le pauvre Gautier se balancer au bout d'une corde… »

Lancelot Bigorne avait rejoint Tristan, qui s'éloignait sans hâte et paraissait tout absorbé dans sa douleur.

« Holà ! mon digne compère, fit Bigorne, où me conduisez-vous ? Je vous préviens que j'ai un travail fort pressé, qui ne souffre aucun retard. »

Quel travail avait à accomplir Bigorne ? Nous le verrons à l'œuvre.

« Savez-vous, dit Tristan, qu'il y a deux hommes auxquels j'avais, ce matin, voué une haine terrible ?…

– Bon, et quels sont ces deux hommes ? Mais, je vous préviens…

– Patience ! dit Tristan. L'un de ces deux hommes est le comte de Valois, qui a fait pendre mon maître.

– Ah ! ah ! fit Bigorne.

– Oui. Et l'autre, c'est, ou plutôt c'était Capeluche, qui a pendu mon maître.

– Celui-là a payé. N'en parlons plus.

– Oui, fit Tristan, il a payé, grâce à vous, maître Bigorne… C'est pourquoi je vous ai parlé de m'accompagner. Ne me demandez rien. Venez et vous verrez… »

Bigorne, pensif, se laissa conduire par Tristan.

Ils arrivèrent rue Saint-Martin et s'arrêtèrent à un endroit de la rue qui était éventré ; là s'était élevée une belle forteresse, bien close de murs crénelés, bien entourée de son fossé. Il n'y avait plus rien. Murs, forteresse, bâtiments, tout avait été démoli.

« Voilà ce qui reste de l'hôtel Marigny ! » dit Bigorne.

Mais Tristan ne répondit pas. Une centaine de pas plus loin, il entra dans cet humble logis inhabité et même mal famé pour le voisinage, où nous avons déjà vu le serviteur du ministre le jour où ce dernier fut arrêté.

Tristan alluma une torche, descendit un escalier, parvint à un caveau, déblaya une partie du sable qui recouvrait le sol, souleva une trappe et descendit encore un escalier, toujours suivi de Bigorne. Là, dans ce deuxième caveau, Tristan saisit une pioche et se mit à frapper contre le mur, qui paraissait fait d'énormes pierres cimentées.

À la stupéfaction de Bigorne, le mur, sous les coups de pioche, s'écailla ; cette apparence de pierres et de ciment tomba et un énorme coffre de fer, scellé dans l'épaisseur des fondations, apparut. Tristan ouvrit ce coffre ; il était rempli de sacs, méthodiquement rangés.

Tristan souleva un de ces sacs et l'ouvrit en coupant avec son poignard la cordelette qui le liait. Il s'en échappa une pluie de pièces d'or.

Bigorne ouvrait des yeux hagards et pantelait.

« Oh ! bégaya-t-il, rien que dans ce sac, il y a peut-être trois cents écus d'or !...

– Mille ducats d'or, dit gravement Tristan, c'est-à-dire une fortune dont se contenterait plus d'un gentilhomme de la cour du roi. Aidez-moi, Bigorne. »

Tristan se mit à, entasser dans le sac les pièces d'or qui s'en étaient échappées. Bigorne l'aidait en tremblant et en soupirant :

« Dire qu'avec la dixième partie de ce qu'il y a là, je serais riche !... »

Tristan referma le sac, le souleva, le posa dans les bras de Bigorne et dit simplement :

« Ce sac est à vous !... »

Bigorne chancela. Le sac lui échappa. Il porta les mains à son front.

« Eh bien ? fit Tristan, qui ne put s'empêcher de rire.

– Eh bien, compère, rendez-moi un service. Puisque vous devez nous rejoindre au Roule, gardez-moi jusque-là ces beaux ducats. Vous me les apporterez là-bas, et alors il sera trop tard pour qu'une nouvelle idée de Buridan me réduise à manger du foin ou des chardons comme lui. Je ne suis pas un âne, moi, que diable !

– Je vous le promets ! » dit Tristan.

Les deux hommes remontèrent en haut.

« Et vous disiez donc ? reprit alors Bigorne.

– Je ne disais rien, fit Tristan, redevenu sombre.

– Si fait, compère, vous disiez qu'il existait par le monde deux hommes auxquels vous vouliez le mal de mort. Le premier, c'était Capeluche, et celui-là est payé ; moi aussi. Le deuxième, c'était Valois ; et celui-là n'a pas encore payé. »

Tristan leva sur Bigorne un regard qui s'éclaira alors.

« Est-ce que vous auriez la pensée de m'aider ?…

– À vous venger de Valois ?… Oui. »

Alors, il y eut entre Bigorne et Tristan une longue conversation, ou, pour mieux dire, ce fut un monologue de Bigorne, que Tristan, parfois, approuvait d'un signe de tête.

« Ainsi, dit Bigorne, en achevant, si vous réussissez, *vous le conduisez jusqu'à la porte ?*

– Oui ! dit Tristan, qui frissonna.

– Vous le laissez entrer ; puis vous tirez au-dehors la porte sur vous ?

– J'ai compris…

– Bon ! Et alors, vous allez rejoindre Buridan au Roule. Le reste me regarde. »

Sur ces mots, les deux hommes se séparèrent pour s'occuper de la besogne que chacun s'était assignée. Or, cette besogne, Bigorne n'en avait expliqué qu'une partie à Tristan. La manœuvre qu'il méditait se divisait en deux manœuvres successives. Tristan connaissait la deuxième, à laquelle il devait collaborer. Quant à la première, Bigorne la lui laissait ignorer, redoutant peut-être que le serviteur de Marigny refusât son concours et même s'y opposât.

C'est cette dernière manœuvre que nous allons voir se dessiner ici.

En sortant de la rue Saint-Martin, Lancelot Bigorne se rendit dans la rue aux Sorciers. Ces sorciers étaient des guérisseurs.

Ce fut chez un de ces sorciers que se rendit Lancelot Bigorne. Il aborda courageusement le monstre, c'est-à-dire le sorcier : c'était un homme d'une cinquantaine d'années, à l'œil doux, à la bouche grave, d'une mine, en somme, plutôt rassurante, et pourvu d'une belle barbe ondoyante.

« Voilà, dit-il, un homme est mort ce matin ; pouvez-vous le faire vivre pour quelques jours ?

– Non, dit le sorcier. Mais de quoi est mort cet homme ?

– Diable ! diable ! fit Lancelot, stupéfait. Ainsi, vous ne pouvez pas rendre la vie à un cadavre pour quelques malheureux jours, une semaine au plus ?

– Non. Mais dites-moi de quoi est mort votre homme. A-t-il succombé à quelqu'une de ces maladies qui décomposent un mort et défigurent un visage aussitôt après et même avant la mort ?

– Il est trépassé d'avoir eu autour du cou un fil de chanvre qui l'a trop serré. Voilà sa maladie.

– Vous voulez parler d'Enguerrand de Marigny ?

– Ah ! vous êtes un vrai sorcier, vous qui devinez ainsi du premier coup de qui je viens vous parler !

– Vous me parlez d'un homme qui est mort ce matin et qui est mort pendu. Il faudrait que je fusse stupide pour ne pas deviner qu'il s'agit d'Enguerrand de Marigny.

– Tiens ! dit Bigorne.

– Mais laissons cela. Puisqu'il s'agit d'un homme qui est mort en pleine santé, je puis, non pas lui rendre la vie mais l'apparence de la vie.

– C'est tout ce qu'il faut ! dit avidement Bigorne.

– C'est bien ! Apportez-moi le cadavre et je le préparerai de façon que pendant des mois et des années, il aura l'apparence d'un vivant.

– Diable ! fit Bigorne. Il faut vous apporter le cadavre ? Vous ne pourriez pas opérer de loin, par enchantement ?

– Impossible. C'est ici même que doit se faire l'embau... je veux dire l'enchantement.

– Eh bien, soit, ce soir, à minuit, je serai ici avec le cadavre. »

Puis ils débattirent le prix. Le sorcier se montra modéré et se contenta de trois écus d'argent, que Bigorne lui versa séance tenante.

« Quelle aubaine ! songea le sorcier, lorsque Bigorne se fut retiré. Pouvoir étudier à mon aise le corps d'un Enguerrand de Marigny ! C'est moi qui les aurais plutôt donnés, les trois écus... Comment cet homme va-t-il s'y prendre pour décrocher le cadavre et l'apporter ici ?... Et que veut-il en faire ?... Bon, cela ne me regarde pas ! »

Quant à Bigorne, il se rendit tout droit chez un maraîcher qui cultivait un lopin de terre aux abords du Temple et il lui acheta la charrette qui lui servait à transporter ses légumes, et l'âne qui servait à tirer la charrette.

XLVI

GAUTIER D'AULNAY

Il paraît que Charles de Valois était pressé d'en finir avec ses prisonniers, et qu'après s'être débarrassé de Marigny et de Marguerite comme on a vu, il voulait promptement se débarrasser de Gautier d'Aulnay, car en traversant Paris, Bigorne entendit le crieur public annoncer aux Parisiens que :

« Le lendemain matin, sur la place du Martroi-Saint-Jean, seraient mis à mort les frères d'Aulnay, reconnus coupables de haute trahison, sur leur propre aveu enregistré par le Parlement !

« Que l'un des deux frères, Philippe, sire d'Aulnay, s'étant fait justice à lui-même en se tuant dans sa prison, serait supplicié en effigie ;

« Mais que le survivant serait supplicié dans son corps ;

« Qu'en conséquence, ledit survivant Gautier, cadet de la famille d'Aulnay, serait écorché vif par la main du bourreau. »

Buridan savait déjà que Gautier allait mourir le lendemain matin, et quel genre de supplice lui était réservé. Accablé de douleur et d'épouvante, le jeune homme n'en gardait pas moins une lueur d'espoir au fond de son cœur. Cette journée atroce fut bien lente pour lui. Elle s'écoula cependant ; la nuit vint, et Riquet Haudryot, envoyé en éclaireur, arriva bientôt, disant que Gautier d'Aulnay était en marche pour la place du Martroi-Saint-Jean.

« Il est donc temps d'agir, dit Buridan. L'élixir ?...

– Le voici, dit Riquet. Il m'a coûté...

– Peu importe !... Va, vite... Es-tu sûr qu'il le prendra ?

– Il n'a pas bu de la journée et doit enrager de soif. Il boira, c'est sûr. »

En même temps, Riquet versait le contenu de la fiole dans un pot qu'il acheva de remplir d'eau fraîche. Guillaume assistait à ces préparatifs en poussant des grognements de désespoir.

« Passe encore pour Philippe ! Et encore, celui-là a échappé au supplice. Mais Gautier. Ah ! ce pauvre Gautier ! »

Un sanglot coupa la parole à Guillaume Bourrasque. Quant à Riquet, simplement, il était descendu au caveau où Stragildo était enfermé et lui avait passé le pot d'eau fraîche en disant :

« Eh ! on vous a oublié aujourd'hui. Ce n'est pas notre faute, nous nous sommes occupés d'une de vos victimes. »

Stragildo, sans rien dire, saisit le pot et le vida jusqu'à la dernière goutte.

Puis il reprit cette attitude d'immobilité farouche qu'il gardait depuis qu'il était au pouvoir de ses ennemis. Stragildo se savait condamné. Toute la question pour lui était de savoir comment on le ferait mourir. Il savait qu'il n'avait ni grâce ni miséricorde à attendre de Buridan. Enfin, solidement ligoté, cet espoir qu'il avait eu d'abord de pouvoir une deuxième fois s'enfuir l'avait peu à peu abandonné. Dans la matinée de ce jour, Haudryot, comme tous les matins, lui avait descendu à manger. Et, doué d'un robuste appétit, Stragildo avait mangé comme d'habitude, mieux même, lui sembla-t-il. Seulement, lorsqu'il fut rassasié, il eut soif. Il chercha le pot plein d'eau qu'on lui remplissait plusieurs fois par jour, et il ne le trouva pas.

Alors, il sentit sa soif s'exaspérer et s'aperçut qu'on lui avait fait manger des viandes fortement épicées.

Lorsque, enfin, la nuit venue, Riquet lui apporta de l'eau, il reprit, aussitôt après avoir bu, son attitude d'insouciance farouche, et même l'espoir rentra en lui.

Peut-être ne le tuerait-on pas ?…

Peut-être Buridan finirait-il par oublier et lui ferait grâce de la vie ?…

Et déjà, il échafaudait des projets de vengeance.

Au moment où Stragildo sentait renaître en lui, en même temps que l'espoir, sa passion de vengeance, il chancela. Ses yeux se voilèrent. Une torpeur s'empara de lui. Il voulut crier et il comprit que sa langue se paralysait…

« Ils m'ont empoisonné ! » songea-t-il.

Dans cette minute où il lui sembla qu'il allait mourir, Stragildo fut envahi par une douleur que jamais il n'avait éprouvée. Mourir n'était rien. Mais mourir sans se venger de ce Buridan qui était la cause de son malheur, cela lui apparut comme la pire souffrance…

Dans cet instant, Buridan parut.

Il examina un instant à la lueur d'une torche le gardien des fauves.

Puis, se tournant vers Haudryot :

« Détache-le ! » dit-il.

Riquet s'empressa d'obéir et, avec son poignard, coupa les liens du prisonnier. Stragildo eut un rugissement de joie. Il se ramassa, rassembla toutes ses forces. Avant de mourir, il aurait la consolation d'étrangler Buridan ! Et il s'élança sur le jeune homme immobile. Ou, du moins, il voulut s'élancer. En réalité, il fit péniblement deux pas et s'arrêta. Il voulut lever les bras pour saisir à la gorge Buridan qui, tout près de lui, ne bougeait pas ; et il sentit que ses bras étaient de plomb, qu'il lui était impossible de les soulever !…

Buridan le toucha du doigt.

Et Stragildo vacilla.

Alors un flot de rage monta jusqu'à ce cerveau et, comme elle ne pouvait se traduire en cris et en paroles, car la langue paralysée refusait son office, elle se condensa en larmes qui coulèrent sur ce visage stupéfié, immobilisé, étrangement rigide… Dans ce moment, Stragildo sentit que le poison se mettait à agir sur sa pensée.

« Viens », dit Buridan, qui sortit du caveau.

Et Stragildo se mit à suivre docilement. Tout au fond de lui-même grondait la révolte de plus en plus faible et lointaine, qui finit par disparaître elle-même.

Derrière Buridan, Stragildo monta l'escalier d'un pas indécis ; mais il marchait et se tenait suffisamment ; il y avait en lui stupeur générale, anéantissement de la volonté ; mais le philtre qu'il avait bu n'allait pas jusqu'à lui retirer la faculté de se mouvoir et le sens de la direction ; l'idée de fuir n'existait plus en lui ; ni l'idée de vengeance ; Buridan, Guillaume, Riquet lui apparaissaient comme des ombres ; il ne les reconnaissait pas.

« Combien de temps doit durer l'effet de l'élixir ? demanda Buridan à Haudryot.

– Environ trois heures. Après quoi, le drôle reprendra toute sa force et toute son activité. Si tu m'en crois, il faut profiter de ce moment de stupeur pour le passer de la vie à trépas…

– Oui, dit Guillaume, et le misérable n'aura pas à se plaindre d'une telle mort, lui qui a précipité Philippe et Gautier, lui qui a… »

Buridan l'interrompit :

« Vous m'attendrez ici. Si je suis de retour avant la fin de la nuit, nous partirons ensemble. Si vous ne me revoyez pas, vous irez au Roule, où j'ai donné à Mabel des instructions pour vous… »

Guillaume et Riquet comprirent que Buridan allait tenter quelque épreuve impossible.

Mais comme ils le connaissaient têtu, comme ils savaient, par expérience, que jamais il ne revenait sur une décision une fois prise, ils le serrèrent dans leurs bras sans essayer de le détourner de son projet, quel qu'il fût…

Buridan prit Stragildo par le bras, après avoir eu soin de le couvrir d'un grand manteau de couleur rouge dont il rabattit la capuche sur son visage.

Stragildo se mit en marche, sans résistance.

Ils traversèrent lentement une partie de Paris et arrivèrent enfin à la place du Martroi-Saint-Jean.

Buridan traversa la place, toujours donnant le bras à Stragildo, et se dirigea droit sur l'entrée de la prison. Il comprenait que tout dépendait de la résolution qu'il mettrait à exécuter son projet insensé. La moindre hésitation pouvait le perdre. Il ne se demanda pas s'il serait reconnu, si un obstacle ne se dresserait pas tout à coup. Et même il s'efforçait de ne pas penser. Ou la chose réussirait, ou lui-même serait pris et irait rejoindre Gautier, voilà tout.

Il entra dans le corps de garde, où une vingtaine d'archers dormaient ou jouaient.

« Le capitaine ! » demanda-t-il d'un accent impérieux.

L'officier fixa sur cet homme couvert de son manteau rouge un regard curieux et sur Buridan un regard interrogateur.

« Messire, dit Buridan, de par le roi ! »

L'officier, qui était assis, se leva aussitôt dans une attitude de respect. Nous avons expliqué déjà quelle était la puissance de ces mots : de par le roi !

« Vous avez un prisonnier ? reprit Buridan.

– Oui, le sire d'Aulnay.

– Peu importe le nom. Ce prisonnier détient un secret d'État.

– Je crois l'avoir deviné, fit l'officier. C'est pourquoi l'official sera ici demain pour recueillir les derniers aveux du condamné. »

Buridan tenait toujours Stragildo par le bras. Il se pencha vers l'officier et murmura :

« Le condamné ne dira rien à l'official puisqu'il n'a rien voulu dire à Monseigneur de Valois. L'homme que voici, messire, peut seul arracher la vérité au prisonnier. De par le roi, capitaine, cet homme doit être mis en communication avec le condamné ; je l'accompagnerai pour recueillir les aveux.

– Il me faut un ordre écrit.

– Le voici », dit Buridan.

Et il jeta sur la table le deuxième des deux parchemins qu'il avait pris sur Stragildo. Le premier, on s'en souvient, avait été brûlé par Valois.

L'instant fut suprême. L'officier déplia le parchemin et le lut. Buridan, raidi, livide, sentit que son cœur s'arrêtait de battre. À ce moment, l'officier releva la tête, salua Buridan et cria :

« Huit hommes pour descendre aux cachots… »

Et il tendit le parchemin à Buridan qui, étouffant un mugissement de joie, repoussa doucement le papier en disant :

« J'ai ordre de laisser en vos mains ce parchemin que vous aurez à représenter demain à réquisition de messire Jean de Précy. Seulement, je vous préviens que l'entretien doit être secret.

– Mes hommes n'entendront rien, soyez tranquille. »

L'officier se dirigea vers une porte qu'il ouvrit. Là commençait un escalier que Buridan commença à descendre, Stragildo à son bras. Les huit archers suivaient. Deux d'entre eux portaient des torches. Une porte fut ouverte.

« Donnez-moi la torche », dit Buridan à celui des archers qui se trouvait près de lui.

Et il entra.

Derrière lui, il repoussa la porte…

Puis il planta la torche dans un coin du cachot.

Alors seulement il se tourna vers le fond, et vit un homme couché sur les dalles, les mains et les pieds liés de cordes.

Cet homme au visage de cire, affreusement maigri, c'était Gautier !… Il tenait ses yeux fermés, insensible, en apparence, à tout ce qui pouvait lui arriver.

Buridan s'agenouilla, appuya fortement sa main sur la bouche de Gautier pour l'empêcher de crier, se pencha jusqu'à son oreille et murmura :

« Tais-toi. Par le Ciel, si tu veux vivre, tais-toi ! Ouvre seulement tes yeux et regarde !… »

Gautier ouvrit les yeux… des yeux hagards, des yeux d'agonie où la mort prochaine, déjà, projetait son ombre. Il vit Buridan !… Et quelque chose comme un faible gémissement souleva sa poitrine.

« Pas un mot ! Pas un cri ! » gronda Buridan.

Alors, de son poignard, Buridan trancha les cordes.

L'instant d'après, Gautier était debout, si effaré, si tremblant, avec un visage si flamboyant que, pour la deuxième fois, Buridan lui appliqua sa main sur la bouche, sans prononcer un mot.

Peu à peu, en quelques minutes, après la première explosion, cette joie furieuse qui bouleversait Gautier parut se condenser. Il se mordit les lèvres jusqu'au sang. Puis, comprenant sans doute que l'instant était terrible, il s'accota au mur et ferma les yeux… comme pour ne pas être ébloui.

D'un tour de main, Buridan enleva le long manteau qui couvrait Stragildo, le jeta sur les épaules de Gautier et rabattit la capuche.

« Peux-tu marcher ? fit-il dans un souffle.

Pour toute réponse, Gautier fit quelques pas dans le cachot et alla s'appuyer à la porte, la tête dans les deux mains, pleurant silencieusement.

Buridan haletait. Il était couvert de sueur comme s'il eût accompli quelque travail très pénible.

Cependant, il gardait tout son sang-froid.

Alors il poussa Stragildo dans l'ombre du cachot et lui mit la main sur l'épaule.

« Me reconnais-tu ? » demanda-t-il.

Stragildo parut faire un effort. L'intelligence, peu à peu, se réveillait dans son esprit stupéfié.

« Je suis Buridan, reprit le jeune homme. Écoute donc mes dernières paroles. Tu as été lâche et cruel toute la vie, et moi, je t'avais condamné à mort. Je ne te frappe pas, pourtant. Une dernière chance te reste, et, si elle t'est favorable, je croirai que Dieu t'a pardonné. Quant à moi, en mon nom, au nom de Marguerite livrée par toi, au nom de Philippe, de Gautier que tu as voulu faire mourir, au nom de tous ceux que tu as précipités du haut de la Tour de Nesle, je te pardonne. Écoute. Dans quelque temps, dans une heure, peut-être, tu sentiras ta pensée se réveiller, tu pourras marcher et parler. Appelle, alors. Crie que tu n'es pas Gautier. Et quand on aura reconnu que tu n'es pas celui qui doit être supplicié, rejette sur moi toute la faute de cette évasion, réclame-toi du roi, ou du comte de Valois… Enfin, cela sera ton affaire. Adieu… Stragildo !… »

Stragildo, les yeux fous, fit un suprême effort pour crier, ou pour saisir Buridan… mais il était encore sous l'influence de la boisson… il vit Buridan saisir la torche… il le vit prendre Gautier par le bras… il les vit sortir !… Puis le bruit des pas s'affaiblit dans l'éloignement et il n'entendit plus rien…

Tant que Buridan fut en vue du corps de garde sur la place du Martroi, il se contint ; mais lorsqu'il eut entraîné Gautier au fond des sombres rues où, à cette heure tardive, on ne voyait pas âme qui vive, il se jeta dans ses bras, et subissant alors le contrecoup de cette émotion violente qu'il avait domptée jusque-là, ce fut Gautier qui fut obligé de le soutenir.

« Libre ! haletait Gautier. Libre et vivant !

– Oui, dit Buridan, nous allons pouvoir fuir. De bons chevaux nous attendent au Roule.

« D'ici quelques jours, nous serons hors du royaume.

– Fuir ! gronda Gautier. Non pas. Je veux venger mon frère, Buridan !…

– Viens, viens, dit Buridan. Viens d'abord te remettre par le bon dîner qui t'attend. Et, pendant que tu mangeras, je te raconterai ce qui est advenu à Marguerite de Bourgogne et à Marigny. »

Gautier se laissa entraîner. Il vivait dans la stupeur de cette délivrance et, d'ailleurs, il mourait de faim. Dirons-nous l'étonnement, l'admiration et les cris de joie de Guillaume et de Riquet lorsqu'ils aperçurent Gautier d'Aulnay ?

Quant à Gautier, après s'être laissé admirer, contempler et caresser, il se mit à table et engloutit les provisions que Riquet, toujours prévoyant, avait entassées.

Puis, le géant tomba dans un profond sommeil qui se prolongea jusqu'au lendemain à midi et qui fut suivi d'une nouvelle attaque contre les victuailles renouvelées par Riquet.

Le reste de la journée se passa en récits, questions et réponses de part et d'autre.

Nous n'avons plus rien à ajouter en ce qui concerne ces hardis compagnons sinon qu'au bout du quatrième jour ils trouvèrent une occasion de sortir de Paris et purent gagner le hameau du Roule, où ils retrouvèrent Mabel, Myrtille et Tristan.

Myrtille pleurait… Tristan lui avait raconté la mort de son père, mais il avait eu soin de mettre cette mort au compte d'une attaque d'apoplexie qui avait emporté Marigny sans douleur. Myrtille ignora donc toujours que le ministre avait été pendu.

Cette nuit-là, les compagnons de Buridan achevèrent les préparatifs du départ, qui fut fixé au lendemain matin, pour attendre Lancelot Bigorne.

Or, dans le courant de cette nuit, Tristan conduisit Buridan à l'écurie où avaient été placés les chevaux, et lui montra plusieurs sacs.

« Qu'y a-t-il là ? demanda Buridan.

– La dot de Myrtille ! » répondit le vieux serviteur.

C'était le trésor de Marigny, le trésor que Valois avait vainement fait chercher dans l'hôtel de la rue Saint-Martin.

XLVII

LE SUPPLICE DES D'AULNAY

Stragildo était demeuré seul dans le cachot où, grâce à la plus audacieuse des manœuvres, Buridan l'avait enfermé au lieu et place de Gautier. Une heure se passa avant que les vapeurs du stupéfiant que lui avait administré Haudryot se fussent assez dissipées pour qu'il pût se rendre compte de ce qui lui arrivait.

D'abord, il se figura qu'il n'avait pas quitté le caveau de la Courtille-aux-Roses et, ayant constaté qu'il n'avait plus d'entraves ni aux mains ni aux pieds, il s'occupa aussitôt de chercher un moyen d'évasion.

« Je me suis bien enfui une fois, grogna-t-il. Pourquoi ne m'enfuirais-je pas encore, et par les mêmes moyens ? »

Comme il disait ces mots, une sorte de ressouvenir s'éveilla dans son esprit et, peu à peu, s'y précisa. Les dernières paroles de Buridan résonnèrent en lui comme s'il les eût entendues à ce moment-là. Stragildo éclata de rire et grommela :

« La farce est bonne. Je suis ici à la place de Gautier ! Mais je ne suis pas Gautier, moi ! Je suis Stragildo, le gardien des fauves du roi et de la reine. Je suis un personnage important dans l'État. Or donc, puisque Buridan a été assez fou pour me mettre à la place de Gautier et que je ne suis pas Gautier, je n'ai qu'à appeler. On vient. On me reconnaît. On me relâche. Et alors, oh, alors, malheur à toi, Buridan du diable ! »

Il se mit à frapper du poing dans la porte.

« Holà ! Holà ! archers ! Ouvrez. Çà ! à l'instant, ou je me plaindrai à la reine. »

On n'ouvrit pas. Personne ne répondit.

Stragildo frappa plus fort. Bientôt il se mit à pleurer. Bientôt ses poings saignèrent. Bientôt la rage et la terreur combinèrent leurs forces dissolvantes et il tomba tout de son long épuisé, sur les dalles du cachot.

Quand il sortit de ce demi-évanouissement, Stragildo poussa une clameur funèbre. Il sentit ses cheveux se dresser sur sa tête.

L'épouvante s'abattit sur lui en coup de foudre : car, maintenant, il était tout à fait libéré de son ivresse ; maintenant, il se rappelait tout ; maintenant, il comprenait.

Tout à coup, Stragildo entendit des pas nombreux et le bruit des armes entrechoquées.

Il s'arrêta alors et respira longuement. Il était hideux, couvert de sang, les habits en lambeaux, la barbe et les cheveux hérissés. Mais un sourire balafrait ce visage terrible : on venait enfin ! Il allait être délivré !...

La porte s'ouvrit. Stragildo eut la vision soudaine des torches, des archers nombreux, de deux aides du bourreau et d'un homme vêtu de noir qui disait :

« Gautier d'Aulnay, écoute la sentence qui a été prononcée contre toi et ton frère...

– Je ne suis pas Gautier ! hurla Stragildo. À moi ! Au meurtre ! Conduisez-moi à monseigneur de Valois ! Je suis Stragildo ! Regardez ; regardez tous !... Gautier est parti avec Buridan ! »

Il y eut un moment de stupeur, puis des cris d'effarement, puis, Stragildo fut repoussé dans le cachot et la porte se referma. On entendit encore ses hurlements, mais on n'y prenait pas garde. Il y avait une chose sûre : c'est que Gautier d'Aulnay avait fui et avait été remplacé par Stragildo ! L'homme noir, les aides, plusieurs archers avaient parfaitement reconnu le gardien des fauves !...

En voyant arriver l'officier du poste, tout pâle et défait, Jean de Précy comprit que quelque grave événement venait de se passer. Il mit donc pied à terre et suivit le capitaine qui, une fois dans la salle du corps de garde, se mit à lui faire le récit de ce qui s'était passé.

Et, comme preuve, il montra le parchemin que lui avait laissé Buridan.

Jean de Précy examina le papier, puis, hochant la tête :

« Bien vous prend, sire capitaine, d'avoir eu l'idée de garder ce parchemin ; sans quoi, je crois que votre tête ne serait plus des plus solides sur vos épaules. Mais le sacripant a agi de par le roi. Rien à faire. Rien à dire.

– Sacripant, soit ! dit rudement le capitaine. Mais un brave, je vous le garantis. Et un brave homme ! Je lui dois la vie, en somme, il pouvait emporter ce parchemin, et c'est lui-même qui m'a conseillé de le garder, – mieux : il m'en a donné l'ordre. – Mais, sire prévôt, que devons-nous faire du Stragildo, maintenant ? Faut-il le relâcher ?

– Le relâcher ! fit Jean de Précy avec le grognement du chien à qui on retire un os. Écoutez ! Ce Stragildo, j'avais l'ordre de le rechercher pour le faire pendre, car il paraît que notre bon sire Louis a reçu de lui un grave affront.

– Eh bien, donc, le voilà tout trouvé. Prenez ce Stragildo, messire, et m'en débarrassez.

– Hum !… Donc, ce Stragildo qui, entre nous, est un horrible mécréant et mérite la hart depuis le jour de sa naissance à tout le moins, ce Stragildo est de bonne prise et, comme il est condamné, il n'y a qu'à le faire pendre…

– Faites-le pendre, sire prévôt. Emmenez-le à la Croix du Trahoir ou à la Grève. Ici, il n'y a pas de potence.

– Hum !… Et voici déjà le bon peuple de Paris qui s'impatiente et veut voir écorcher. Écoutez, mon digne capitaine, je vais m'occuper de faire rechercher aussitôt le Gautier du diable et l'effronté écolier Buridan qui l'a tiré de cette prison. Les deux gaillards ne perdront rien pour attendre. D'autant que nous avons de vieux comptes à régler avec le damné Buridan. Mais, quant à *reculer le supplice de Gautier, voyez-vous, c'est impossible.* »

L'officier ouvrit des yeux énormes.

« Par la Vierge, grommela le prévôt, ces gens d'armes sont d'obtuse intelligence. Vous ne comprenez pas ?

– Non, sire prévôt, je ne comprends pas, fit le capitaine, je n'ai pas le droit de comprendre, moi ; je n'ai que le droit d'obéir, si vous commandez.

– Eh bien, donc, je commande. Prenez-moi ce Gautier, que j'entends hurler d'ici. Il ne s'est rien passé cette nuit, capitaine. Je vais faire pendre ce Gautier et vous en débarrasser. »

Là-dessus, le prévôt alla regagner sa place au pied de l'échafaud et donna l'ordre d'exécuter Philippe d'Aulnay.

Sur quoi, les aides de Capeluche saisirent une sorte de mannequin qui était déposé dans un grand panier, le mirent debout et le montrèrent à la foule. L'un d'eux saisit la hache, dont il porta un coup sur la tête, laquelle roula aussitôt.

Il se fit une grande huée d'éclats de rire, puis aussitôt le silence s'établit, tragique cette fois... car c'était un vivant, un être de chair et d'os qu'on allait supplicier !... Tous les regards se tournèrent vers la porte de la prison.

Là, dans cette prison, au fond des cachots, une scène terrible se passait, tandis que là-haut, sur l'échafaud se déroulait le simulacre grotesque de l'exécution de Philippe. En effet, après son entretien avec le prévôt, le capitaine était rentré au corps de garde en criant :

« Qu'on saisisse le *sire d'Aulnay* et conduisez-le-moi à l'échafaudage. »

Une douzaine d'archers se mirent en devoir d'exécuter cet ordre.

« Mais je ne suis pas d'Aulnay ! hurlait Stragildo.

– Allons, compère, laissez-vous faire en douceur ! répétaient les aides.

– Faisons donc savoir audit Gautier, sire d'Aulnay... glapissait l'homme noir.

– La peste soit de l'enragé qui fait de la rébellion, vociféraient les archers.

– Je vous dis que je m'appelle Stragildo ! »

Tous ces cris se fondirent en un sourd grognement. Stragildo, acculé dans un angle, cessait de clamer son désespoir, il se défendait.

Dans cet angle noir, les torches renversées, il y eut une mêlée sans nom ; de sourds jurons, des hurlements brefs, des insultes, une lutte formidable de l'homme qui ne voulait pas mourir. Puis, brusquement, tout s'apaisa.

« Là ! Là ! faisait l'aide en train de ligoter Stragildo.

– Ces d'Aulnay étaient de rudes sacripants, se disaient les archers l'un à l'autre.

– ... Et finalement, la tête tranchée par la hache », achevait en nasillant l'homme noir qui savait son parchemin par cœur.

Stragildo ne disait plus rien. On l'emporta tout garrotté...

Et lorsqu'on le déposa dans le corps de garde, à la lumière du jour, on s'aperçut qu'il était mort.

Nous devons ajouter que le cadavre du gardien des fauves fut porté sur l'échafaud et qu'il y subit le supplice annoncé, afin que la foule accourue à ce spectacle ne pût élever aucune réclamation.

XLVIII

LE TRÉSOR D'ENGUERRAND DE MARIGNY

Dans la matinée du jour où périt Stragildo, Charles de Valois, gouverneur du Temple, se mit à calculer sa propre fortune.

Il était plongé dans cet intéressant calcul, lorsqu'on vint lui annoncer qu'un homme demandait à le voir en particulier et à l'instant même. Cet homme disait se nommer Tristan.

Au nom de Tristan, Valois sursauta, et, au lieu de donner l'ordre de chasser à coups de fouet de chien l'insolent qui prétendait lui parler sur-le-champ, le fit introduire.

« Qu'as-tu à nous dire ? demanda rudement Valois.

– Monseigneur, répondit Tristan, j'ai appris que vous avez donné l'ordre de me chercher comme étant le détenteur des trésors de mon défunt maître.

– C'est vrai. Et tu n'ignores pas que tu seras pendu pour n'avoir pas restitué au roi ce qui appartient au roi ?…

– C'est pour cela que je viens vous trouver, monseigneur. Je viens donc humblement faire acte de soumission ; et, comme vous êtes chargé des affaires de l'État, vous supplier de me faire conduire en présence de notre sire, auquel je révélerai l'endroit où se trouve caché le trésor de mon maître.

– Ce trésor existe donc ?

– En avez-vous douté, monseigneur ?

– Et à combien se monte-t-il ?…

– J'ai essayé de compter un jour que mon maître m'avait informé de sa résolution de fuir Paris ; j'ai compté depuis le soleil levant ; j'ai aligné les piles d'or ; mais, à la nuit close, je n'avais pas fini. »

Valois frissonna. Déjà, il songeait activement au moyen de s'emparer de cette énorme fortune. Tristan continuait :

« Contre le service que je rends en restituant un trésor que je pouvais garder, je ne demande que deux choses.

– Parle ! fit avidement Valois.

– D'abord vie sauve, et liberté de sortir de Paris.

– Tu tiens donc bien à ne pas être pendu ? »

Le vieux serviteur répondit d'une voix tremblante :

« Je suis vieux, monseigneur ; mais, toujours absorbé par un dur service, j'ignore tout de la vie ; si Dieu a décidé que je dois vivre quelques années encore, je tiens à ce peu qui me reste à vivre…

– Et ensuite, que demandes-tu ?

– Ensuite, monseigneur, si le roi m'accorde vie sauve, je voudrais pouvoir vivre enfin quelques années en repos et sans souci. Je demande six mille livres, qui me seront comptées le jour même où j'indiquerai le trésor.

– Écoute, si je te fais conduire au roi, ta mort est assurée, soit qu'il te fasse pendre, soit que tu t'empoisonnes. Si tu veux me révéler ton secret, je te fais conduire hors Paris avec dix mille livres, au lieu de six que tu demandes. »

Tristan semblait réfléchir à cette proposition et Valois attendait sa réponse en frémissant.

« Ainsi, monseigneur, vous jureriez sur la croix ? »

Valois regarda autour de lui. Et comme il ne vit pas de croix, il tira sa lourde épée et en présenta la poignée à Tristan.

« Voici une croix, dit-il. Je te jure sur mon âme que tu seras conduit sain et sauf hors de Paris, avec dix mille livres pour ta part.

– C'est bien, monseigneur, je me rends. Venez ce soir au pied de la Grosse Tour du Louvre, et je vous conduirai au trésor. Mais, vous l'avez dit vous-même : la chose doit demeurer entre nous. Venez donc seul, ou du moins accompagné de peu de gens…

– Non, non, fit vivement Valois. Je serai seul. Et il faudra que tu sois seul aussi. Maintenant, par où veux-tu quitter Paris, et quand veux-tu le quitter ?

– Quand ? Au plus tôt. Demain matin, à la pointe du jour. Par où ? J'ai l'intention de me diriger sur Orléans. Je sortirai donc par la porte Bourdelle.

– C'est bon, dit Valois. Ce soir, à dix heures, je serai au pied de la Grosse Tour du Louvre. Demain matin, à six heures, un de mes hommes t'attendra hors de la porte Bourdelle, avec un cheval dont je te fais présent et les dix mille livres promises. Va-t'en, maintenant. »

À peine fut-il hors du Temple que Valois fit venir son capitaine des gardes et lui dit :

« Ce soir, je vais en expédition. Il me faut quatre hommes sûrs qui me suivront à distance et n'approcheront que si je crie ou les siffle. Demain matin, à l'ouverture des portes, vous placerez dans les terrains maraîchers qui se trouvent hors de la porte Bourdelle, deux de vos hommes choisis. L'homme qui sort d'ici, vous le connaissez ?

– Tristan. L'âme damnée du damné Marigny.

– Bon. Eh bien, vos deux envoyés auront à me débarrasser de cet homme. Un coup de poignard pour l'affaire. Pour plus de sûreté, il sera bon qu'ils enterrent le corps avant de rentrer ici. Dites-leur qu'en cas de réussite, il y a vingt livres pour eux. En cas de non-réussite, une corde. »

Le soir vint. Vers l'heure convenue, Valois sortit du Temple et se mit en route pour le Louvre, escorté à distance par les gardes prêts à intervenir au premier signal. Il contourna la vieille forteresse en se disant : « Bientôt, je coucherai là en maître absolu... » Son cœur bondissait. Au pied de la Grosse Tour, il trouva Tristan qui l'attendait. Il tressaillit. Un instant, il avait douté que le serviteur de Marigny viendrait au rendez-vous. D'un rapide regard, il s'assura que Tristan était bien seul.

« Où est-ce ? demanda-t-il d'un ton bref.

– Suivez-moi, monseigneur, dit Tristan qui descendit sur la berge.

– Il faut traverser l'eau ? »

Valois eut une seconde d'hésitation. Ses quatre gardes ne pourraient le suivre ! Ou, s'ils entraient dans l'une des barques amarrées là, Tristan les verrait !...

Il n'avait pas prévu que le trésor pouvait se trouver sur la rive gauche... Mais, s'en rapportant un peu au hasard et un peu à l'instinct de ses gardes, il entra dans la barque, Tristan se mit aussitôt à ramer. En quelques minutes, la barque toucha l'autre bord.

Valois se retourna, explora le fleuve du regard et vit que ses acolytes ne le suivaient pas, ou du moins qu'ils n'avaient pas encore commencé la traversée du fleuve.

« Est-ce loin ? fit-il en se retournant vers Tristan.

– Non, monseigneur, nous sommes arrivés. Le trésor est dans la Tour de Nesle. Il ne me reste qu'à vous indiquer le secret qui vous permettra d'arriver jusqu'au coffre où sont entassés les sacs pleins de ducats d'or… »

Valois ne s'étonna pas de trouver la porte entrouverte ; il était naturel que Tristan en possédât une clef.

« Entrez, monseigneur », dit Tristan, qui s'inclina.

Valois entra, tout frémissant.

Au même moment, Tristan, resté dehors, tira la porte à lui et la referma à double tour.

XLIX

LA TOUR DE NESLE

Valois, entendant la porte se fermer, ne se rendit pas compte d'abord de ce qui lui arrivait. Il crut que Tristan était entré derrière lui. Une seconde, il attendit. Cependant, la nuit était profonde ; un silence funèbre tombait de ces voûtes qui, naguère, avaient répercuté l'écho des orgies et les plaintes des victimes de Stragildo.

« Tristan ! » murmura le comte de Valois.

Un bruit clair sonna étrangement dans le profond silence. Un bruit de pièces d'or qui tombent sur des dalles.

Valois, palpitant, Valois, ivre de joie, s'avança doucement vers le point où il avait entendu ce bruit d'or. Il y marcha comme s'il eût été attiré par une force magnétique.

« Tristan ! » appela Valois à voix basse.

Il descendait, presque sans s'en apercevoir, un escalier qui s'enfonçait dans le sol.

Une minute plus tard, il se trouva dans le caveau ; il fit quelques pas hésitants.

« Est-ce toi, Tristan ?… Allons, je te pardonne et je te permets de prendre tout de suite ta part… »

Le silence de nouveau était devenu profond, – un de ces silences formidables comme les tombes doivent en avoir. Valois, d'instinct, refit, en reculant, les quelques pas qu'il venait de faire en avançant. Tout à coup, il se heurta à quelque chose. De la main, il chercha l'ouverture par où il était entré.

Il n'y avait plus d'ouverture !…

Valois sentit que sa main touchait les ferrures d'une porte – d'une porte fermée.

Il frémit. Mais il ne perdit pas courage. Tristan était là !… Le trésor était là !…

Le caveau s'éclaira soudain d'une faible lueur, qui venait il ne savait d'où… Valois reconnut alors le caveau où il avait été enfermé. Il n'avait pas peur, il ne pensait qu'au trésor. Et, brusquement, il frissonna jusqu'au fond de l'être : le trésor !… il le voyait !… Au fond du caveau, un grand coffre ouvert ; le coffre était plein de sacs soigneusement liés à l'ouverture ; sur les dalles, près du coffre, deux ou trois ducats luisaient confusément ; l'un des sacs était ouvert…

Valois s'avança en grommelant une menace, et, rudement, tira le rideau.

Au même instant, il fit en arrière un bond terrible et demeura pétrifié : ses cheveux se hérissèrent et il sentit que l'épouvante dans ce qu'elle a de surhumain s'abattait sur lui ; il tomba à genoux ; tout ce qu'il y avait de vivant en lui, toute son énergie, toutes ses forces, il les employa à détourner ou à baisser la tête ou à fermer les yeux ; mais il ne put y parvenir ; son regard, fou d'horreur, demeura rivé au spectacle d'horreur et de folie… Ce que voyait Valois, c'était Enguerrand de Marigny !…

Marigny était assis sur un fauteuil. Il avait revêtu les habits qu'il portait d'ordinaire. Son visage n'avait pas la pâleur des cadavres ; au contraire, il était légèrement teinté de rose ; ses yeux étaient ouverts, fixes et brillants. Sa main gauche s'appuyait à la poignée de sa dague ; sa main droite reposait sur son genou. Le fauteuil était placé sur une estrade assez haute, en sorte que les pieds de l'apparition se posaient sur le bord supérieur du coffre.

Valois garda quelques secondes l'espoir qu'il était le jouet d'une hallucination et qu'il allait se réveiller de cet effroyable cauchemar.

Il eut le courage de se lever, de s'avancer vers l'apparition. Il grelottait. Il claquait des dents. Mais il se disait :

« Je vais toucher ce fantôme, et alors je verrai qu'il n'existe pas, que ma main ne s'est posée que sur une ombre… »

Et sa main, en effet, se posa sur la main de Marigny. Dans cet instant, éclata, avec un retentissement sonore et prolongé, un bruit de cymbales et de gong. Valois l'entendit à peine. Il reculait jusqu'à l'angle le plus éloigné du caveau.

Marigny, pendu au gibet de Montfaucon, était assis dans ce fauteuil et le regardait.

« Maudit, tu es donc venu me voler après ma mort comme tu me voulais voler de mon vivant ?

– Que dit-il ? Oh ! Est-ce vrai ? Est-ce possible que je puisse ainsi toucher au fond de l'horreur ?

– Maudit, qu'as-tu fait de ton fils Buridan ?

– Il sait ! Oui, il doit tout savoir puisque les morts savent !… »

Enguerrand de Marigny parlait d'une voix basse, mais distincte. Et Valois éperdu, Valois, insensé d'épouvante, répondait. Il parlait aussi, mais sa voix à lui n'était qu'une suite de hoquets douloureux.

« Maudit, qu'as-tu fait de ma fille, que tu dénonças comme sorcière ?…

– Oh ! celle-là du moins m'a échappé ! Rassure-toi, Marigny ! Au nom de ta fille, pardonne, oh ! pardonne ! »

Il s'était écroulé sur ses genoux, il frappait les dalles, de son front.

« Te pardonner ! Moi ! Insensé !… Moi qui t'ai attiré ici pour te prendre, t'emporter dans les sombres régions du deuil éternel… »

Valois releva sa tête convulsée vers le spectre. Et il le vit faire un mouvement… Lentement, il le vit se dresser… Alors, dans sa tête, il y eut comme un fracas de choses qui s'écroulent ; il s'affaissa, le visage sur le sol, et demeura inerte, foudroyé par l'épouvante.

Mais Valois n'avait garde d'entendre. Il était bien évanoui.

Alors, de derrière le fauteuil élevé où le cadavre embaumé avait été assis et placé dans la position la plus favorable, surgit la tête pâle de Lancelot Bigorne qui jeta un regard méfiant du côté de Valois.

« Est-il mort ? grommela-t-il ; saint Barnabé me vienne en aide, je crois que, s'il me fallait continuer encore, je mourrais moi-même de peur. »

Il s'approcha de Valois et vit qu'il respirait encore.

Bigorne, à cette découverte, allait précipitamment regagner sa place, lorsque Valois, revenant à lui, se dressa sur ses genoux.

« Bon ! songea Bigorne. Il va tout découvrir à présent ! Tant pis, je serai obligé de le tuer !… »

Mais Valois, s'étant remis debout, semblait ne pas le voir, de même qu'il ne prêtait plus la moindre attention au cadavre de Marigny. Il se promenait dans le caveau, de long en large, d'un pas solennel ; la main droite crispée paraissait porter un objet imaginaire ; et, avec un long gémissement, il criait :

« Priez, gens de Paris, priez pour l'âme d'Enguerrand de Marigny pendu, quoique innocent, aux fourches de Montfaucon… »

Bigorne regarda Valois dans les yeux.

Et il vit que ces yeux étaient à jamais vides de lumière, comme des yeux d'aveugle. Valois n'était pas aveugle : il était fou !

Dès lors que Lancelot eut acquis cette conviction que le comte de Valois avait perdu la raison, il cessa de s'occuper de lui.

Derrière le rideau que Valois, tout à l'heure, avait tiré, il y avait une fosse que, sans doute, Bigorne avait préparée dans la journée.

Il y plaça le cadavre, ramena la terre, rajusta les deux ou trois dalles qu'il avait déplacées ; puis, n'ayant plus rien à faire dans le caveau, il alla à Valois qui continuait ses lamentations et le prit par la main.

« Me conduisez-vous à Notre-Dame ? dit Valois. Oh ! faites que j'y puisse bientôt arriver ! Il me reste si peu de temps pour faire pénitence !…

– Allons, il vous reste toute la vie pour cela. Soyez patient, par tous les diables ! »

Bigorne remonta dans la salle du rez-de-chaussée de la tour, ouvrit la porte avec une clef qu'il avait gardée sur lui, et, toujours le tenant par la main, conduisit Valois au-dehors.

Alors, il le lâcha et lui dit :

« Allez, maintenant, monseigneur ! Vous avez failli me pendre. J'ai failli vous pendre. Voyez-vous, il fallait que l'un de nous y restât. J'aime mieux que ce soit vous. C'est plus juste, d'abord, et puis, maintenant que je suis riche, je tiens à la vie… »

Valois s'éloigna. Longtemps Bigorne entendit sa lamentation qui se perdait dans le lointain.

« Priez pour l'âme d'Enguerrand de Marigny !… »

Puis lorsque cette voix funèbre se fut éteinte dans l'éloignement, il jeta un regard sur la vieille tour silencieuse et morne dans les ténèbres et il murmura :

« Adieu, Tour de Nesle, sombre asile de spectres. Toi aussi, tour maudite, te voilà pardonnée, car nous ne te craignons plus… Tour de Nesle, adieu ! »

P.-S. – Nous avons vu que Lancelot Bigorne put rejoindre ses compagnons au hameau du Roule. La petite troupe se mit en route à l'heure qu'avait fixée Buridan. Elle gagna la Bourgogne et s'établit aux environs de Dijon, où ses compères, unis de la plus étroite amitié, vécurent ensemble de longues années.

Buridan épousa la fille de Marigny.

Vers 1324, sa mère, la dame de Dramans, mourut après une paisible vieillesse. Alors, Buridan revint à Paris, où il supposait justement que tous ces événements devaient être oubliés depuis longtemps.

Quant au malheureux Louis X, quant à celui que le peuple de Paris avait surnommé Hutin pour sa joyeuse humeur, il succomba, peu de temps après la mort de Marguerite, à une maladie de langueur, et fut remplacé sur le trône par un de ses frères connu dans l'histoire, à défaut d'autre illustration, sous le nom plutôt comique de Philippe le Long.

CONCLUSION

Au printemps de l'an 1325, un jour, vers midi, plusieurs personnages étaient rassemblés dans une jolie taverne du bord de l'eau. Ces honnêtes Parisiens venaient d'achever un repas substantiel et varié comme peuvent en faire des voyageurs dont l'appétit a été aiguisé par une longue étape. La table avait été dressée sous une tonnelle que fleurissaient des chèvrefeuilles. À leurs pieds coulait la Seine, toute bleue et paisible. À leur droite, s'indiquait la masse confuse des tours, des clochetons et des girouettes du Louvre. Devant eux, par-delà le fleuve, se dressait la vieille Tour de Nesle. Ces voyageurs, qui venaient d'arriver dans Paris et qui avaient eu l'idée de s'arrêter là et non ailleurs, c'étaient Jean Buridan et sa femme Myrtille ; c'était Gautier d'Aulnay ; c'était Lancelot Bigorne ; c'étaient Bourrasque et Riquet Haudryot…

Ils échangèrent leurs projets d'avenir ; Gautier parlait de se retirer dans ses domaines ! Guillaume et Riquet parlaient d'entreprendre un voyage à travers le monde. Myrtille parla alors d'une voix émue :

« Pourquoi nous quitter ? Est-ce que la destinée ne nous a pas mis dans les mêmes douleurs et dans les mêmes joies ? »

Il paraît que les compagnons ne demandaient, au fond, qu'à rester ensemble. Car il fut dès lors résolu qu'on ne se séparerait plus.

Cependant, Buridan regardait d'un air pensif la vieille Tour de Nesle.

« Maître, demanda-t-il à l'aubergiste, pourquoi la porte et les fenêtres de cette tour sont-elles condamnées de planches solidement clouées ?

– C'est pour empêcher le spectre de sortir, dit l'hôte.

– Quel spectre ? fit Buridan qui tressaillait.

– Vous ne savez donc pas ? Ah ! oui, vous arrivez de loin… Eh bien… tout Parisien sait cela : il y a un spectre dans la tour, et le roi ne veut pas qu'il sorte la nuit pour effrayer ses bons bourgeois, c'est pourquoi toutes les issues sont condamnées…

– Quel spectre ? répéta Buridan.

– Celui de Mme Marguerite de Bourgogne, dont je vous conterai l'histoire, si vous voulez… »

Les compagnons firent signe que c'était inutile. Ils s'entre-regardèrent et se virent tout pâles.

« À quoi songes-tu, Buridan ? reprit Gautier au bout d'un instant.

– À la thèse que je voulais jadis soutenir en Sorbonne.

– Et c'était ?

– *Licitum est occidere reginam…*

– Hi han ! fit Bigorne. La thèse est fausse, maître Buridan. On ne tue pas une Marguerite de Bourgogne. Et, vous le voyez, même quand elle est morte, il faut encore l'enfermer pour l'empêcher de tourmenter les bourgeois. Vertueuse, bonne envers ses semblables, on ne parlerait plus d'elle depuis longtemps. Ribaude, terrible et perverse, vous pouvez m'en croire, on en parlera dans les siècles des siècles, alors que la vieille tour aura été démolie depuis long-temps… »